P9-BHT-717

Susanne Baackmann

Erklär mir Liebe

Weibliche Schreibweisen von Liebe in der deutschsprachigen Gegenwartsliteratur

ARGUMENT-SONDERBAND NEUE FOLGE BAND 237

© Susanne Baackmann 1995

Lektorat: Anja Busche, Iris Konopik

Die Deutsche Bibliothek – CIP-Einheitsaufnahme
Argument-Sonderband. – Hamburg: Argument-Verl.
Früher Schriftenreihe. – Früher angezeigt u.d.T.: Argument-Sonderband
Reihe Sonderband zu: Das Argument. NE: HST
Erklär mir Liebe / Susanne Baackmann
1. Aufl. – Hamburg; Berlin: Argument-Verl., 1995. (Argument-Sonderband; N.F., AS 237)

Deutsche Originalausgabe
Alle Rechte vorbehalten
© Argument-Verlag 1995
Argument-Verlag, Rentzelstraße 1, 20146 Hamburg
Umschlag nach Entwürfen von Wolfgang Geisler, Berlin, unter Verwendung des Gemäldes
Sunlight in a Cafeteria (1958) von Edward Hopper
Fotosatz: Steinhardt, Berlin. Druck: Alfa-Druck, Göttingen
Erste Auflage 1995
ISBN 3-88619-237-7

Inhalt

Vorrede
Liebe: Mythos, Bild, Text oder Realität? 5

Kapitel 1: Der Mythos der Liebe
Zu Ingeborg Bachmanns »Undine geht«

»Doch vergeßt nicht, daß ihr mich gerufen habt«
Das Zeichen »Undine« 15

»Beinahe mörderisch wahr«
Die neue Stimme der Undine 28

Kapitel 2: Der Diskurs der Liebe
Zu Ingeborg Bachmanns *Malina*

'Dokumentation einer schwierigen Seele' oder
Dokument der Zeit 44

»Ein Mann, eine Frau – seltsame Worte, seltsamer Wahn«
Die Mimesis des Liebesdiskurses 56

Exkurs: »Die Prinzessin von Kagran« oder
Die falsche Rettung in die Liebe 75

»... aber du warst einverstanden«
Die Mittäterschaft der Frau 82

Kapitel 3: Weibliches Begehren
Zu Unica Zürns »Dunkler Frühling«

Liebe und Sexualität zwischen Avantgarde und
Neuer Frauenbewegung 94

»Alles ist falsch«
Eine Geschichte weiblichen Begehrens 108

»Wer könnte die Liebe ertragen, ohne daran zu sterben«
Auch eine Liebesstrategie 128

Kapitel 4: Der Körper der Liebe
Zu Anne Dudens »Der Auftrag die Liebe«

Die Macht der Gefühle und die neue
weibliche Grammatik 135

»Wie einen Wurm zertreten«
Der (fast unmögliche) Tod der Liebe 150

Kapitel 5: Die wa(h)re Liebe
Zu Elfriede Jelineks *Lust*

Keine Lust mehr
Sexualdebakel und Pornographiedebatte 167

Immer nur das/der Eine
Noch eine Geschichte des weiblichen Begehrens 180

Kapitel 6: Abschied von der Liebe?
Zu Ulla Hahns *Ein Mann im Haus*

Letzte Widerworte und Rückschläge 189

Anmerkungen 198

Literaturverzeichnis 217

Über die Autorin 223

Vorrede

Liebe: Mythos, Bild, Text oder Realität?

> Es ist eine alte Geschichte,
> Doch bleibt sie immer neu;
> Und wem sie just passieret,
> Dem bricht das Herz entzwei.
>
> Heinrich Heine, *Buch der Lieder*

> Für mich stellt sich nicht die Frage nach der Rolle der Frau, sondern nach dem Phänomen der Liebe – wie geliebt wird. Die moderne Frau liebt so außerordentlich, daß dem auf der anderen Seite nichts entsprechen kann ... Liebe ist ein Kunstwerk, und ich glaube nicht, daß es sehr viele Menschen können.
>
> Ingeborg Bachmann

> Sie [die Liebe] ist das gesprächigste aller Gefühle und besteht zum Teil ganz aus Gesprächigkeit.
>
> Robert Musil, *Der Mann ohne Eigenschaften*

Der Mythos der einmaligen Liebe und die unerfüllbare, unglückliche, unmögliche oder gescheiterte Liebe sind oft ästhetisch inszeniert worden. Als kultureller Kommentar illustriert der Liebesmythos soziale Utopien bzw. soziale Ungerechtigkeiten und Mißstände; im privaten Schicksal der Liebenden äußern sich Hoffnungen und Erwartungen, Enttäuschungen und Täuschungen, eskapistische und geheime Sehnsüchte der Gesellschaft; das Liebespaar spricht und lebt der Gesellschaft ihre Ideale vor, seine Verzweiflung ist Hinweis auf die Misere im ganzen.

In den letzten Jahren läßt sich dies augenfällig an so erfolgreichen internationalen Filmproduktionen wie *Fatal Attraction* (1992), *The Lover* (1993), *Das Piano* (1993), *Basic Instinct* (1993) und *The Crying Game* (1994) ablesen. Auf unterschiedliche Weise sprechen alle diese filmischen Choreographien kulturelle, soziale und geschlechtsspezifische Differenzen aus, akute Probleme, die als Herausforderung an ein Paar herangetragen werden. Es kommt dem 'symptomatischen' Liebespaar zu, gesellschaftliche Ungerechtigkeiten und soziale Vorurteile pars pro toto auszuhalten und in seinem privaten Diskurs zu bewältigen. Doch, wie der Soziologe Ulrich Beck für die Rolle der Liebe in der Gegenwart konstatiert: »Die Liebe wird flüchtig in dem Maße, in dem sie mit Hoffnungen aufgeladen, zum Kultplatz der um Selbstentfaltung kreisenden Gesellschaft wird. Und sie wird mit Hoffnungen aufgeladen in dem Maße, in dem sie flüchtig und sozial vorbildlos wird.«[1] Sie wird nicht nur flüchtig und sozial vorbildlos, sondern auch bitter und zynisch ihrem eigenen vielversprechenden Mythos gegenüber, wie aus den Worten des Protagonisten in Spike Lees Film *Jungle Fever* (1992) zu entnehmen ist: »This 'love-will-overcome-everything' is only in Disney-films, and I hate Disney-films.«[2]

Daß das Thema Liebe, Leidenschaft und Sex immer wieder von der (nicht nur) amerikanischen Filmindustrie publikumswirksam in Szene gesetzt wird, muß wohl nicht besonders erwähnt werden. Erwähnenswert sind allerdings die jeweils unterschiedlichen Akzente, die Regisseure diesem alten Thema geben. So fällt vor allem in den letzten Jahren auf, daß sich die Spuren der »romantischen« Leinwandutopie zugunsten des harten Sex-Thrillers verwischt haben. Das kommerzielle Kino inszeniert gegenwärtig keine zarten Liebesgeschichten, sondern Sexualität als »Kino brutal«, so der Titel eines *Stern*-Artikels über die ungeheuer erfolgreiche Hollywood-Produktion *Basic Instinct* (1992). In einem Interview mit dem *Stern* betont der in den USA lebende niederländische Regisseur Paul Verhoeven allerdings den stilisierten und stark fiktionalen Charakter seines Films: »Der Film ist ein Fairytale – ein Märchen. Und wie die meisten Märchen ist er grausam. Sie bereiten dich auf die Realität des Lebens vor, sollten aber nicht mit dem echten Leben verwechselt werden.«[3] Wenn es aber um die Liebe geht, lassen sich Märchen und »echtes Leben«, Mythos und Realität, Text, Bild und Wirklichkeit leicht verwechseln – und sind auch oft verwechselt worden. Besonders die Liebesgeschichte lebt von der Spannung zwischen Mythos und Realität, wobei die mythischen oder märchenhaften Anteile der »alten Geschichte« utopische oder katastrophale Imaginationen im kollektiven Gedächtnis aufbewahren. So verweisen Mythen wie z.B. der von Orpheus und Eurydike auf die nach wie vor in Anspruch genommene Vorstellung von der Macht der 'absoluten Liebe': Als Liebender nimmt sich Orpheus das Recht, die göttliche Ordnung aufzuheben und seine Geliebte aus dem Reich der Toten zurückzubeanspruchen; die Stärke seines Gefühls verbindet sich mit der Utopie ewigen Glücks, ewigen Zusammenseins und ewigen Lebens. Wenn Paare wie Romeo und Julia und Tristan und Isolde erst im Liebestod vereint sind, dann kann ihr Schicksal als nach wie vor geltender Einspruch gegen gesellschaftliche Normen gelesen werden. Versuchen diese klassischen Liebesmythen, im Namen eines absoluten Liebesideals natürliche, historische und soziale Beschränkungen außer Kraft zu setzen, so leisten auch die HeldInnen moderner Filmmythen in ihrem Kampf mit Gefühl und Trieb Widerstand gegen bürgerliche Konventionen, Sitte und Anstand – wenn auch nur für kurze Momente. Antiker Mythos und moderner Film begegnen sich damit in einem mehr oder weniger latent gesellschaftskritischen Gestus.[4]

Die Beziehungen der Geschlechter kulminieren in der Art und Weise, wie sie lieben; die Art und Weise, wie sie lieben, ist aber immer schon als Text- und Bildgeschichte historisch und kulturell kodiert. Sprechender Ausdruck für das Bemühen, dem Chaos der unterschiedlichen Liebescodes Herr zu werden, sind u.a. die zahlreichen *Sittengeschichten der Liebe*. In gewisser Weise sind die oft reich illustrierten Sittengeschichten biedere Vorläufer der momentan aktuellen Darstellung von Sex und Gewalt im Kino, bieten sie dem Betrachter doch ein ähnlich voyeuristisches Vergnügen: Da kann man(n) nackte (zumeist weibliche) Körper in den unterschiedlichsten Kopulationsstellungen betrachten und die unterschiedlichsten Körperformen und -ornamentierungen genießen. Als wissenschaftliche (oder wissenschaftlich verbrämte) und zumeist ethnographisch inspirierte Werke wollen solche Texte den LeserInnen kulturell unterschiedliche Liebesformen und Sexualpraktiken vorstellen. Freilich haben die dabei gefundenen kulturellen Unterschiede in vielen Fällen nur dazu gedient, durch den Kontrast mit dem »Primitiven« die Überlegenheit des geltenden Liebes- und Sexualcodes des Autors und seiner Zeit zu bestätigen und zu sichern. Wie in den Sittengeschichten sind viele Redeweisen über die Liebe oft nichts als ein Diskurs, ein narratives Ritual und Ereignis, das sich in Literatur und Film zur mythischen Legende verdichtet hat. Ideal, Projektion und Realität durchdringen sich in den ästhetischen Bearbeitungen des Liebesthemas zwar oft auf komplexe Weise, doch die nachträglichen akademischen Kommentare und Medienbeiträge reduzieren in ihrer vermeintlichen Wahrheitssuche diese Komplexität oft ebenfalls wieder auf den gerade geltenden Liebescode.

Die Beiträge der Filmindustrie und der Literatur zu diesem Thema lassen fortwährend Bilder von Männlichkeit und Weiblichkeit zirkulieren. Die Präsentationsformen der Geschlechter – die Klischees, Vorurteile und Projektionen von Mann und Frau und von deren Beziehung – dienen dabei als Halte- und Orientierungspunkte in einem Diskurs, der immer komplexere Anforderungen an das Individuum stellt. »Einerseits werden Männer und Frauen auf der Suche nach einem 'eigenen' Leben aus traditionellen Formen und Rollenzuweisungen *freigesetzt*. Auf der anderen Seite werden die Menschen in den ausgedünnten Sozialbeziehungen in die Zweisamkeit, in die Suche nach dem Partnerglück *hineingetrieben*.«[5] Diese Flucht in die Freiheit der Zweisamkeit aktualisiert die unterschiedlichen Positionen der Geschlechter im Diskurs und in der Realität der Liebe. Die aus den sechziger Jahren übriggebliebene Forderung nach 'Selbstverwirklichung' betrifft auch Fragen der Geschlechts- und Paaridentität, konfrontiert die einzelnen mit sozialen Kontroll- und Zurichtungsmechanismen, die das Diskursfeld von Männlichkeit und Weiblichkeit in ständiger Bewegung halten.

In meiner Untersuchungen wende ich mich den Schnittpunkten von Mythos, Alltagsrealität und Theorie im 'Diskursfeld Liebe' zu, Schnittpunkten, die als brisante und akute Konflikte in der zeitgenössischen Literatur von Frauen zum Thema werden. Mit meiner detaillierten Analyse von Texten von Ingeborg Bachmann, Unica Zürn, Anne Duden, Elfriede Jelinek und Ulla Hahn will ich einen Dialog mit anderen Dokumenten des kulturellen Prozesses herstellen und versuchen, literarische Diskurse mit anderen Diskursen über Liebe, Sexualität und Weiblichkeit zu vernetzen. Da die Legende und der Mythos der Liebe traditionellerweise von männlichen Stimmen formuliert und adaptiert worden sind, sind die hier behandelten Texte von Frauen deshalb besonders interessant, weil sie darauf aufmerksam machen, *daß* und *wie* die Frau in die Kulturgeschichte eingebunden ist. Das gängige Diktum, die Frau sei lediglich das ausgegrenzte »Andere«, nichts als eine historische Leerstelle, muß revidiert werden, insofern sie immer schon als Teil der Paarbebeziehung, als Komplizin des Mannes am geschichtlichen Prozeß teilhat. Die Frau figuriert dabei allerdings selten als liebendes Subjekt mit eigener Stimme und eigenem Begehren, sondern zumeist als Liebesobjekt, als männliche Imagination[6] und Projektion. Indem Autorinnen das männliche Verlangen nach Bildern, das die Frau bis heute zur legendären, sagenhaften und gleichzeitig gefährlichen Sehnsuchtsgestalt stilisiert, mit ihren eigenen Sehnsüchten und Erwartungen konfrontieren, kommen Konflikte und Widersprüche in den Blick, die der Geschlechterordnung eine neue und andere Wahrheit abzwingen. Diese neue und andere Wahrheit ist Gegenstand meiner Untersuchung. Ich versuche vor allem, Einsichten in die strukturelle Einbindung und Ausschließung des Weiblichen innerhalb der gegebenen (Liebes-)Ordnung zu fördern und damit gleichzeitig auf hartnäckige und tiefsitzende Probleme aufmerksam zu machen, die den Liebestext und die Liebesrealität für Frauen bis heute so widerständig machen.

Seit den fünfziger Jahren nehmen sich Frauen zunehmend kritisch des Themas Liebe an, wobei verschwiegene bzw. aus der männlichen Perspektive nicht existierende Enttäuschungen, aber auch vorsichtig angedeutete Hoffnungen zur Diskussion gestellt werden. Im Gegensatz zu den traditionellerweise von Frauen geschriebenen, affirmativen Liebes-Romanzen und Groschenromanen, beginnen Frauen jetzt auch reflektierend und analytisch in den konstant über Liebe, Sexualität und Weiblichkeit geführten Diskurs einzugreifen. Schon früher wurde die schmerzhaft empfundene Differenz zwischen Liebesmythen und herrschender sozialer Praxis in der Literatur von Frauen thematisiert. So notierte Karoline von Günderrode, ihrer 'Natur' nach zum Schreiben von Liebespoesie gezwungen, da die Frau in der romantischen Ästhetik und Philosophie »das liebende und poetische Geschlecht« repräsentierte, die Unvereinbarkeit von weiblicher Autorschaft und Liebes- oder Ehebeziehung. Denn hätte die Autorin geheiratet, hätten Sitte und Anstand es ihr verboten, mit eigenen Produktionen, sprich einer eigenen Stimme an die Öffentlichkeit zu treten. Hatte sie als unverheiratete Frau schon kaum etwas zu sagen, so hätte die Ehe ihr endgültig den selbständigen Mund verschlossen. Doch dieser Konflikt reicht noch tiefer: Selbst als unverheiratete Autorin (die unglücklicherweise in einen verheirateten Mann verliebt ist) kommt sie kaum umhin, den Mann und seine Ordnung in ihrer Liebeslyrik poetisch zu überhöhen, d.h. unfreiwillig das zu sanktionieren, was ihrem Geschlecht den Gedanken- und Bewegungsspielraum beschneidet. Mit anderen Worten: Indem sie der Liebe und ihrem eigenen Liebesverlangen poetisch Ausdruck verleiht, preist sie, wenn auch in galanter Form, ihre eigene gesellschaftliche und soziale Unterdrückung. Als Frau auf die Beziehung zum Mann festgelegt, gerät weibliche Liebessehnsucht unweigerlich in Konflikt mit der Suche nach einer eigenen Identität, ein Konflikt, den Verena Stefan ein Jahrhundert später in ihrem für die Frauenbewegung wichtigen Buch *Häutungen* (1975) noch schärfer formuliert: »ich wollte die sucht, teil eines paares zu sein, ausmerzen. das hieß über den eigenen schatten springen«.[7]

Sigrid Weigel betont die Relevanz und Reichweite dieses Konflikts für die weibliche Identitätsbildung und Perspektive, wenn sie im Rahmen grundsätzlicher Überlegungen zur weiblichen Schreibarbeit davon spricht, daß die Mann-Frau-Beziehung die Frau auf fatale Weise in eine ihr fremde Kultur einbindet:

> Im Widerspruch zur sozialen Dichotomie der Existenz von Mann und Frau als *Gesellschafts*wesen steht aber ihre Verbindung als *Geschlechts*wesen. Die Komplizenschaft der Frau mit einem Repräsentanten der herrschenden Kultur in der Zweierbeziehung ist ein wesentliches Moment der schicksalhaften Einbindung der Frau in die patriarchalische Ordnung, welche den Aufbau einer (zweiten?) weiblichen Kultur unterläuft.[8]

Die »Sucht« nach der Paarbeziehung und die Schwierigkeit, sich daraus zu befreien, die ambivalente »Komplizenschaft der Frau« mit dem Mann wird auf unterschiedliche Weise in den hier behandelten Werken behandelt. Texte von Ingeborg Bachmann (»Undine geht« 1961 und *Malina* 1971), Unica Zürn (»Dunkler Frühling« 1969), Anne Duden (»Der Auftrag die Liebe« 1982), Elfriede Jelinek (*Lust* 1989) und Ulla Hahn (»Ein Mann im Haus« 1991) arbeiten sich an dem (trivial-)mythischen, literarischen und doch vermeintlich ganz privaten Ereignis der Liebe ab, indem sie gängige und traditionelle Schreib- und Redemuster von Liebe durchqueren und zur Diskussion stellen. Dieses textuelle Verfahren ist von einigen französischen TheoretikerInnen unlängst als eine kritische Verfahrensweise beschrieben worden, die Bedeutungsstrukturen aufzubrechen sucht, indem sie sich als »spielerisches und verwirrendes Wiederdurchqueren«[9] mit ihnen einläßt (Irigaray) bzw. »sie in *bestimmter* Weise bewohn[t]«[10], um sie von innen zu dekonstruieren (Derrida). Die Wahrheit ihrer Aussagen wird gestreift, »um sodann über diesen Streifzug die 'Wahrheit' zu sagen«[11] (Kristeva). Das heißt, es geht in dieser Schreibweise weniger um die Formulierung neuer Wahrheiten, die den traditionellen Wahrheiten über etwa die Liebe und das weibliche Begehren entgegengestellt werden, sondern darum, die Bedeutungsfelder nachzuzeichnen, die Begriffe wie etwa »Frau«, »Liebe« und »Begehren« in ihrer ständigen Bewegung schneiden. Auf unterschiedliche Weise greifen die hier behandelten Texte von Frauen alte Muster auf und arbeiten sich an ihnen ab, indem sie sie mit neuen Akzenten und Verschiebungen versehen und dabei auf die kulturelle Praxis der Unterschlagung bzw. Degradierung der Frau und ihrer Gefühle aufmerksam machen.[12]

Die Autorinnen bemühen sich um die Neuformulierung eines traditionsbeladenen Topos aus weiblicher Perspektive. In gewissem

Maße folgen sie fast alle der von Bachmann formulierten Prämisse, daß »die Wahrheit dem Menschen zumutbar« ist, »daß man enttäuscht, und das heißt, ohne Täuschung zu leben vermag.«[13] Es wird die Aufdeckung und damit implizit die 'Entzauberung' unserer Bildbefangenheiten gefordert – auch wenn das schmerzhafte Einsichten für beide Geschlechter zur Folge hat. Das utopische Potential der Liebe wird dabei nicht grundsätzlich negiert; doch beschreiben weibliche Geschichten von der Liebe die Problematik, als Teil eines Paares in eine Ordnung eingelassen zu sein, die die Frau und ihr Begehren in vielerlei Hinsicht ausschließt.

Alle Texte stellen das autarke, geschichtsmächtige Subjekt der Aufklärung, das sich mit teleologischem Eifer daran begibt, sich und seine Welt aus dem Dunkel der selbst verschuldeten Unmündigkeit ins Licht der Vernunft und damit der Wahrheit zu führen, in Frage. Die LeserInnen suchen in diesen Texten vergeblich nach einem sich selbst durchsichtigen und selbstgewissen Subjekt, das mit auktorialer Gewißheit und aus sicherer allwissender Distanz Geschichten über die Liebe erzählt. Die Erzählerinstanz ist vielleicht in vielen Fällen ein »Ich ohne Gewähr« (Bachmann), ein Ich, das sich fragen muß: »Wer bin ich denn ... wenn ich alles von mir streife, was man aus mir gemacht hat?«[14] Die erzählenden und erzählten Ichs der hier vorgestellten Texte vollführen oft Suchbewegungen, bemühen sich einzuholen, was sich vor ihnen als die lange Kette der einen »alten Geschichte« aufgetürmt hat. In vielen Fällen sprechen die Autorinnen nicht aus einer sicheren Entfernung *über* die Liebe, sondern schreiben einen Liebestext, ohne dabei jene Betroffen- und Verletztheiten zu verschweigen, die der romantische Mythos gern überhöht bzw. verdeckt. Zutage gefördert werden dabei nicht etwa neue »weibliche« Liebesideale, sondern imaginäre[15] Anteile in der Psyche, schöne Bilder und unbewußte Begehrensstrukturen, die sich gerade im Text der Liebe zu Mythos, Legende und Klischee verhärtet haben. Der sich darin perpetuierende Zirkel von Erwartung und Enttäuschung, der oft im Vordergrund weiblichen Schreibens steht, akzentuiert die Macht von kollektiven Bildern, welche die reale Begegnung zwischen Mann und Frau initiieren, tragen oder aber scheitern lassen.

Vor allen Dingen in letzter Zeit entzündet sich die Brisanz des Liebesthemas an der Kategorie des Geschlechts selbst. Der unerwartet erfolgreiche britische Film *The Crying Game* (1994) macht auf die weitreichenden Implikationen der Geschlechtsidentität aufmerksam, indem er die ZuschauerInnen lange Zeit über das »wahre«

Geschlecht seines Protagonisten/seiner Protagonistin täuscht. Als die wunderschöne Frau sich als Mann herausstellt, kommen tiefsitzende homophobische Ängste an die Oberfläche, die das geltende Geschlechterarrangement nach wie vor nachhaltig bestimmen. In der Einleitung zu ihrer Studie *Feminism without Women* stellt Tania Modleski heraus, daß gerade die homosexuelle Perspektive in den letzten Dekaden wichtige Einsichten für die »postfeministische« Analyse der geltenden Geschlechterordnung und deren homophobische bzw. misogyne Spuren liefern kann. Sie warnt einerseits vor der Unterdrückung der lesbischen Perspektive zugunsten von Studien über Homosexualität und bemerkt andererseits, daß die feministische Kritik an den geltenden Geschlechterarrangements immer auch die Kritik an der oppressiven Hetero-Ideologie und ihrer Institution, der Kernfamilie, mit einschloß.[16] Ich will mit meiner Untersuchung keinesfalls die heterosexuelle Hegemonie bestärken, sondern – ganz im Gegenteil – die hier behandelten Liebestexte als nachdenkliche Kritik an einer Geschlechter- und Liebesordnung verstanden wissen, deren Imaginationen und Projektionen von Männlichkeit und Weiblichkeit die hetero- und die homosexuelle Paarrealität gleichermaßen, wenn auch auf je unterschiedliche Weise, beeinflussen.

Das Zirkulieren all dieser Bilder läßt sich nicht einsinnig auf ein *Motiv* oder einen *Stoff* verkürzen; eine weitere motiv- oder stoffgeschichtliche Untersuchung zu einem so überdeterminierten Thema wäre unsinnig, da eine solche Herangehensweise dazu tendiert, die Texte als autonome Gebilde, ungeachtet des kulturellen Feldes, das sie hervorgebracht hat, zu betrachten und damit ihre jeweilige Motiv- oder Stoffaufarbeitung als allgemein gültigen Code festzuschreiben. Im Gegensatz dazu wende ich mich den Texten als 'diskursiven Ereignissen' zu und folge dabei dem Erkenntnisinteresse Foucaults, der in einem Interview mit Raymond Bellour einmal gesagt hat:

> Ich bin im Unterschied zu jenen, die man als Strukturalisten bezeichnet, nicht so sehr an den formalen Möglichkeiten eines Systems wie der Sprache interessiert. Mich persönlich reizt vielmehr die Existenz der Diskurse, die Tatsache, daß Äußerungen getan worden sind, daß solche Ereignisse in einem Zusammenhang mit ihrer Ursprungssituation gestanden haben, daß sie Spuren hinterlassen haben, daß sie fortbestehen und mit ihrem Fortbestand innerhalb der Geschichte eine Reihe von manifesten oder verborgenen Wirkungen ausüben.[17]

Foucault bringt hier zum Ausdruck, daß es ihm nicht um die Deutung transhistorischer Gehalte, sondern um das Auftreten und die Wirkungen bestimmter Diskurse geht. D.h. mit Bezug auf das Thema dieser Arbeit: Während motiv- oder ideengeschichtliche Aufarbeitungen der Liebe dazu neigen, den dominanten Diskurs, die Sitten- und Bildgeschichte der Liebe festzuschreiben, werden in der diskursgeschichtlichen Analyse ästhetische und historische Verschiebungen in diesen Sitten und Bildern und damit die machtpolitische Brisanz der Diskurs- und Geschlechterordnung selbst zum Gegenstand. Die Tatsache, *daß* bestimmte Redeweisen entstanden sind, und *wie* sie Spuren in der textuellen und kulturellen Praxis hinterlassen haben, ist der rote Faden, den ich zu ent-wickeln versuche. In diesem Sinne lese ich die behandelten Texte als (weibliche) Interventionen in einem (männlich geprägten) »multidimensionalen Raum« (Barthes), in dem eine Vielzahl von Schriften und anderen kulturellen Äußerungsformen aufeinanderstoßen. Die außerliterarische Wirklichkeit wird bei dieser Betrachtungsweise nicht in Form von Daten oder positivistischen Beschreibungen fest- und ruhiggestellt, sondern kommt als intertextuelles Netzwerk der symbolischen und sozialen Ordnung in den Blick. Dabei nehme ich u.a. Bezug auf das Verfahren Stephen Greenblatts, der »Text und Kontext auf derselben interpretativen Ebene ansiedelt und von 'negotiations', 'exchange' und 'circulation', d.h. von Verhandlung, Tausch und Zirkulation von Texten und kulturellen Praktiken spricht«[18]. Greenblatt fragt nach den kulturellen und sozialen Praktiken, die einen Text hervorgebracht haben, und macht dabei auf den Prozeß von Sinnstiftung und Repräsentation aufmerksam. Diese kulturgeschichtlich und interdisziplinär orientierte Richtung in der Literaturwissenschaft ist in den USA als »New Historicism« bekannt. Wie Anton Kaes in seinem Überblick »New Historicism: Literaturgeschichte im Zeichen der Postmoderne« feststellt, ist diese Perspektive zwar nicht vollkommen neu, aber 'zeitgemäß', indem sie der zunehmend wachsenden Überschneidung und Auflösung der wissenschaftlichen Disziplinen Rechenschaft trägt. Diese Methode steht den »dominanten, alle Differenz vereinheitlichenden Erklärungsmodellen ... den meist allzu streng gezogenen Grenzen zwischen hoher Kunst und Massenkultur, zwischen Vergangenheit und Gegenwart, zwischen dem Kanonisierten und dem Marginalen« skeptisch gegenüber und beruft sich statt dessen auf »Diskontinuitäten und Brüche, auf Eklektizismus, Heterogenität und dezentrierte Autorität«[19]. Sie scheint mir insofern für eine Untersuchung weiblicher Schreibweisen besonders geeignet, als sie auf den Konnex von literarischen und außerliterarischen Diskursen aufmerksam macht und historische Daten nur als »Ausgangspunkte für kulturgeschichtliche Momentaufnahmen [betrachtet], in denen es… um die *Konstruktion* von (erst zu erstellenden, nicht schon vorgegebenen kulturellen und historischen Ereigniszusammenhängen geht«[20]. Diese Perspektive macht es möglich, die Vielzahl von kulturellen, sozialen und textuellen Ausschlußverfahren offenzulegen, die der Frau das Eingreifen in den Diskurs über sie und ihre Gefühle lange Zeit so schwergemacht haben.

Die Betrachtungs- und Darstellungsweise dieser Untersuchung verdankt sich jedoch nicht zuletzt auch der weniger theoretischen als ganz konkreten Tatsache, daß ich während des Schreibens der medienbewegten, asymmetrischen und asynchronen Kultur- und Bildsprache Amerikas ausgesetzt war, einer Öffentlichkeit, die die Schnittpunkte von Realität und Fiktion ständig und oft unmerklich verschiebt, während ich aus Deutschland eine Politik des genauen Hinsehens mitgebracht hatte, die darauf dringt, der Gestalt der Fiktion nachdenklich zu folgen. Meine Sensibilität für dieses Thema und die Literatur von Frauen ist außerdem durch ein Gast-Seminar von Sigrid Weigel an der Universität Berkeley gefördert worden. Von diesem Seminar und durch Sigrid Weigels Arbeiten sowie durch die kommentierenden, kritischen und ergänzenden Bemerkungen der LeserInnen meines Manuskripts habe ich zahlreiche Denkanstöße erhalten. Zu danken habe ich hier vor allem Anton Kaes, Elaine Tennant und Karin Sanders, aber auch Bettina Pohle, David Friedlaender und Anja Busche. Ohne deren Einsichten, liebevolle Unterstützung und ständige Ermunterung hätte ich sicher manchmal – bei aller Liebe – zu kurz gegriffen.

Erstes Kapitel: Der Mythos der Liebe

Zu Ingeborg Bachmanns: »Undine geht«

> Also wird man die Frau als Ort des Geheimnisses angeben, so wie man sagt, »als ständiger Wohnsitz angeben«, man wird sie als Abwesenheit angeben, sie ist immer diejenige, die nicht genau da ist... man weiß nicht genau wo...
>
> Hélène Cixous, *Die unendliche Zirkulation des Begehrens*

»Doch vergeßt nicht, daß ihr mich gerufen habt«: Das Zeichen »Undine«

> »Warum soll ich eine Kuh kaufen, wenn ich nur ab und zu ein Glas Milch trinken will«, sagt ein 45jähriger, im Seitensprung geübter Werbefachmann zu Praline, »meine 18jährige Ehe ist nicht besser und nicht schlechter als andere auch. Mit dem Gedanken, meine immer noch attraktive Frau zu verlassen habe ich nie gespielt.«
>
> Renate Valtin, »Das Thema Geliebte in Zeitschriften und Illustrierten«

Ingeborg Bachmann ist eine der ersten Autorinnen, die in ihren Texten aus weiblicher Perspektive kritisch über die Genese und die Bedingungen von Liebe im Patriarchat reflektiert. Die in ihren Erzählband *Das dreißigste Jahr* (Erstveröffentlichung 1961)[21] aufgenommenen Texte streifen immer wieder die Utopie einer absolut erfüllten, momenthaften Liebesbegegnung, wie sie von vorwiegend männlichen Erzählerfiguren erlebt bzw. imaginiert wird. Die solchen Liebesbegegnungen zugrundeliegenden literarischen Topoi und deren Relevanz für die Existenzbedingungen eines weiblichen Ich sind Thema des als letztes in die Sammlung aufgenommenen Textes »Undine geht«.

Undines Rede durchquert den Liebesdiskurs, wobei sie dessen mythisch-imaginäre[22] Elemente ebenso markiert wie die realen Konsequenzen, die diese für Frauen haben. Ihre Rede macht auf die widersprüchliche Position 'des Weiblichen' innerhalb der Liebesgeschichte aufmerksam und eignet sich deshalb für den Einstieg in die Diskussion des historisch fest- und weitergeschriebenen Liebesdiskurses. Durch die Stimme Undines, der legendären und mythischen

Geliebten, weist die Autorin auf die Überschneidung von Imaginärem und Realität, von der jede Liebesbegegnung unausgesprochen getragen ist.

Die Figur der Undine und ihre Rede sind ganz im Imaginären angesiedelt. Undine ist ebenso imaginär wie das, was sie als Unausgesprochenes in den »Wortspielen« verkörpert: die Geliebte als die »andere«, der Entwurf der Liebe als das »Andere« der gegebenen Ordnung. So bringt Undine den sie ebenso begehrenden wie auch immer wieder verratenden Männern eindringlich in Erinnerung, wem sie ihre Existenz verdankt:

Doch vergeßt nicht, daß ihr mich gerufen habt in die Welt, daß euch geträumt hat von mir, der anderen, dem anderen, von eurem Geist und nicht von eurer Gestalt... (BW II, 260)

Der Appell der Rednerin macht deutlich, daß immer wieder vergessen wird, welcher Art die Begegnung mit ihr ist. Als Fabelwesen, das sein Erscheinen in der Menschenwelt der Liebe zu einem Mann verdankt, ist sie genaugenommen eine Begegnung des männlichen Subjekts mit sich selbst: Undine ist dessen Mythos und »Gestalt«; sie ist 'die andere', diskursiv-mentale Konstruktion des männlichen »Geistes«. Ihre Rede macht die Geschichte der Inszenierungen des Weiblichen erkennbar und ist gleichzeitig literarischer Einspruch dagegen. Indem hier aus der Position und mit der Stimme der Beschriebenen gesprochen wird, wird eine bilderkonstituierende Imagination durchkreuzt, ohne dabei gänzlich aufgehoben zu werden. Mit Hilfe der »unmenschlichen Erinnerung« der Undine versucht sich ein weibliches Ich auszusprechen. Die dieses Ich begrenzende Position, nämlich das 'Andere' gegenüber dem 'Einen' zu sein, verschafft der Figur eine erweiterte Perspektive: Sie formuliert die Differenz zwischen sich und den »Menschen«, zwischen der mythischen Figur und der Menschenfrau. Die im Text namenlos bleibende und so beredte Rednerin wird dabei nicht wieder zum Objekt der Rede, indem sie *über* sich spricht, sondern versucht, eine eigene Subjekt-Position zu finden, indem sie *sich* spricht, und aus dieser Perspektive die Begegnung mit dem männlichen Du zu formulieren.

Wie schwer es der Autorin gefallen sein muß, aus der weiblichen Perspektive zu schreiben, läßt sich an der Tatsache ablesen, daß sie in den übrigen Texten dieser Sammlung fast ausschließlich männliche Erzählerfiguren benutzt. Mit diesen teilt Undine jedoch den fragend-verunsicherten Gestus gegenüber der eigenen Identität. Die Frage, die sich das in der Rückschau reflektierende Ich in der Erzählung »Das dreißigste Jahr« stellt, könnte auch für Undine gelten:

»Wer bin ich denn ... wenn ich alles von mir streife, was man aus mir gemacht hat?« (BW II, 102). Und ebenso könnte die kurz darauf formulierte Einsicht auf sie zutreffen: »Wäre ich nicht in die Bücher getaucht, in Geschichten und Legenden ... wäre ich ein Nichts, eine Versammlung unverstandener Vorkommnisse« (BW II, 103). Diese Hinweise auf fiktive und fremdbestimmte Anteile im Ich werden von der Autorin in ihren Frankfurter Vorlesungen theoretisch reflektiert.

In diesen Vorlesungen konstatiert Ingeborg Bachmann eine signifikante Verschiebung hinsichtlich der Existenzweise des Ich im zwanzigsten Jahrhundert: »Die erste Veränderung, die das Ich erfahren hat, ist, daß es sich nicht mehr *in* der Geschichte, sondern daß sich neuerdings die Geschichte *im* Ich aufhält« (BW V, 230; Hervorhebung S.B.). Die Autorin hinterfragt bestimmte epistemologische Prämissen der Neuzeit, genauer der Aufklärung. Die im 18. Jahrhundert in Philosophie und Ästhetik selbstbewußt aufgestellte und dann im Zuge der Französischen Revolution euphorisch verkündete These von der Autonomie des Subjekts, bzw. der Perfektibilität der Gattung (Schiller) wird hier infrage gestellt.[23] In ihren Vorlesungen erklärt Bachmann die optimistische Überzeugung der Aufklärung, Subjekt der eigenen Geschichte, begründendes Subjekt (Foucault) zu sein, für überholt und akzentuiert statt dessen den literarisch zu beschreibenden Objektstatus des Ich, der u.a. Gegenstand der Psychoanalyse ist. Jedes Ich ist Objekt marginaler, ihm nur zum Teil bewußter und oft unverstandener Geschichten: »ernährt vom Abfall der Geschichte, Abfällen von Trieb und Instinkt ... mit einem Fuß in der Wildnis und dem anderen auf der Hauptstraße zur ewigen Zivilisation« (BW II, 102). Die beiden zitierten Räume, zwischen die das Ich gespannt ist: »Wildnis« und »Zivilisation«, können dabei sowohl auf der biographisch-zeitlichen Ebene gelesen werden – im Sinne der individuellen Geschichte – als auch auf der kollektiv-psychologischen Ebene, im Sinne der Subjektgenese. In Hinblick auf diese vergessenen, verdrängten bzw. imaginierten oder projektiven Räume im Ich wird die Vorstellung eines autonomen geschichtsmächtigen Subjekts unhaltbar bzw. erweist sich selbst als Imagination.[24] Für die Autorin bedeutet Erzählen ein »Erinnerungsabenteuer«; es ist der Versuch, die dem Ich immer schon vorausgehenden, unbegriffenen Geschichten, die in ihm sich aufhaltende »Wildnis« im ästhetischen Prozeß einzuholen.

In gewisser Weise erinnert diese Zuwendung zur Geschichte an eine der geschichtsphilosophischen Thesen Walter Benjamins, in der er der Geschichtsschreibung der »Erben aller, die je gesiegt haben«, eine Absage erteilt und es statt dessen »als seine Aufgabe [betrachtet], die Geschichte gegen den Strich zu bürsten«[25], damit die Durchdringung von »Barbarei« (»Wildnis«) in der »Kultur« (»Zivilisation«) deutlich wird. Sowohl Benjamin als auch Bachmann versuchen, die Geschichte der Geschichtslosigkeit aufzuzeichnen und stumme und verschwiegene Anteile der Rede zum Sprechen zum bringen. Bachmanns Anstrengung gilt dabei vor allen Dingen einer weiblichen Identitäts- und Erinnerungsarbeit[26], die sich von der männlicher Autoren in einem wesentlichen Punkt unterscheidet: Männer können leichter aus der Position der Bild- und Geschichtszuweisenden sprechen, die »auf dem jahrtausendealten Imaginations- und Redeverbot für Frauen«[27] fußt, während Frauen als Beschriebene lange Zeit stumm blieben, bzw. oft keine andere Wahl hatten, als die über sie verhängten Bilder bewußt oder unbewußt zu reproduzieren.

Die in *Das Dreißigste Jahr* aufgenommenen Texte reflektieren die Genese und den Status der Frau als einer »stummen Stütze des Systems«, indem sie auf die Funktionsweise oder, wie Julia Kristeva sagt, den *Effekt* des Weiblichen innerhalb der männlichen Ordnung aufmerksam machen. Dieser Effekt wird von Kristeva folgendermaßen beschrieben:

> Der 'Effekt' Frau steht in unseren monotheistischen bzw. kapitalistischen Gesellschaften in einem besonderen Verhältnis zur *Macht* und damit zugleich auch zur *Sprache*. Dieses besondere Verhältnis besteht darin, weder Macht noch Sprache zu besitzen, sondern in einer Art stummen Unterstützung wie eine Arbeiterin hinter den Kulissen zu fungieren, eine Art Zwischenglied zu sein, das selbst nicht in Erscheinung tritt.[28]

Die Tatsache, daß die Geschichten im *Dreißigsten Jahr* vor allem durch die Stimmen und Reflektionen männlicher Protagonisten bestimmt sind, während die weiblichen Figuren sich fast ausschließlich in Relation zu diesen entfalten und Bedeutung erlangen, macht auf diese verdeckte, wenngleich sehr effektvolle Position des Weiblichen aufmerksam. Im Gegensatz zu den männlichen Erzählerfiguren, die vorwiegend erstaunt, resigniert oder rebellierend die Erfahrung machen, nicht mehr Subjekt der (eigenen) Geschichte zu sein und aufgrund dieser Erkenntnis gezwungen werden, ihr Ich im Steinbruch der fragmentierten und verdrängten Erinnerung wiederzufinden, haben die weiblichen Figuren einen weit fragileren bzw. überhaupt keinen Subjektstatus und somit auch keinen eigenen Erinnerungsvorrat, der es ihnen erlaubte, ähnliche Fragen zu stellen. Vielmehr *verkörpern* sie die von den Protagonisten »erinnerte« bzw. imaginierte Geschichte, initiieren deren Reorientierungsprozeß und haben den wohlbekannten kathartisch-therapeutischen Effekt des 'Reinen und Guten', das von allen Übeln der Zivilisation unberührt bleibt. Als imaginäre Objekte, als 'schöne Bilder' von der Frau bringen sie das männliche Subjekt in Bewegung – und zwar in den kritischen Momenten einer unbestimmten Sehnsucht, dann, wenn der Mann fragmentierte und halb vergessene Geschichten in sich erinnert. Die sehnsüchtig herbeigewünschten Figuren sind Teil eines kollektiven Bildervorrates, Medium für die Erkenntnis der eigenen defizitären Position, Versprechen von und Hoffnung auf Veränderung.

In der Undine-Figur fließen viele Projektionen zusammen. Die Anrufung dieses Fabelwesens dient zunächst der Revision männlicher Subjektwerdung (Weiblichkeit als Utopie des Besseren) und dann der erneuten Stabilisierung des Subjekts (Weiblichkeit als Heilquelle). Als ein im ästhetischen Diskurs reflektierter Effekt von Weiblichkeit schlägt sich das Zeichen »Undine« nieder in einer an die reale Frau herangetragenen Erwartungshaltung bzw. Erlösungshoffnung, wie Gisela Breitling verallgemeinernd formuliert:

> Sie [die imaginierte Frau] ist immer schon da, wenn Mann und Frau einander begegnen, steht dem Mann zur Seite als seine Verbündete. Jede Frau kennt sie, keine entkommt dem Vergleich mit ihr. Selbstfindung und Selbsterkenntnis der realen Frau entstehen als Relation zu ihr, stehen in Relation zu ihr, lassen sie Anblick werden, der sie in die Andere verwandelt, in die Geliebte, den Schatten an der platonischen Höhenwand der Ideen, Ideal der Frau und zugleich ihr Menetekel.[29]

»Undine« ist einer der ikonographischen Splitter jener imaginären – und *als solche selten explizit reflektierten* – Geschichte, die sich, mit unterschiedlichen Akzenten und jeweils anderer Bedeutung, im männlichen *und* im weiblichen Ich aufhält, Teil einer verschwiegenen Geschichte, die die Autorin in ihren Texten zu erinnern versucht. Insofern ihre Arbeit der Verschränkung von männlichem Bildentwurf und vorbildlichem weiblichen Verhalten nachspürt, kann diese Schreibweise als der Versuch betrachtet werden, die Existenzweise des Weiblichen unter den Bedingungen und in den herrschenden Bildstrukturen einer männlichen Ordnung zu beschreiben. Als *relationale* Stütze des Systems ist das weibliche Ich darin eingeschlossen; hervorragendster Ausdruck dieser Relation ist die Liebesbeziehung. Die dort stattfindende Überschneidung von Imaginärem und Realem, der sich dort unendlich erhaltende Zirkel von Erwartung und Enttäuschung machen den unterschiedlichen Ort der Geschlechter innerhalb der gegebenen Ordnung besonders deutlich. Die Liebesgeschichte ist sowohl Ausdruck der *Sehnsucht* nach als auch Ausdruck der *Entfremdung* durch die Begegnung zwischen Mann und Frau.

Im Widerspruch zur sozialen Dichotomie von Mann und Frau als *Gesellschafts*wesen steht aber ihre Verbindung als *Geschlechts*wesen. Die Komplizenschaft der Frau mit einem Repräsentanten der herrschenden Kultur in der Zweierbeziehung ist ein wesentliches Moment der schicksalhaften Einbindung der Frau in die patriarchalische Ordnung, welche den Aufbau einer (zweiten?) weiblichen Kultur unterläuft.[30]

Bachmann erkennt sehr klar die Realität und zugleich die Ambivalenz dieser »Komplizenschaft« der Geschlechter und antwortet deshalb, nach der gesellschaftlichen Stellung der modernen Frau gefragt, nur scheinbar ausweichend:

Für mich stellt sich nicht die Frage nach der Rolle der Frau, sondern nach dem Phänomen der Liebe – wie geliebt wird. Die moderne Frau liebt so außerordentlich, daß dem auf der anderen Seite nichts entsprechen kann. Für ihn ist sie eine Episode in seinem Leben, für sie ist er der Transformator, der die Welt verändert... Liebe ist ein Kunstwerk, und ich glaube nicht, daß es sehr viele Menschen können. (WS, 109)

Gerade das Phänomen der Liebe macht den Zusammenschluß von Realität und Fiktion besonders deutlich: Die Liebe ist ein soziales und zugleich ästhetisches Phänomen, das von der Autorin als Indiz für das herrschende Geschlechterverhältnis gewertet wird. Dieses kulminiert in der Art und Weise, in der geliebt wird. Die Art und Weise, in der geliebt wird, ist aber immer schon in der Bild- und Textgeschichte der Liebe, die die je unterschiedlichen Positionen der Liebenden weiter fortschreibt, kodiert. Die Rede über die Liebe reflektiert nicht nur die soziale Realität, sondern etabliert sie zugleich. Wenn die männliche Erzählerfigur in »Alles« die Liebe als Leiden am Verhältnis der Geschlechter, als »Trauerbogen ... der von einem Mann zu einer Frau reicht« (BW II, 158), bezeichnet, dann weist die Autorin hier auf einen »modernen« Mißstand, der vom Emanzipationsdiskurs verdeckt wurde und weiterhin verdeckt wird. Bachmanns Erzählungen stellen immer wieder Bilder vor, die die Begegnung zwischen Mann und Frau antizipieren, initiieren und sie gleichzeitig als Enttäuschung, als prinzipiell unerfüllbares Liebesverlangen fortschreiben. Durchgängiges Motiv ihrer Texte ist die Differenz zwischen der imaginierten sagenhaften Geliebten und deren »realem« Gegenstück, der Ehefrau – eine Differenz, die auf der Spaltung der Frau in eine positiv konnotierte Sehnsuchtsfigur und eine negativ konnotierte reale Gefährtin beruht.

Undine, Paradigma einer solchen Sehnsuchtsfigur, wird, lange bevor sie selbst zu reden anfängt, bereits angekündigt. Sie ist Angehörige eines Geschlechts von »dunkelhaarigen Frauen mit trübem großem Blick, kurzsichtigen Augen, fast ohne Sprache, Gefangene fast ihrer Sprachlosigkeit« (BW II, 243). Die Akzentuierung des

Visuellen bei gleichzeitigem Verweis auf die Blindheit und Sprachlosigkeit der Beschriebenen notiert präzise deren Status: Sie sind Anblick, Objekte des sie erschaffenden Blicks, ohne dabei selbst sehen oder sprechen zu können. Für die männlichen Figuren verkörpern diese namen- und sprachlosen Wesen das Verlangen nach Flucht aus den gegebenen Verhältnissen, den »Topos« eines Neuanfangs:

Weggehen mit ihr, deren Namen er nie auszusprechen wagte. Fliehen mit ihr, nie mehr zurückkommen nach Europa, einfach leben mit ihr, wo Sonne war, Früchte waren, mit ihrem Körper leben, in keinem Zusammenhang mehr und fern von allem, was bisher gewesen war. In ihrem Haar leben, in ihrem Mundwinkel, in ihrem Schoß. (BW II,129)

Geträumt wird ein typischer locus amoenus, ein Ort, an dem alle gesellschaftlichen Zwangszusammenhänge aufgelöst sind und an dem sich die mühevolle Suche nach Wärme, Nahrung und Unterkunft erübrigt. Dieser Ort ist im wahrsten Sinne des Wortes utopisch, nicht konkret lokalisierbar; er stellt sich nur in und als Differenz zur Position des Sprechenden her. Die physische Topographie von »Haar«, »Mundwinkel« und »Schoß« spielt an auf die Inanspruchnahme und den Genuß weiblicher Schönheit, die Besetzung weiblicher Sprache und Reproduktionskraft. Dieser imaginierte Natur-Körper ist Bild einer 'anderen Ordnung', einer Ordnung jenseits des Symbolischen und der sprachlichen Fixierungen. Doch nur die männliche Perspektive kann ihn sich derart als Bild abrufen und dadurch verfügbar machen. Die hier zum Ausdruck kommende utopische Bedeutung des Weiblichen hat eine lange Tradition. In ihrer Kritik literarischer Utopien von Frauen bezeichnet Sigrid Weigel diese als

eine alte Lieblingsidee männlicher Philosophen, Schriftsteller und Revolutionstheoretiker. Der Rückgriff auf 'das Weibliche' als Heilquelle für die Krankheiten und Krisen der Zivilisation, diese Perspektive ist tendenziell allen Vorstellungen immanent, welche die Frau als Naturwesen betrachten.[31]

Bachmann zitiert in ihren Texten immer wieder die Funktionsweise des Weiblichen in der Literatur als Projektionsfläche kultureller Wünsche und sexuellen Begehrens, die – wie das vorangegangene Textzitat deutlich macht – vor allem in der Figur der Überschreitung zum Ausdruck kommt.[32]

Die Undine-Figur verkörpert par excellence eine solche Überschreitung. Sie gehört in die Kategorie der Nixen, Meerjungfrauen, Nymphen und Melusinen; die Sirene ist ihre älteste Schwester. Als »Metapher für das Naturhafte, der männlichen Akkulturation Widerstrebende ist sie immerwährende Herausforderung ... verlockende

Projektionsfläche (männlicher) Lust- und Angstphantasien«[33]. Anna Maria Stuby versteht das Lied der Sirenen als marginalisierten Kon-Text der Zivilisationsgeschichte. Die in den Melodien der Sirenen zum Ausdruck kommende und als 'gefährlich' betrachtete Lust, die keinen klar erkennbaren Gegenstand oder Adressaten zu haben scheint, zeugt implizit von dem Kulturdiktat, einen linearen und kohärenten Text produzieren zu müssen. Unter der Prämisse der zwangsläufigen Wiederkehr des Verdrängten kann diese zivilisatorische Zurichtung das Bedürfnis nach nicht-linearen, zweckfreien Äußerungen nicht gänzlich beseitigen, sondern muß sich darauf beschränken, sie mit dem Verdikt der Ablenkung und des Überflüssigen zu belegen. Der Mythos der Sirenen bezeugt sowohl die Lust beim Hören dieser Töne als auch den Zwang, sie überhören zu müssen. Der nicht domestizierten »wilden Frau« wird dabei die Rolle zugeschrieben, den kulturellen Prozeß willkürlich zu unterminieren. Stubys überzeugender Lesart zufolge begegnet Odysseus, der paradigmatische Held der westlichen Zivilisationsgeschichte, dieser Gefahr, »indem er das sich narzißtisch spiegelnde Lied der Sirenen dem auf Handlung (Kulturproduktion) zielenden Text einverleibt.«[34]

Sirenenfiguren sind immer dann besonders hörbar, wenn die Sichtbarkeit und damit Relevanz der realen Frau in der Öffentlichkeit gering ist. Die Substitutionsfunktion ästhetischer Inszenierungen wird daran nur allzu deutlich. Mythen bzw. Literatur und Kunst dienen oft dazu, das gesellschaftliche Abseits der Frau darzustellen und gleichzeitig zu legitimieren. Es scheint nur berechtigt, zwecklose und in sich kreisende Sprach-Rhythmen aus dem auf Fortschritt konzentrierten Diskurs zu verbannen, kurz, sich Ablenkungen, d.h. Gefährdungen des mühsam erarbeiteten Projekts zu verbieten, wenngleich, wie Horkheimer und Adorno pointiert feststellen, »der Fluch des unaufhaltsamen Fortschritts« in der »unaufhaltsame[n] Regression« besteht.[35]

Unter dieser Prämisse nun stellt sich die Frage, warum sich Ingeborg Bachmann Ende der fünfziger Jahre dem Undine-Stoff zuwendet. Die folgende Skizze über einige Weiblichkeitsdarstellungen der Zeit verdeutlicht, daß der Undine-Text bestimmte zeitgenössische Vorstellungen aufgreift, während die anschließende Textanalyse zeigt, wie diese Diskursstränge in »Undine geht« durchquert und schließlich unter anderen Vorzeichen erneut zur Diskussion gestellt werden.

Die fünfziger und frühen sechziger Jahre stellen eine restaurative und konservative Phase dar, die nach wie vor durch den Wiederaufbau des zerstörten Nachkriegs-Europas bestimmt ist; unter dem

Schlagwort »Wirtschaftswunder« ist sie in die deutsche Geschichtsschreibung eingegangen (und seitdem fester Bestandteil der Mythenbildung über den sogenannten »deutschen Nationalcharakter«). Der in dieser Zeit forcierte Aufbau der lädierten Wirtschaft läßt sich u.a. an der zeitgenössischen Werbung ablesen. Angepriesen werden vor allem technische Neuerungen, zumeist Haushaltsgeräte und Autos, oder aber Luxusartikel. Es ist kaum überraschend, daß es vor allem den Frauen zukommt, diese Artikel freudig lächelnd den potentiellen Verbrauchern anzubieten. Die Festschreibung des 'weiblichen Ortes' in der damaligen Gesellschaft läßt sich an der plakativen Bildsprache der Werbung deutlich ablesen. Die eklatant sexistische Färbung mancher Werbekonzepte wird nur kläglich durch den halbherzigen Hinweis auf Gleichberechtigung überdeckt. So greift die Chantré-Reklame zwar das Thema Emanzipation und Rechte der Frau auf, doch das – kaum überraschend – aus rein marktpolitischen Gründen. Die Gleichberechtigung der Geschlechter soll hier lediglich den Konsumentinnenstatus der weiblichen Bevölkerung rechtfertigen: Auch »sie« darf sich ein Gläschen Likör genehmigen:

Wann sind Frauen gleichberechtigt?

A) wenn sie nach Männerart Pfeife rauchen, B) wenn sie ihre Steuern selbst bezahlen, C) wenn sie mit Genuß Chantré trinken

Nur C) kann richtig sein, denn Chantré ist Frauen ebenso recht wie Männern. Und darin sind sich beide Teile einig ...

Gleichzeitig machen sich die Werbestrategen jedoch über die emanzipierte, d.h. 'vermännlichte' Frau lustig, wie das dazugehörige Foto einer ausgesprochen unglücklich dreinblickenden jungen Frau, die eine überdimensional große Männerpfeife raucht, nur allzu klar macht. Deutlicher könnten Bild- und Textaussage nicht gegeneinander argumentieren.

Die meisten dieser und ähnlicher Werbeanzeigen lassen sich als Reaktion auf zeitbedingte Entwicklungen verstehen. Aufgrund der seit Kriegsende forciert und fieberhaft betriebenen Bemühungen der Männer, sich wieder auf dem Arbeitsmarkt zu etablieren, wird die zuvor begrüßte Arbeitskraft der Frau als Konkurrenz empfunden und deshalb wieder an das – wenn auch zunehmend aufgemöbelte Haus – gebunden. Kurz: Trümmerfrauen sind 'out', Hausfrauen wieder 'in'. Als ein deutliches Zeichen für die politische und kulturelle Insignifikanz und – wenn man von der 'Werbefrau' absieht – die Unsichtbarkeit der Frau im öffentlichen Leben können die Titelseiten des *Spiegels* betrachtet werden. Fast alle Titelblätter der zwischen

1950 und 1960 erschienen Ausgaben locken den interessierten Käufer mit großformatigen Männerköpfen aus Politik und Kultur.

Seltene, doch sprechende Ausnahme ist die Ausgabe vom 26. Februar 1958.[36] Auf deren Titelblatt ist die Schauspielerin Giulietta Masina abgebildet. Die kommentierende Schlagzeile dazu lautet: »Das Wunder von Rom: Filmclown Giulietta Masina«. Der italienischen Schauspielerin kommt dabei nur deshalb solch 'prominente' Sichtbarkeit zu, weil sie als Symptom für den aktuellsten Frauentyp zum öffentlichen Gesprächsgegenstand geworden ist. Die Erscheinung und das Filmgebaren der Masina leiten, dem Magazin zufolge, eine neue Ära ein: Das Sexbombenzeitalter der »Lollos und Lorens« sei vorbei und werde jetzt von »diversen Nymphentypen« abgelöst. So hieß es schon vier Jahre früher in der Frauenzeitschrift *Constanze*:

> Die überbetonten Wölbungen und Kurven der Monroe (die hier nur als ein Beispiel genannt wird) und ihrer italienischen Kolleginnen entsprechen nicht mehr dem Schönheitssinn des modernen mitteleuropäischen Menschen. Unser Ideal ist viel eher die grazile, graziöse, schlanke oder gar jünglingshafte Frau. Vielleicht auch die sportliche, bewegliche, auf keinen Fall aber die lässig lagernde, die die Lüsternheit erwecken und die Neugierde jugendlicher Gemüter erwecken soll.[37]

Die gegenüber dem bisherigen Frauentyp auffallende Androgynität des neu entdeckten Talents Masina gibt in dem *Spiegel*-Artikel Anlaß zu der beunruhigenden Frage, 'ob sie eigentlich eine Frau sei', während die Überschrift »Ein gewisses Lächeln« wieder einmal die alte Rede vom 'Rätsel Weib' evoziert. Das Weibliche wird aus der Matrix animalisch-direkter Sinnlichkeit (Hure) gelöst, und die potentiell gefährliche Geschlechtlichkeit der Frau wird entweder durch die Stilisierung zur Kindfrau (Nymphentyp)[38] entschärft, oder aber die Frau erscheint asexualisiert, indem sie auf das andere Extrem der fast mystisch Liebenden festgelegt wird (Heilige). Die Stilisierungen der Schauspielerin Masina zur mysteriösen Kindfrau und absolut Liebenden sind jedoch keinesfalls Hauptgegenstand des Artikels; das vielmehr ist die wachsende Prominenz ihres Regisseurs und Ehemannes Frederico Fellini. Er, so heißt es, wolle mit ihr als Medium seine Filmbotschaft vom »Mysterium der unbedingten Liebe« verkünden. Die Tatsache, daß er seiner Frau vor Beginn der Arbeit zu *La Strada* untersagte, das Drehbuch zu lesen, ist dabei nur ein ironischer Verweis auf die von männlicher Seite wohl kalkulierte Inszenierung weiblicher »Spontaneität«.

Die Bild- und Filmsprache Fellinis indiziert eine Änderung im zeitgenössischen Diskurs über Weiblichkeit. Es kommt den Frauen zwar immer noch zu, irrational und geheimnisvoll aufzutreten, doch eben nicht mehr wie die »Lollos, Lorens oder Bardots« aufgrund einer betörenden und überwältigenden Sinnlichkeit, sondern gerade im Gegenteil: aufgrund ihrer Mission, als »jünglingshafte«, »auf keinen Fall aber lässig lagernde« Frau keusch und unbedingt am »Mysterium der Liebe« festzuhalten. Als Kindfrau bzw. androgyner Typ bleibt sie 'geheimnisvoll', während man ihr Festhalten an der Liebe, allen äußeren Widrigkeiten zum Trotz, wohl nur als 'irrational' bezeichnen kann. Damit bleibt also die für das Weibliche aufgestellte Werteskala stabil, nur die Darstellungsweise ändert sich. In der Rolle des Clowns, der Kindfrau bzw. der fast mystisch Liebenden kann die Filmstimme der Masina genausowenig ernstgenommen werden wie die ihrer verführerischen Vorgängerinnen. Schillernde Ambivalenz ist nach wie vor das Signum der Frau, wie der Autor des Artikels denn auch einleitend bemerkt: »So hat sich der neue weibliche Darstellertyp bisher allen präzisen Definitionen entwunden.«

Dieser zeitgenössische weibliche Filmtyp teilt sowohl die mysteriöse Unbestimmtheit als auch das verzweifelte Festhalten an einer 'unmöglichen' Liebe mit der Undine-Figur, die 1959 ebenfalls im öffentlichen Gespräch ist. In der ersten Februarausgabe bringt der *Spiegel* eine Rezension von Hans Werner Henzes Ballett »Undine«. Gelobt wird die musikalische Enthaltsamkeit des Komponisten. Anstatt nämlich das Publikum »modernistisch zu provozieren« – so ein dort wiedergegebenes Zitat aus der *Süddeutschen Zeitung* –, habe er es mit »freundlich in die Ohren gehenden Klängen« unterhalten. Aus dem »einstigen Zwölftöner« sei ein »Neoromantiker« geworden. Was die Stoffvorlage abbildet, wiederholt sich auf der formalästhetischen Ebene: Man versucht die Materie zu domestizieren, sei diese nun die Figur der Undine oder die musikalische Avantgarde. Das alte Sirenenmotiv ist somit nochmals appropriiert worden. Der einstmals Verderben bedeutende Gesang der Sirenen ist durch Henzes aktuelle Bearbeitung deutlich entschärft worden und hat sich zu 'freundlich in die Ohren gehenden' Klängen geläutert. Undine, der in dieser Inszenierung jedes beunruhigende oder schockierende Element genommen wird, ist salonfähig geworden und wird seit den fünfziger Jahren zunehmend auch von Hollywood entdeckt. Als *Arielle, die Meerjungfrau* (1989) in der gleichnamigen Walt-Disney Produktion wurde sie unlängst endgültig verkitscht. Dabei machen sowohl die Glättung des Stoffes durch die industrielle Bildsprache professioneller Zeichentricktechnik als auch die klischierte Verkürzung des plots (Happy End!)[39] auf die erstaunlich stabile Präsenz des Undine-Mythos in der unmittelbaren Gegenwart aufmerksam.[40]

In gewisser Weise fließen in der Undine-Figur mehrere Projektionen von Weiblichkeit zusammen, die in den fünfziger Jahren besonders aktuell waren: die Vorstellung von der Frau als Naturwesen, als unbedingt Liebender (Masina) und, damit zusammenhängend, die Vorstellung von der Frau als »Sexbombe«[41] (Lollos, Lorens und Bardots). Zugleich repräsentiert Undine als mythische Figur eine projektierte Verbindung der Geschlechter, ein sich kontinuierlich erhaltendes utopisches Liebesbegehren; als solche hat sie strukturelle Relevanz, speziell im Liebesdiskurs. Ingeborg Bachmann deckt dies in ihrer Bearbeitung des Stoffes nicht nur differenziert auf, sondern bringt zugleich die Konsequenzen dieses Bildes für die Position der Frau in der zeitgenössischen Gesellschaft mit zur Sprache.

Die in den fünfziger Jahren zirkulierenden Beispiele inszenierter Weiblichkeit überspielen die reale Abwesenheit der Frau in der Öffentlichkeit und bestätigen damit stichhaltig Kristevas These vom »Effekt Frau«. Eventuelle Proteste gegen diesen wohlkalkulierten Ausschluß eines Teiles der Bevölkerung werden durch ästhetische Überhöhungen der fiktionalen Frau besänftigt. Und es sind eben diese ästhetischen Überhöhungen, die es der realen Frau schwermachen, mit kritischer Gegenrede in die Geschichte (der Bildzuweisungen) einzugreifen. Die Stilisierungen des Weiblichen zur sagen- und zauberhaften Geliebten stellen eine Strategie des Patriarchats dar, die real ohnmächtige Frau durch die Illusion von Macht – nämlich die über den Geliebten – zu beschwichtigen. Der utopische Gehalt solcher Darstellungen hält die Frau in bestimmten schönen Bildern gefangen und stellt sie damit ruhig. In der idealisierten und ästhetisch gefeierten Geliebten fließen alle positiven Projektionen des Weiblichen zusammen, eine Tatsache, die es Frauen anscheinend nach wie vor schwermacht, sich rigoros und kritisch mit solch schmeichelnden Liebeskonstruktionen auseinanderzusetzen. Es leuchtet ein, daß oft Projektion und Realität, Kunst und Leben verwechselt werden, denn: Welche Frau gefiele sich nicht in der Rolle der begehrenswerten und attraktiven Geliebten – und sei es auch nur heimlich. »In dem Verlangen, die Liebe, die dem Ideal gilt, auf sich zu lenken, verwandelt sie sich in *seinen Entwurf*, wird zu seinem Abglanz, wird Wille und Vorstellung des Mannes.«[42] In fataler Pervertierung ist das Selbstverständnis dieser Frauen nicht nur abhängig vom Autor des so beglückend erscheinenden Bildentwurfs, sondern ihm auch noch in Liebe zugetan. Heinrich Heine merkt dies bereits in der *Romantischen Schule* ironisch an, die Fiktion nochmals fiktionalisierend. Er fand nämlich

> ... in einer kleinen Harzstadt ein wunderschönes Mädchen, welches von Fouqué mit Begeisterung sprach und errötend gestand: daß sie gern ein Jahr ihres Lebens dafür hingäbe, wenn sie nur einmal den Verfasser der »Undine« küssen könnte. – Und dieses Mädchen hatte die schönsten Lippen, die ich je gesehen habe.[43]

Hinter dem Undine-Mythos verbirgt sich eine doppelte Strategie: Die Frau wird einerseits ihrer Attraktivität versichert und als »allerliebstes Naturwesen« auf diese beschränkt, während ihr andererseits als eben diesem Naturwesen die Teilnahme an der patriarchalen Vernunftgeschichte verwehrt bleiben muß bzw., was den gleichen Effekt hat, als Passionsgeschichte vorgezeichnet ist. Da Undine als reines, seelen- und damit in der abendländischen Tradition geschichtsloses Wesen dem Mann entzückendes *Bild* bleiben soll, ist die Ehe-Verbindung mit dem Menschenmann tabuisiert. Der Versuch, der Natursphäre zu entfliehen und damit geschichtsfähig zu werden, kostet Undine in Andersens Version bezeichnenderweise ihre Stimme und flüssige Beweglichkeit. Folgt man der Logik der Märchenvorlage, dann ist die Frau in der Öffentlichkeit zwar anwesend, aber – da dies nicht der ihr zukommende Ort ist – nur als stummes und fast bewegungsunfähiges Wesen, ganz auf die Liebe zu einem Mann angewiesen. Nur der sie liebende Mann, der den schmerzhaften 'unnatürlichen' Zustand einer Meerjungfrau unter Menschen ursprünglich verursacht hat, kann Undine in die Menschengemeinschaft einführen; sie selbst hat mit der Liebe zu ihm völlig die Kontrolle über ihr Leben verloren. In die zeitgenössische Situation übersetzt heißt das: Nur die Ehe domestiziert das Naturwesen Frau und verleiht ihr einen sozial akzeptablen Status und damit öffentliche Sichtbarkeit.

»Beinahe mörderisch wahr«: Die neue Stimme der Undine

> Deine Sehnsucht kann keiner stillen, wenn die Träume sich auch erfüllen, wenn du viel hast, willst du noch mehr. Oh mama mia, ich denk oft an dein Lied, buona, buona notte, bambino mio, alles was man will, kann man nicht haben ...
>
> Schlager aus den fünfziger Jahren

In der von Ingeborg Bachmann gestalteten Kunstfigur bringt sich Unerhörtes zu Gehör, und unerhört ist die ungehaltene Rede der Undine in dreifacher Hinsicht. Sie ist Widerstand gegen das Bestehende: der »Ruf zum Ende«, Aufruf »zum großen Verrat«; sie formuliert eine Utopie, die jenseits der Sprachzeichen liegt: »Sich verlassen, daß Augen den Augen genügen, daß ein Grün genügt, daß das Leichteste genügt« (BW II, 259); sie ist aber auch (so) noch nie gehört worden: »Nie hat jemand so von sich selber gesprochen« (BW II, 262). Die beiden ersten Punkte beziehen sich auf traditionelle und literarisch vielfach benutzte 'Unerhörtheiten'. Sie beziehen sich auf das Unbedingte und Maßlose der Liebe und sind als Topoi des Liebesdiskurses hinlänglich bekannt und in Anspruch genommen: Liebe als das quer zur geltenden Ordnung Stehende, Liebe als Versprechen sprachlosen Glücks jenseits der sozialen Verabredungen, als der 'andere Zustand', das Unaussprechbare. Der dritte Punkt aber bringt die Ambivalenz des Begriffs »unerhört« selbst ins Spiel und bezieht sich auf die so Sprechende, ihren Ort und die ihr verordnete Sprachlosigkeit, denn noch »nie hat jemand so von sich selber gesprochen« (BW II, 262). Undine hatte traditionell nur als stummes Bild Anteil am Liebesdiskurs, deshalb wurde ihre Rede nie gehört; und die Tatsache, daß der Text mit einem literarischen Schweigen bricht, hat in diesem Zusammenhang beinahe die Konnotation des moralisch Unerhörten. Die Autorin reinszeniert in ihrem Text aus einer neuen Perspektive ein gängiges Versatzstück von Weiblichkeit und arbeitet dabei die sozialen und ästhetischen Konstitutionsbedingungen weiblicher Existenz auf, ohne auf die für den Liebesdiskurs typischen kritisch-utopischen Momente zu verzichten, wie schon die beiden ersten Punkte klarmachen.

Die Rednerin favorisiert das Element des Wassers: »Ich liebe das Wasser, seine dichte Durchsichtigkeit« (BW II, 254). Undines Rede kreist jedoch nicht um ihre sprachlose Wasserexistenz, sondern um jene Momente, in denen sie mit Menschen, genauer: mit Männern in

Kontakt kommt, um jene Momente, in denen sie in der Lichtung Hans begegnet:

Immer, wenn ich durch die Lichtung kam und die Zweige sich öffneten, wenn die Ruten mir das Wasser von den Armen schlugen, die Blätter mir die Tropfen von den Haaren leckten, traf ich auf einen, der Hans hieß. (BW II, 253)

Dieser ihr vorgeschriebene und ritualisierte Eintritt in die Lichtung trägt – im Bild der ihr das Wasser von den Armen schlagenden Ruten – Spuren der Gewalt. Das Verlassen des ihr zugeschriebenen Elements, ihren Schritt in die (männliche) Menschenwelt lese ich im Rahmen des Stoffmotivs als Akzentuierung des für das Weibliche tabuisierten Übergangs von Natur zu Kultur bzw. Geschichte. Das Verlassen des Wassers (Natur) ist für sie nicht nur mit Schmerzen verbunden, sondern auch immer nur kurzfristig möglich. Das Betreten der »Lichtung« (Kultur, Geschichte) leitet für Undine ein ebenso unumgängliches wie flüchtiges Liebesverhältnis ein, dessen Ende ihren Rückgang ins Wasser bedeutet: »wenn das Geständnis abgelegt war, war ich verurteilt zu lieben; wenn ich eines Tages freikam aus der Liebe, mußte ich zurück ins Wasser gehen« (BW II, 254). Dieser sakralisierte, durch ein »Geständnis« ihrerseits eingeleitete Liebesakt gehört einem streng definierten raum-zeitlichen Kontinuum an: Er beginnt »immer, wenn das Geständnis abgelegt war« – und dieses scheint sich aus dem Treffen mit Hans fast unabwendbar zu ergeben; er beginnt mit dem Betreten der »Lichtung«, die dazu durchquert werden muß. Ich lese die »Lichtung« als Metapher für den Raum männlichen Begehrens, als die in beiden Geschlechtern vorhandene Vorstellung eines imaginären Orts, der Undine erschafft. Undine ist nur sicht- und lokalisierbar in der Beziehung zu Hans, sobald sein Begehren erloschen ist, verschwindet sie wieder, um sich spurlos in einer stummen und gleichgültigen Natur aufzulösen: »Nirgendwo sein, nirgendwo bleiben« (BW II, 254).

Hans, das ist der symbolische Name für alle Männer in ihrer Sehnsucht nach 'der Geliebten'. Als Name des »Gesetzes«, das ihr aufgezwungen wurde, kann sie ihn nie vergessen und vergißt ihn doch nach Beendigung der Affäre »ganz und gar« – Anspielung auf die scheinbar 'natürliche', geschichtslose Unmittelbarkeit ihrer Existenz. Doch gleichzeitig spricht sie von der Namenskette »Hans«, deren Glieder sie immer wieder beschwören muß, als von einer Sprach- und Existenzordnung, deren Logik ihr aufgezwungen wurde: »Ja, diese Logik habe ich gelernt, daß einer Hans heißen muß, daß ihr alle so heißt, einer wie der andere, aber doch nur einer« (BW II, 253). Die Rede von einer »erlernten« und zudem sehr widersprüchlichen

Logik widerspricht der Behauptung ihrer 'Natürlichkeit' und behauptet statt dessen die Geschichtlichkeit der Rede von der weiblichen »Natur«. Diese Natur ist eine Kunstnatur, eine der Frau als Wesensbestimmung zugesprochene Kategorie. Die Geschichte des hier explizit als solchen gekennzeichneten Lernprozesses ist die Geschichte eines Diskurses, in dessen Verlauf imaginäre und reale Frau immer näher aneinandergeraten, bis sie schließlich kaum noch zu unterscheiden sind. Der mit dem Aufkommen des Diktums von der 'Natur (der) Frau' einsetzende Prozeß gehört in die Geschichte der Angleichung der realen Frau an den für sie bestimmten Entwurf. Die Künstlerin und Kunstkritikerin Gisela Breitling faßt dies zu einer allgemeinen These zusammen: Die »Behauptung von der Naturnähe der Frau« ist nur Wort-Mimikry, die »dazu dient, den realen Tatbestand zu verschleiern, daß ihre wirkliche Natur amputiert und durch eine Kunstnatur ersetzt ist.«[44]

Wenn sich Undine einer konkreten Beschreibung verweigert, wird deutlich, daß der Text nicht nur die der Figur diskursiv vorgeschriebene Kunstnatur durchquert, sondern zugleich die Konstruktionselemente derselben offenlegt. Undine spricht von sich selbst nur ex negativo in bezug auf die ihr entgegengesetzte Menschenwelt und deren Logik. So hat sie »keine Kinder, kennt keine Fragen, keine Forderungen, keine Vorsicht, Absicht, keine Zukunft... [will] keinen Unterhalt und keine Beteuerungen und Versicherung« (BW II, 254). Alles, was ihr Stabilität in der Zeit und auf die Zukunft hin geben könnte, wird von ihr zurückgewiesen. Die dennoch vorhandene fast schon paradoxe Stabilität ihrer Anwesenheit verdankt sich einer anderen Ordnung: nämlich der Kraft »hänslicher« Imagination und Sehnsucht. Zugleich jedoch zitieren die Negativbestimmungen, auf denen Undine so eindringlich insistiert, die Struktur des gängigen Diskurses über Weiblichkeit: Die Frau ist *kein* Mann, *nicht* das, was der Mann ist, die grundsätzlich »Andere«. In dieser Position ist sie in ein System eingeschlossen, das sie im selben Moment ausschließt.

Die Rede vom »Anderen« bzw. »der Anderen« ist alt, doch vor allem in jüngster Zeit hoch im theoretischen (Dis-)Kurs. Bereits Simone de Beauvoir machte in ihrer frühen und für die Frauenbewegung bahnbrechenden Arbeit *Das andere Geschlecht* auf die Relevanz dieser »grundlegenden Kategorie des menschlichen Denkens« aufmerksam. Sie skizziert die Funktion der Rede vom »Anderen« in den frühen Mythologien bis hin zu den mentalen Konstruktionen der Neuzeit.[45] Dabei weist sie als eine der ersten auf die *geschlechts*spezifische Konnotation dieser Kategorie:

Der Mann ist so sehr zugleich der positive Pol und das Ganze, daß im Französischen das Wort »homme (Mann)« den Menschen schlechthin bezeichnet, wobei sich der spezielle Sinn des Wortes »vir« dem allgemeinen von »homo« angeglichen hat. Die Frau erscheint so sehr als das Negative, daß die bloße Begriffsbestimmung eine Beschränkung bedeutet, ohne daß es umgekehrt ebenfalls so wäre ...

Sie [die Frau] wird bestimmt und unterschieden mit Bezug auf den Mann, dieser aber nicht mit Bezug auf sie; sie ist das Unwesentliche angesichts des Wesentlichen. Er ist das Subjekt: sie ist das Andere.[46]

Als relationale Größe konstituiert sich das Weibliche erst in bezug auf den Mann, eine Positions- und zugleich Wesensbestimmung, die Ausgangspunkt der neuen feministischen Literaturkritik ist.[47] Die Rede von der Unsichtbarkeit der Frau, ihrer Geschichtslosigkeit, wurde in jüngster Zeit nicht nur durch die Wiederentdeckung von im literarischen Kanon marginalisierten bzw. ausgesparten Texten von Frauen widerlegt, sondern selbst als *strukturelle* Strategie einer männlich bestimmten Gesellschaftsordnung erkannt. Die Konstruktion der Frau als kategorisch Ausgegrenzter dient dazu, Weiblichkeit als Projektionsfläche für diejenigen Wünsche offenzuhalten, die als Verdrängtes, als latentes 'Unbehagen in der Kultur' die Vernunftgeschichte begleiten. Dies charakterisiert die Position der Frauen *in* der Geschichte: »Die Frauen sind nicht geschichtslos; sie stehen nicht außerhalb der Geschichte. Sie sind *in* ihr in einer spezifischen Situation der Ausgegrenztheit.«[48]

Brigitte Wartmann arbeitet diesen Aspekt historisch auf und behauptet dabei, daß die Ausgrenzung der Frau für die Formation der frühbürgerlichen Gesellschaft notwendig war:

Die bürgerlichen Frauen sind aus der 'égalité' *grundsätzlich* ausgenommen, eben *weil* sie anders sein *sollen*. Ihre Andersartigkeit ist *strukturell* notwendig für das bürgerliche Gesellschaftssystem.[49]

Während Wartmann in ihrer an den Sozialwissenschaften orientierten Arbeit die spezifische Art und Weise, in der die Frau am gesellschaftlichen System beteiligt und zugleich in ihm verborgen ist, herausarbeitet[50], beschäftigt sich Weigel als Literaturwissenschaftlerin mit den Folgen dieser spezifisch weiblichen Geschichtsbeteiligung. Sie fragt nach den Folgen, die diese Position für das Selbstverständnis der Frau hat und in welcher Art sie sich in der weiblichen Schreibpraxis spiegelt. In ihren Arbeiten zu Texten von Frauen stellt sie heraus, daß die Ausgegrenztheit der Frauen aus der Geschichte vor allem im Problem der Perspektive deutlich wird. Die Frau ist dazu gezwungen, sich selbst zu betrachten, »indem sie sieht, *daß* und *wie* sie betrachtet wird«[51].

Diese doppelt gebrochene Perspektive liegt der Redeweise Undines zugrunde. Indem sie über sich selbst spricht, spricht sie aus, daß ihre Existenz an die sie 'Herbeirufenden', also an die »Sprachspiele« der sie Erschaffenden gebunden ist. Sie notiert dabei gleichzeitig die Parameter, mit denen sie be- bzw. verurteilt wird, indem sie sich diesen gegenüber bewußt als 'Negativität' setzt, d.h. den geltenden Verabredungen eine Absage erteilt.

Aber laßt mich genau sein, ihr Ungeheuer, und euch einmal verächtlich machen, denn ich werde nicht wiederkommen, euren Winken nicht mehr folgen, keiner Einladung zu einem Glas Wein, zu einer Reise, zu einem Theaterbesuch. Ich werde nie wiederkommen, nie wieder Ja sagen und Du und Ja. (BW II, 253)

Der selbstgesetzte Anspruch, »genau zu sein«, die Aufkündigung ihres Erscheinens, die Verweigerung der liebenden und affirmativen Anrede und die sich daran anschließende Beschreibung ihrer selbst als »dem anderen, der anderen« geben ihrer Rede bereits ganz zu Anfang einen analysierenden und negierenden Akzent. Gleichzeitig bringt sie die Weigerung zum Ausdruck, bestimmte Zuschreibungen weiterhin zu übernehmen und formuliert die Suche nach einer neuen Perspektive, selbst wenn dies »mörderische« Folgen haben könnte.

Der elegisch-melancholische und stellenweise zornige Ton ihrer Rede erklärt sich aus dem Anlaß ihres Wortergreifens: der Geste des Abschieds. Indem sie den Winken und Einladungen absagt, weist sie die ihr aufgezwungene Existenzweise zurück und sucht dabei Raum zu schaffen für eine neue Geschlechterordnung, die als noch zu Findende, als Aufforderung an ihre Zuhörer in dem finalen und in poetische Diktion gefaßten »Komm Nur Einmal/Komm« über den Text hinausgeht. Die Bezeichnung ihrer selbst als »der anderen« führt sie zu der paradoxen Einsicht, daß ihr Ort, das Wasser, »die nasse Grenze zwischen mir und mir« (BW II, 254) bedeutet. Undine spricht eine durch sie verlaufende Grenze aus, die die Differenz zwischen eigenen und fremden, individuellen und kollektiven Imaginationen zum Ausdruck bringt. Sie kann aber auch als Metapher für den selbstreflexiven Blick der Figur gelesen werden. Die Frau hält sich zum Teil unreflektiert *in* männlichen Imaginationen auf, da deren andauernde Präsenz und Gültigkeit – vor allem aber: deren Schönheit es ihr schwermacht, zwischen zugewiesenen und eigenen Wunschbildern bzw. überhaupt zwischen Projektion und Realität zu unterscheiden. Die Redeweise der Undine hingegen notiert diese Spannung zwischen Realität und Imagination.

Die De- und Rekonstruktion der Undine-Figur durch eine Autorin macht darauf aufmerksam, daß das Weibliche eine bevorzugte kulturelle Projektionsfläche darstellt und oft nur als solche in der kulturellen Textur reproduziert wird. Je nach Perspektive und Geschlecht des Sprechenden *ist* die Rede über die Frau manchmal nichts anderes als die Wiedergabe von ambivalenten Wunschbildern. Undines Redeweise und besonders die Metapher von der »nasse[n] Grenze zwischen mir und mir« erinnern an die von Luce Irigaray geforderte spielerisch-kritische Wiederholung des männlichen Diskurses durch die Frau:

> Mimesis bedeutet also für die Frau den Versuch, den Ort ihrer Ausbeutung durch den Diskurs wiederzufinden, ohne sich darauf reduzieren zu lassen. Es bedeutet ... sich wieder den 'Ideen' zu unterwerfen, insbesondere der Idee von ihr ... aber nun durch einen Effekt spielerischer Wiederholung das 'erscheinen' zu lassen, was verborgen bleiben mußte ... Es bedeutet außerdem, die Tatsache zu enthüllen, daß, wenn die Frauen so gut mimen, dann deshalb, weil sie nicht in dieser Funktion aufgehen. *Sie bleiben ebensosehr anderswo.*[52]

Dieses »Anderswo«, das bei Irigaray manchmal in gefährliche Nähe zu einer nun von weiblicher Seite propagierten ontologisierenden Wesensbestimmung der Frau gerät, wird von Ingeborg Bachmann ins textuelle Spiel gebracht, ohne dabei zu einer konkreten Gegen-Topographie zu werden. Sie läßt ihre Undine-Figur nicht nur den männlichen Diskurs durchqueren, der *über* sie Ideen formuliert, sondern weist auf den Effekt, den dieser *in* der Selbstbetrachtung der Frau hat. Undine konstatiert eine Gespaltenheit und notiert dabei die Spannung zwischen eigenem Begehren und internalisierten Trugbildern (den von ihr bejahten »flüssigen« Ort *in* ihr) und der Erfüllung fremder Begehren und Wünsche (das Betreten der Lichtung *außer* ihr).

Die Erscheinung Undines in der Menschenwelt ist ein wohlbekanntes Ritual, nämlich das der außerehelichen Affäre. Die Affäre setzt per definitionem die Gesetze der bürgerlichen Liebesordnung außer Kraft und ist doch – als deren Korrektiv – ein Teil derselben.

> Wenn ich kam, wenn ein Windhauch mich ankündigte, dann sprangt ihr auf und wußtet, daß die Stunde nah war, die Schande, die Ausstoßung, das Verderben, das Unverständliche, Ruf zum Ende. (BW II, 257)

Die so Reagierenden, das sind die Ehemänner, die eine Beziehung zu Undine eingehen, eine Beziehung, die zwar als »Schande, Ausstoßung, Verderben und das Unverständliche« gesellschaftliche Konventionen 'verrät', jedoch gleichzeitig als das Außer-Eheliche die Ordnung der Ehe bestätigt. Das subjektive Gefühl der Liebenden, einem außerordentlichen Menschen begegnet zu sein, ist keinesfalls individuelle Verblendung der jeweils Beteiligten, sondern ebenso kodiert und festgelegt wie die Eheverbindung, von der sie sich gerade distanzieren wollen. Zum Begriff der 'Liebe als Passion' gehört es, etwas zu erleiden, »an dem man nichts ändern kann«, wobei dieses »Ausscheren aus der sozialen Kontrolle von der Gesellschaft als Krankheit toleriert«[53] wird. Und für dieses Ausscheren aus der sozialen Kontrolle liebt Undine die Männer in ihrem Leben: »dafür habe ich euch geliebt ... daß ihr nie einverstanden wart mit euch selber« (BW II, 257).

Der Text gibt die fixierte und tradierte Struktur dieser »Liebeskrankheit« – das ihr immanente Widerstandspotential, ihre Plötzlichkeit und ihr formelhaftes Pathos – durch eine Rhetorik wieder, die diese Topoi in Sprachszenen wiederholt. Alle, wenn auch durch ihre Häufigkeit verwischten, Zäsuren in Rede und Existenz der Rednerin betreffen die Begegnung mit Hans, der – so will es der Code – immer »ganz anders« als alle anderen ist. Jede Liebe erhebt den Anspruch, einzigartig und noch nie dagewesen zu sein. Der Text widerlegt jedoch diese Einzigartigkeit, sowohl durch die Chiffre »Hans« als auch durch die Betonung der Häufigkeit und damit Wiederholbarkeit dieser Liebesbeziehungen, und hebt statt dessen das gleichbleibende Muster hervor. Immer wieder trifft Undine »auf einen, der Hans hieß«, und immer wieder muß sie »mit dem Anfang beginnen«.

Die folgende Passage unterstreicht das Unausweichliche, Sich-Wiederholende und Rituelle dieser Begegnungen. Die Rednerin insistiert hartnäckig auf der 'Andersartigkeit' aller Geliebten und legt dabei offen, daß diese Andersartigkeit als rhetorische Figur und Fragment des Liebesdiskurses Bestandteil des tradierten Liebescodes ist:

> Ich habe einen Mann gekannt, der hieß Hans, und er war anders als alle andern. Noch einen kannte ich, der war auch ganz anders als alle anderen. Dann einen, der war ganz anders als alle anderen und er hieß Hans und ich liebte ihn. (BW II, 258)

Undines Worte legen die imaginäre Struktur aller Liebesbeziehungen offen: Liebe entzündet sich an der 'Andersartigkeit' der oder des Geliebten und leitet daraus die Rechtfertigung des Widerstands gegen das geltende 'Eine' ab. Zur 'Natur' dieses gesellschaftlich pathologisierten und sozial ausgegrenzten Liebesexzesses gehört die kurze Dauer: »erfüllte Liebe ist widerspruchsfrei, aber sie kann nicht bestehen«[54]. Sie ist momenthafte Überschreitung, die, währte sie länger, sich selbst zu dem wandeln würde, gegen das sie einsteht: die vor den offiziellen Instanzen des Staates und der Kirche abgesicherte pragmatische Beziehung zwischen Mann und Frau. Günther

Bittner konstatiert in seinem an der Psychoanalyse orientierten Essay »Die Geliebte als magische Vervollständigung« die Differenz zwischen der leidenschaftlichen Liebe und der Ehe folgendermaßen: »Die 'große' Liebe ist gerade ihrer 'Größe' wegen auf Scheidung angelegt – was sollte auch sonst aus ihr werden? Eine bürgerliche Ehe wohl kaum! Dazu ist sie zu extravagant, zu 'heroisch'.«[55] Dieses Zitat verrät unabsichtlich, wer den Code der »großen« Liebe geprägt und fixiert hat. Das Ideal des Heroischen, mit dem sie hier verbunden wird, gilt den Taten des Mannes und formuliert ein Selbstverständnis, das sich an der Überwindung äußerer und innerer Widerstände konturiert und beweist. Der Frau kommt in diesem Zusammenhang traditionellerweise die Rolle des passiven, meist hilflosen Opfers zu. Handelt es sich um ein Liebesdrama, sind zwar beide Geschlechter gleichermaßen 'Opfer' ihrer Gefühle, doch während die Frau diesen ausgeliefert bleibt, überwindet der Held sie als 'Schwäche' in sich – zumeist im Namen eines 'höheren' Gebots – und verläßt so heroisch ohne seine Geliebte die Bühne.[56]

Die mit Undines Erscheinen verbundene Paradoxie: dem Geliebten äußerst nah und zugleich weit entfernt von ihm zu sein, ist ebenfalls rhetorisches Versatzstück der außerordentlichen Liebesbeziehung.[57] Undine ist Hans verbunden in den Momenten seines Zweifels an der bestehenden Ordnung, doch ihre Position als Geliebte erlaubt es ihr nicht, mit ihm die Nähe des öffentlich sanktionierten Alltags zu teilen: »Und weit ist es zu mir« (BW II, 254). Als 'Kampf-Figur', die vor allem Widerstand gegen die geltenden sozialen Verabredungen verkörpert, ist sie ihm unendlich nah, doch ihr Wunsch, seine reale Lebensgefährtin zu werden, entfernt sie unwiederbringlich von ihm, da damit ihr Status, nämlich Verkörperung eines prinzipiell nie erfüllbaren Verlangens zu sein, korrumpiert wäre. Die Unmöglichkeit dieser Liebe gehört, wie bereits erwähnt, ebenfalls zum Code: Je unwahrscheinlicher die Erfüllung, je größer die Widerstände, desto wertvoller ist sie für die Beteiligten.

Der Wunsch nach Dauerhaftigkeit der Beziehung führt dazu, daß die Geliebte »verwünscht« wird: »bereut war alles im Handumdrehen« (BW II, 259). Mit dieser wörtlich zu lesenden Ver-Wünschung, dem Durchstreichen der Sehnsucht, die sie rief, wird die bestehende Ordnung wieder in ihre Rechte eingesetzt. Undine zitiert, entsprechend ihrem selbstgesetzten Anspruch, »einmal genau zu sein«, der Reihe nach all die Strukturelemente der bürgerlichen Gesellschaft, gegen die ihre Beziehung zu Hans einsteht: die ökonomische Abhängigkeit der Geschlechter voneinander: »Ihr kauft und laßt euch kaufen« (BW II, 256); die verbale Verbrämung und Verschönerung dieser Tatsache von seiten der Männer: »Meine Frau, ja, sie ist ein wunderbarer Mensch, ja, sie braucht mich, wüßte nicht, wie ohne mich leben« (BW II, 255); die Erhaltung der patriarchalen Familienstruktur: »Ja, dazu nehmt ihr euch die Frauen auch, damit ihr die Zukunft erhärtet, damit sie Kinder kriegen« (BW II, 256); die Inanspruchnahme der Frau für die Haushaltsroutine, kurz, die gegenseitige Funktionalisierung der Geschlechter: »Die ihr Frauen zu euren Geliebten macht, Eintagsfrauen, Wochenendfrauen, Lebenslangfrauen und euch zu ihren Männern machen laßt« (BW II, 255).[58]

Der Text ahmt auf einer ersten deskriptiven Ebene und in seinem rhetorischen Aufbau den Anlaß, den Verlauf und das Ende der »freien« leidenschaftlichen Liebesbeziehung nach, die sich mit dem Erscheinen Undines verbindet. Die dargestellten Wortgesten der Liebenden werden dabei als kodierte Bestandteile des Liebesdiskurses, als »Rhetorik des Exzesses und Erfahrung von Instabilität« (Luhmann) erkennbar. Als Zelebration des privaten Widerstands gegen das soziale Außen äußern sie sich in den selbstreferentiellen Worten »Ja und Du und Ja«, nichts sagend und doch zugleich alles aussprechend, sich immer wieder neu entzündend und entzückend. Diese widerständige Privatheit ist in zahlreichen literarischen Texten nachgezeichnet und überhöht worden. Die in Bachmanns Text aufgenommene Wendung jedoch: die »Schmähung« der Geliebten durch Hans, sein endgültiges 'Nein' liegt an den Rändern der ästhetisierten Liebesgeschichte, denn dieses 'Scheitern' des »freien« Bundes widerspricht der hoffnungfrohen Schönheit des Anfangs. Die traditionelle, von männlichen Erzählern aufgezeichnete Geschichte bricht vorher ab, damit das in der Verbindung der Liebenden liegende Glücksversprechen nicht gefährdet wird.[59] »Undine geht« ist in seiner radikalen, sowohl polemischen als auch versöhnlichen Explizitheit ein Novum in den sechziger Jahren und akzentuiert die Verschiebungen, die innerhalb des Liebesdiskurses zutage treten, wenn er aus weiblicher Sicht aufgeschrieben wird.

Indem die unterschiedlichen Positionen der an der Liebesgeschichte beteiligten Personen markiert werden, demonstriert der Text auf einer zweiten Ebene die unterschiedlichen Konsequenzen, die die dargestellte Liebesordnung für die Geschlechter hat. Undine beschreibt ihre Situation nach der Verwünschung durch Hans folgendermaßen:

Wenn das Geständnis abgelegt war, war ich verurteilt zu lieben; wenn ich eines Tages freikam aus der Liebe, mußte ich zurück ins Wasser gehen, in dieses Element, in dem niemand sich ein Nest baut, sich ein Dach aufzieht über Balken, sich bedeckt mit einer Plane. Nirgendwo sein, nirgendwo bleiben. (BW II, 254)

Und die Begründung, die die Männer für ihr »Freikommen aus der Liebe« anzubieten haben, lautet: »Dann wußtet ihr plötzlich, was euch an mir verdächtig war, Wasser und Schleier und was sich nicht festlegen läßt« (BW II, 259). Während Hans an seinen ursprünglichen Platz zurückkehrt, »auf den Kirchenbänken, vor Frauen, Kindern, Öffentlichkeit« seine Liebesaffäre bereut, verschwindet Undine im 'Nichts' des Wassers. Für ihn bedeutet die Verbindung zu ihr bloß die *momenthafte* Überschreitung einer Grenze; er kann seine gesellschaftlich definierte und abgesicherte Position kurzzeitig aufgegeben, da sie ihm grundsätzlich sicher ist. Die in dem Schritt auf die »Lichtung« zum Ausdruck kommende 'Lust' am Übertritt ist jedoch einseitig: Sie gilt nur demjenigen, der sich anschließend wieder auf das beruhigte und beruhigende Territorium der geltenden Verabredungen zurückziehen kann.[60] Undine hingegen, die als Medium dieser Lust in Anspruch genommen wurde, hat diese Möglichkeit nicht. Sie verliert sich – ihrem Konstruktionsgesetz entsprechend – nach dem 'Ende' in der Unbestimmtheit des Wassers. Im Gegensatz zu Hans hat sie keine vergleichbare Position, von der aus eine Übertretung als Verlockung erscheinen könnte. Im Gegenteil: Sie ist »verurteilt« zu lieben, gewinnt nur immer temporär den Boden unter den Füßen, den Hans in den Momenten des Widerstands euphorisch aufgibt. Während für sie also das Ende der Liebe gleichzeitig den Verlust eines sicht- und lokalisierbaren Ortes bedeutet, bedeutet es für ihn die Restabilisierung desselben.

Undine hält sich nicht nur im Wasser auf, sondern verkörpert dessen Flüssigkeit, als imaginäre Geliebte hat sie keinen konkreten Ort. Undine ist eine dauerhafte Plazierung innerhalb der sichtbaren Ordnung strukturell versagt: Sie ist der Mangel, den diese braucht und produziert. Die »Lebenslangfrau«, Repräsentantin einer anderen Form von funktionalisierter Weiblichkeit, hat hingegen einen fest umrissenen Ort innerhalb dieser Ordnung, doch diese Fixierung ist negativ konnotiert und eben deshalb Anlaß, die 'Eine' temporär für die 'Andere' zu verlassen. Allerdings wird die Beziehung zur Ehefrau und damit deren Status mit Beendigung der Affäre wieder validiert, und zwar mit der Begründung, 'sie könne ohne ihn nicht leben'. Als Geliebte ist die Frau in der Öffentlichkeit angenehm unsichtbar; als Ehefrau oft nur allzu unangenehm sichtbar. Obgleich

Frauen scheinbar Entscheidungsfreiheit über die Art der Beziehung zu einem Mann haben, impliziert der freie Wechsel zwischen »Undine« und »Lebenslangfrau« gezwungenermaßen, auch die gesellschaftlich festgelegten Konsequenzen der jeweiligen Wahl zu akzeptieren. Das aber heißt, beim Leben der 'lustvollen' Beziehung auf Stimme und Sichtbarkeit zu verzichten und unter Umständen nur noch eingeschränkt Zugang zur letzteren Position zu haben. Weigel beschreibt die von Bachmann ästhetisch formulierte Differenz in der Liebesordnung folgendermaßen:

Der Wechsel zwischen Ordnung bzw. einem Ort in den bestehenden Institutionen einerseits und dem 'anderen Zustand', wie er ... von den im Undine-Text so bezeichneten 'Ungeheuern' vollzogen wird, d.h. das Hin- und Herwechseln zwischen dem Zustand der Liebe als Entgrenzung und der Rückversicherung in der bürgerlichen Ordnung, gelingt den Frauenfiguren nicht im gleichen Maße.[61]

Anders gesprochen: Dem männlichen Subjekt kommt eine »solide Position im Symbolischen« zu, »von der aus '*der* Liebende' sich der Macht des Imaginären überläßt«[62], während '*die* Liebende' in der Position des Imaginären gefangengehalten wird. Demgegenüber behauptet Maria Stuby, daß im Konzept der leidenschaftlichen Liebe kein Unterschied zwischen den Geschlechtern gemacht wird:

Im *Konzept* von Liebe als Passion sind männliches und weibliches Begehren in *gleicher* Weise repräsentiert. Erst in der Realisierung des Konzepts, in der Liebes*praxis*, treten manifeste, geschlechtsrollenbedingte Unterschiede zutage. An ihnen macht sich Liebesleid als spezifisch männliches und weibliches fest.[63]

Auf den ersten Blick scheinen die bisherigen Ergebnisse diese These Stubys zu unterstützen, doch sobald die Frage gestellt wird, *wer* dieses Konzept von Passion entworfen und damit die Natur und Ausdrucksform von Begehren festgestellt hat, wird erkennbar, daß der Entwurf des *Konzepts* die Differenzen in der *Realisierung* desselben bereits in sich birgt. Auf den Text bezogen heißt das: Formuliert Undine wirklich ein ihr eigenes Begehren, das enttäuscht wird und dann zu 'weiblichem' Liebesleid sich wandelt, oder ist ihr begehrliches »Rufen« bloß eine von männlicher Sehnsucht entworfene weibliche Stimme, die dieses Liebesleid provoziert? Da Undines Rede zuallererst den etablierten Diskurs, dem sie ihre Existenz verdankt, durchquert, ist eine eindeutige Fixierung dieser beiden Pole schwierig und ebenso tentativ wie Undines Versuche, mit der eigenen Stimme zu sprechen.

Bereits ganz zu Anfang ihrer Rede macht Undine deutlich, warum sich Hans als Kontinuität in ihrem Leben erhält:

Und wenn eure Küsse und euer Samen von den vielen großen Wassern – Regen, Flüssen, Meeren – längst abgewaschen und fortgeschwemmt sind, dann ist doch der Name noch da, der sich fortpflanzt unter Wasser, weil ich nicht aufhören kann, ihn zu rufen, Hans, Hans... (BW II, 253)

Sie selbst bezeichnet sich als Garantin für den Erhalt dieser Kette von Begegnungen mit Hans, »*weil ich* nicht aufhören kann, ihn zu rufen« (Hervorhebung S.B.), doch die vorausgehende Berufung auf die von ihr erlernte »Logik« dieses Zirkels läßt klar erkennen, daß es ihr nicht erlaubt ist, diesen »Namen« zu vergessen. Schließlich kommt ihr nur durch das Rufen dieses Namens Sichtbarkeit zu. Ich lese den im Text immer wieder akzentuierten »Namen« als Metapher für das »Gesetz« *über* Wasser, für den Bereich des Symbolischen, dessen Ausgrenzungen sich in dem Bereich »*unter* Wasser«, in dem Undine zugeordneten Bereich des Imaginären verdichten. Nicht sie entwirft »Hans« durch ihr Rufen, sondern Hans entwirft sie, indem er sie als die ihn Rufende imaginiert.[64]

Im Zusammenhang mit dem kontinuierlichen Ende der Beziehung zu Hans formuliert Undine dieses »Gesetz« noch einmal:

Keinen Zauber nutzen, keine Tränen, kein Händeverschlingen, keine Schwüre, Bitten. Nichts von alledem. Das Gebot ist: Sich verlassen, daß Augen den Augen genügen, daß ein Grün genügt, daß das Leichteste genügt. So dem Gesetz gehorchen und keinem Gefühl. So der Einsamkeit gehorchen. Einsamkeit, in die mir keiner folgt. (BW II, 259)

Die Passage illustriert, daß das Undine verordnete »Gesetz« ihr den wortlosen Abschied, die »Einsamkeit« vorschreibt, während ihr »Gefühl« anscheinend etwas anderes will. Doch um diesem nicht formuliertem Gefühl Ausdruck zu geben, fehlt ihr die Sprache; nur das Handzeichen für den Abschied kommt ihr zu. Die Metaphorik dieser Passage weist in seinem utopischen Gehalt auf den nichtsprachlichen Raum des Imaginären; die von der Rednerin gebrauchten Naturmetaphern deuten an, daß ihre Existenz gesichert ist, solange sie als *Bild* in Hans präsent ist. Die Kollision von »Gesetz« und »Gefühl« macht jedoch deutlich, daß sie Medium eines fremden Begehrens ist und für ihr eigenes keine sprachliche Ausdrucksform zur Verfügung hat.

Die Überhöhung des Mannes zur »Ritter-« und »Abgottfigur« ist ihr ebenfalls vorgeschrieben: »Ich habe immer geglaubt, daß ihr mehr seid, Ritter, Abgott, von einer Seele nicht weit, der allerköniglichsten Namen würdig« (BW II, 259). Dies ist, abgesehen von der Anspielung auf den Mythos, nicht nur die Stilisierung, die sich Hans in der Verbindung zu Undine gibt, um sich von den »schwachen, eitlen Äußerungen ... schäbigen Handlungen« seines Alltags abzusetzen, sondern Hinweis auf die von *beiden* Geschlechtern vorgenommene Idealisierung des oder der Geliebten. Es ist ein Hinweis auf imaginäre Anteile in der Psyche, auf kollektive Imaginationen, die das Gefühl von Liebe initiieren, perpetuieren, aber auch enttäuschungsanfällig machen, da diese Idealisierung und Imaginationen unweigerlich in Konflikt mit der Realität geraten.

Die Rede über die Ritter-Figur wurde seit Beginn der Neuen Frauenbewegung kritisch reflektiert. Barbara Sichtermanns Beitrag[65] »Der Rittertraum« stellt eine Revision der feministischen Kritik an dieser Figur dar. Sichtermann weist zum einen auf die realen Spuren, die ein solches Klischee in den Individuen hinterläßt, und zum anderen auf die Spuren »eines wirklichen kollektiven Wunschbildes« im Klischee selbst. Der Undine-Text ist Beweis für diese Dialektik, die allen, von intellektueller Seite oft disqualifizierten, Klischees immanent ist. Als ein vom Mann produziertes Wunschbild ist die Undine-Figur Teil der von Frauen verinnerlichten Sozialisationsgeschichte und prägt den Umgang der Geschlechter miteinander. Die weibliche Identifikation mit dieser Figur und ihrer Rolle bestätigt die nach wie vor vorhandene weibliche Sehnsucht, unwiderstehliches Begehren im anderen Geschlecht zu wecken und damit die kollektive Validität bestimmter Imaginationen. Sichtermanns Neulektüre des Ritter-Traums bietet eine Neuinterpretation an, die den Rollenzuweisungen: Mann gleich Ritter, gleich aktiv, Frau gleich Objekt des Ritters, gleich passiv, die üblichen eindeutigen Wertzuschreibungen nimmt, indem sie an die Stelle des Ritters die Sexualität selbst setzt.

> Jetzt ist es nicht mehr der Mann, dem alle Aktivität zufällt, es ist die Sexualität des träumenden Mädchens, die ja als Reifung, als körperliche Verwandlung, etwas fast Gewaltsames hat, die ja Wünsche plötzlich fernlenkt, umlenkt, auf sich konzentriert, die, mit einem Wort, wie eine fremde und zugleich ersehnte Macht in das Kinderleben hineinreitet und alles verwandelt.[66]

Ich gehe im Zusammenhang mit Bachmanns Roman *Malina* und den Texten Unica Zürns noch näher auf die Figur des Ritters ein. Wichtig ist an dieser Stelle nur festzuhalten, daß sich »Liebe als Passion ... den Rittertraum als Bühne für das Drama der Leidenschaft« wählt.[67] Auch im Undine-Text hat er eine unübersehbare sexuelle Konnotation (BW II, 259).

In dem Konzept von Liebe, das Undine hervorbringt, ist nur ein Begehren versprachlicht: das von Hans, auf das Undine reagiert, indem sie es paradoxerweise herbeiruft, wohl wissend, daß sie dabei unweigerlich eines Tages in Konflikt mit ihrem eigenen Gefühl geraten wird. Das Verschweigen dieses Unbehagens ist ihr als Teil der weiblichen Leidenschaft vorgeschrieben. Damit sind die geschlechtsrollenbedingten Unterschiede, im Gegensatz zu Stubys Behauptung, bereits im *Konzept* von »Liebe als Passion« mit angelegt und schreiben »Liebesleid als spezifisch männliches oder weibliches« strukturell fest. Die positive Konnotation des Begriffs der Passion bezieht sich auf das Erleben von Hans, die negative, wörtliche Bedeutung des Begriffs auf das Erleben der Geliebten, ihren »Schmerzton«.

Doch der Text beschränkt sich nicht auf die Darstellung weiblicher Schmerzerfahrung und die Anklage der sie verursachenden Männer, sondern hat eine versöhnende Endpassage, die folgendermaßen eingeleitet wird:

> Aber so kann ich nicht gehen. Drum laßt mich euch noch einmal Gutes nachsagen, damit nicht so geschieden wird. Damit nichts geschieden wird. (BW II, 260)

Das Anliegen der Rednerin besteht also keinesfalls darin, den Graben zwischen sich und Hans weiter zu vertiefen, sondern lediglich darin, auf seine Existenz aufmerksam zu machen, gerade um ihn nicht unüberwindbar werden zu lassen. Dieses Wortergreifen liegt jenseits des Stoffrahmens und aktualisiert die Hoffnung der Autorin, daß die Geschlechter einander enttäuscht, d.h. ohne Täuschungen begegnen können. Im Zusammenhang mit der anfänglichen Drohung, nie mehr wiederzukommen, wird die Rede Undines als Suche nach einem neuen Geschlechterverhältnis erkennbar, nach einer Begegnung zwischen Mann und Frau, die sich der Vorformulierung des Begehrens des anderen enthält und statt dessen eine Politik des gegenseitigen genauen Hinsehens verfolgt.

Die Geliebte schildert – im Gegensatz zu Andersens Version nicht sprachlos – die Beobachtungen, die sie über die Männer gemacht hat. Sie stellt dabei zum einen deren positiv zu bewertende Taten und Gesten, deren hilflos-rührende Versuche, die Welt zu systematisieren, heraus. Zum andern kritisiert sie den Umgang mit Worten, und an dieser Stelle weitet sich der Kreis der Angeredeten: Undine meint in ihrer Kritik nicht nur Hans, sondern alle Menschen, die von ihr, der ungeheuerlichen Gestalt, als »Ungeheuer« bezeichnet werden. Sie betont mehrfach, daß von diesen ein begehrlicher Diskurs unterhalten wird, der hinter dem verbalen Spiel seinen impliziten Machtanspruch der sozialen und materialen Welt gegenüber geschickt zu verbergen weiß:

Alles hast du mit den Worten und Sätzen gemacht, hast dich verständigt mit ihnen oder hast sie gewandelt, hast etwas neu benannt; und die Gegenstände, die weder die geraden noch die ungeraden Worte verstehen, bewegten sich beinah davon.

Ach, so gut spielen konnte niemand, ihr Ungeheuer! Alle Spiele habt ihr erfunden, Zahlenspiele und Wortspiele, Traumspiele und Liebesspiele. (BW II, 262)

Der Effekt, den die miteinander verbundenen »Traum- und Liebesspiele« im weiblichen Lebenszusammenhang haben, ist durch die »genaue« Rede Undines offengelegt worden und weist damit auf die Stabilität der Undine-Imagination als diskursive Verbindung zwischen Begehren und Macht, sowohl in den Köpfen der Männer als auch der Frauen. Der Text nimmt hier die von Foucault formulierte Analyse des Diskurses als Austragungsort von Machtkämpfen vorweg:

Der Diskurs mag dem Anschein nach fast ein Nichts sein – die Verbote, die ihn treffen, offenbaren nur allzubald seine Verbindung mit dem Begehren und der Macht. Und das ist nicht erstaunlich. Denn der Diskurs ... ist nicht einfach das, was das Begehren offenbart (oder verbirgt): er ist auch Gegenstand des Begehrens; und der Diskurs ... ist auch nicht bloß das, was die Kämpfe oder die Systeme der Beherrschung in Sprache der Beherrschung übersetzt: er ist dasjenige, worum und womit man kämpft; er ist die Macht, deren man sich zu bemächtigen sucht.

... Man muß den Diskurs als eine Gewalt begreifen, die wir den Dingen antun; jedenfalls als eine Praxis, die wir ihnen aufzwingen.[68]

In den letzten Sätzen des Texts ändert sich der Ton der Rednerin. Undine spricht erneut über sich, genauer: über die Position, die sie im Moment ihres Wortergreifens eingenommen hat, und drückt dabei die Hoffnung auf eine andere Perspektive, das Durchstreichen der sie ständig neu produzierenden Imagination aus. Durch diese Hoffnung aber weiht sie sich selbst dem Untergang:

Nie hat jemand so von sich selber gesprochen. Beinahe wahr. Beinahe mörderisch wahr. Übers Wasser gebeugt, beinah aufgegeben. Die Welt ist schon finster, und ich kann die Muschelkette nicht anlegen. Keine Lichtung wird sein. Du anders als die anderen. Ich bin unter Wasser. Bin unter Wasser. (BW II, 262)

Ihre Rede machte auf die Existenzbedingungen 'der Geliebten' aufmerksam, auf den »Namen«, den sie unentwegt rufen mußte, um kurzzeitig Sichtbarkeit zu erlangen. Wenn der Text an dieser Stelle die Bewegung des 'Endens' erneut aufgreift, scheint sich der ganz zu Anfang angekündigte Abschied der mythischen Figur zu realisieren. Die Rednerin ist zum Zeitpunkt ihres Sprechens *über* das Wasser gebeugt und gleitet jetzt *unter* Wasser. Mit ihrer Rede verfolgt sie eine »mörderische« Absicht: die Durchquerung ihrer selbst, eine Strategie, die als Deflektion der Imagination, der sie ihre Existenz verdankt, der eigenen Ermordung nahekommt. Damit soll jedoch keinesfalls der Dialog zwischen den Geschlechtern zum Verstummen gebracht werden, im Gegenteil: Die wirkliche Begegnung zwischen Mann und Frau kann erst dann als Möglichkeit in den Blick kommen, wenn die alten Begehrensstrukturen, die durch die Position des 'Einen', das sich ein 'Anderes' entwirft, markiert sind, aufzugeben. Vielleicht läßt sich dann im wörtlicheren Sinne von Dialog sprechen.

Und nun geht einer oben und haßt Wasser und haßt Grün und versteht nicht, wird nie verstehen. Wie ich nie verstanden habe.

Beinahe verstummt, beinah noch den Ruf hörend.

Komm. Nur einmal. Komm. (BW II, 263)

Für das »oben« lokalisierte männliche Gegenüber haben die Elemente, die für die Existenz Undines stehen, keine Anziehungskraft. Die Attraktivität Undines beruht nicht zuletzt darauf, daß sie die banalen Alltagssorgen von Hans nicht versteht und nicht teilen kann. Sie ist die Gegenfigur, sie verspricht Erlösung von bürgerlichen Zwängen und Gesetzen. Wenn es jetzt am Ende des Textes heißt, er »versteht nicht, wird nie verstehen«, genauso wie sie »nie verstanden« hat, dann kann dies als die utopische Weigerung beider Geschlechter gelesen werden, sich den Zwängen dieser Ordnung zu beugen. Wenn beide Geschlechter mit sich einverstanden wären, brauchte Undine nicht mehr gerufen und verstoßen zu werden; dann wäre ihre Existenz, d.h. die Verlängerung des eigenen Begehrens durch die Imagination von der 'zauberhaften Anderen' überflüssig. Die Passage wiederholt zwar den Diskurs des Begehrens – exponiert ihn sogar durch die poetische Diktion –, vermeidet aber gleichzeitig die Angabe festgeschriebener Sprecherpositionen. Wenn überhaupt, dann formuliert sich hier ein wirklich 'anderes' und in der Tat unerhörtes Begehren. Diese Stimme erklärt weibliche *und* männliche Liebes- bzw. Leiderfahrung für revisionsbedürftig und will damit gleichzeitig das Glücksversprechen der Liebe retten. Die poetische Sprache, die die Erzählung beendet, beschwört nachdrücklich das nie nachlassende Verlangen nach der Begegnung.

Zweites Kapitel: Der Diskurs der Liebe

Zu Ingeborg Bachmanns *Malina*

> Exodus / oder DAS SÜSSE ENDE:
> indem sie einem lang unter- / drückten Bedürfnis nachgab, nämlich das vertraute Anrede- / wort einer solchen Rückverwandlung zu unterziehen, wie / es dem unversehrten und absichtslosen Zustand ihrer frü- / hesten Begegnungen entsprochen haben mochte, erhoffte / sie die Aufhebung jener Qualen welche ihr durch das ver- / hängnisvolle Geschehen seiner Annäherung und schrittweisen / Abrückung und Loslösung beigebracht worden waren ...
>
> Friederike Mayröcker

> »Er [der Vater] hat sich auf mich geschmissen wie ein Tier.« Der Vater kommt zwei Jahre ins Gefängnis, was sie selbst im nachhinein nicht mehr so richtig findet. Sie macht sich heute Sorgen ... trotz dieses Traumas glaubt Renate A. als junges Mädchen an die große Liebe. Das Erlebnis mit ihrem Vater hält sie für eine große Ausnahme ... »Ich dachte eben immer: Liebe ist alles. Das ist ein Gefühl wie im Himmel ... Man kriegt ja auch so viel vorgespielt im Radio und in den Illustrierten, überall ist immer nur von der großen Liebe die Rede gewesen. Na, und darauf hatte ich dann natürlich auch gewartet.«
>
> Renate A., Protokoll aus: *Der 'kleine Unterschied' und seine großen Folgen*

'Dokumentationstext einer schwierigen Seele' oder Dokument der Zeit?

> Sicher ist, daß der Mantel des Schweigens, in den man – aus politischen Gründen – den Nazismus nach 1945 hüllte, dazu führte, daß man sich nicht die Frage stellen konnte: Was wird daraus in den Köpfen der Deutschen, was wird daraus in ihren Herzen, was wird daraus in ihren Körpern?
>
> Michel Foucault, *Die vier Reiter der Apokalypse*

Der Undine-Text brachte eine männliche Imagination zur Sprache, die sich eine prinzipiell unerreichbare Geliebte entwirft und diese in der Schwebe zwischen Realität und Traum gefangen hält. Als utopische

Konstruktion ist das weibliche Begehren darin ebenso eingeschlossen wie die weibliche Stimme und der weibliche Körper. Unabhängig von der Tatsache, daß die patriarchale Liebeskonstruktion sich über die Vereinnahmung des Weiblichen organisiert, spielt der Anteil des Imaginären für *beide* Geschlechter eine große Rolle, sobald Liebesverlangen formuliert werden. Als ein Stück realer Utopie suchen Mann und Frau Zuflucht bei der oder dem Geliebten, um für kurze Zeit im Raum eines phantastischen Überschusses zu leben. Die in diesen Phantasien enthaltenen und konkret gelebten Mechanismen von Unterdrückung und Unterwerfung, Idealisierung und Verdrängung haben jedoch geschlechtsspezifisch unterschiedliche Konsequenzen für die Liebeserfahrung, wie bereits der Undine-Text demonstrierte. Der ästhetische Mythos vom Heros, der sein Gefühl eines höheren Gebots wegen unterdrücken muß, während sein weiblicher Gegenpart ausschließlich der Macht der Gefühle unterworfen bleibt, wurde bereits kurz erwähnt. Der Mann als Opfer der Verhältnisse bzw. einer Rationalität, die ihm das unbedingte Ausleben seines Gefühls versagt, die Frau als Opfer einer Emotionalität, einer größeren Hingabe- und Liebesbereitschaft, deretwegen sie in den Tod geht – »klassische« Figuren des Liebesrepertoires, die nach wie vor (nicht nur) im Trivialmuster vieler Romanzen und Liebesfilme die Hauptrolle spielen. In ihrem unvollendet gebliebenen Romanzyklus *Todesarten* versucht Ingeborg Bachmann, den Aussagegehalt dieser Bilder und sowie deren sehr reale Konsequenzen für das weibliche Subjekt darzustellen. Die Autorin nähert sich in diesen Texten der Liebesproblematik auf einer zugleich allgemeineren und historisch konkreteren Ebene, als dies in den Erzählungen der Fall sein konnte.

Malina ist der einzige vollständig ausgearbeitete Teil des Romanzyklus', an dem Ingeborg Bachmann seit Beginn der sechziger Jahre arbeitete. Die in diesen Zusammenhang gehörenden Texte kreisen um die Komplexität einer Lebens-, Denk- und damit implizit auch Liebesordnung, deren Ausschlußverfahren mörderische Züge tragen. Dies auszudrücken, ohne nun ihrerseits den auktorialen Mythos der bevormundenden Erzählerinstanz zu bestätigen, machte das Projekt so schwierig, daß die Autorin sich lange Zeit vor einer Veröffentlichung scheute.

Wie die »Vorrede« zu *Der Fall Franza* deutlich macht, rechnete sie mit Unverständnis, Widerstand und Ablehnung. Die Ich-Erzählerin bringt deutlich zum Ausdruck, daß sie allen Grund hat, »für dieses Buch zu fürchten«:

> Es ist mir, [sic] und wahrscheinlich auch Ihnen oft durch den Kopf gegangen, wohin das Virus Verbrechen gegangen ist – es kann doch nicht vor zwanzig Jahren plötzlich aus unserer Welt verschwunden sein, bloß weil hier Mord nicht mehr ausgezeichnet, verlangt, mit Orden bedacht und unterstützt wird. Die Massaker sind zwar vorbei, die Mörder noch unter uns, oft beschworen und manchmal festgestellt, nicht alle, aber einige in Prozessen abgeurteilt. Die Existenz dieser Mörder ist uns allen bewußt gemacht worden, nicht durch mehr oder minder verschämte Berichterstattung, sondern eben auch durch Literatur. (BW III, 341f.)

Diese Reflexion der Franza-Figur umreißt sowohl die historisch-politische als auch die ästhetische Position des Gesamtprojekts. Der Tenor der literarischen Auseinandersetzung gilt der Aufarbeitung des Faschismus. Dennoch widersetzen sich die *Todesarten* dem, was das Schlagwort »Vergangenheitsbewältigung« leichthin impliziert. Die Geschichten der ProtagonistInnen in *Malina*, *Der Fall Franza* und *Requiem für Fanny Goldmann* (die beiden letzten Prosastücke blieben unvollendet) lassen die jüngste Gewaltgeschichte weder als bewältigt noch als vergangen erscheinen.[69] Der Impetus des Schreibens liegt eher in der Wahrnehmung einer hartnäckig verschwiegenen Kontinuität: der Kontinuität einer Denkhaltung, die »zum Verbrechen führt«, und die mit einer psychischen Disposition, die »zum Sterben führt« (BW III, 342), untrennbar verbunden ist. Die weiblichen Figuren fallen durchweg einer psychisch-mentalen Disposition in ihnen und ihren Geliebten bzw. Ehemännern zum Opfer. Wenn es überhaupt eine Kontinuität in den fragmentiert wiedergegebenen Lebensgeschichten gibt, dann ist es die Darstellung einer perfiden Denk-Ordnung, die die einen zu ewigen Opfern und die anderen zu ewigen Tätern macht. Dieses Thema durchzieht als Motiv viele von Bachmanns Geschichten und wird in *Malina* als die heimliche Dialektik von Liebe und Gewalt differenziert aufgearbeitet. Das geschieht auch – wenngleich nicht nur – im Hinblick auf die Geschichte des Dritten Reichs. Der kollektive Versuch, ein ganzes Volk mit der Begründung, es sei »minderwertig«, zu Opfern zu machen, läßt auf eine Denkhaltung schließen, deren Effekt in den Romanfragmenten Ingeborg Bachmanns als äußerlich unauffällige, doch eben deshalb um so schwerwiegendere Kränkung und Ermordung von weiblichen Figuren übersetzt ist.

Die Autorin hat sich explizit gegen die Reduzierung ihres Projekts auf die literarische Aufarbeitung des Faschismus als eines *einmaligen* Ereignisses gewehrt. Sie begegnete solchen Zuschreibungen, indem sie die *latente* Präsenz von vergleichbaren Gewaltverhältnissen betont. Eine ihrer Interpreten hat die von Bachmann beschriebene

Gewalt treffend als »Alltagsfaschismus« bezeichnet.[70] Die Autorin selbst äußerte sich folgendermaßen:

Und man hat mich jetzt, seit mein Buch *[Malina]* in Italien herausgekommen ist, gefragt, ob ich das zweite Kapitel meines Romans auf diesen Faschismus geschrieben hätte. Und da hab' ich gesagt, nein, ich hab' es vorher geschrieben, ich habe schon vorher darüber nachgedacht, wo fängt der Faschismus an. Er fängt nicht an mit den ersten Bomben, die geworfen werden, er fängt nicht an mit dem Terror, über den man schreiben kann, in jeder Zeitung. Er fängt an in der Beziehung zwischen Menschen. (WS, 143f.)

Die komplizierte und allzuoft verkürzt dargestellte Täter-Opfer-Problematik aller Verbrechen ist das Grundthema des Zyklus, der auf verschiedenen Ebenen um den 'Faschismus im Kopf' kreist. Die Erkenntnis der Autorin, daß Unterdrückungs- und Unterwerfungsbereitschaft nicht 'nur' in militärischen Zerstörungsaktionen offensichtlich wird, sondern auch die psychische Dynamik menschlicher Beziehungen trägt, bestimmt einen Großteil von Bachmanns Prosaarbeiten. Erst in jüngster Zeit hat die feministische Forschung unter dem Stichwort »Mittäterschaft« diesen Problemkomplex explizit zum Thema gemacht. Christina Thürmer-Rohr umreißt ihn folgendermaßen:

Mittäterschaft heißt Mit-dem-Täter: Loyalität mit dem Mann und seiner Gesellschaft, Zustimmung zu seiner Herrschaft, auch noch in seinen abgetakelten Formen und in den Formen des Attentats auf alles, was tatsächlich oder vorübergehend zum Untertan gemacht werden kann ... Mittäterschaft ist eine Denkform. Sie schaut Merkmale der weiblichen Verhaltensgeschichte an, die einen Verhaltenstypus hervorgebracht hat: eine idealtypische Verallgemeinerung und Abstraktion, die nicht die empirische Frau ... als Ganze erfassen will, sondern sich konzentriert auf jene Anteile des weiblichen Kollektivcharakters, die im Sinne der patriarchalen [sic] Tat und Täter sind und so dem Mit-Funktionieren dienen.[71]

Anfang der siebziger Jahre gab es jedoch weder die Bereitschaft, öffentlich über solch 'alltägliche' faschistoide Beziehungsmuster nachzudenken, noch die Bereitschaft, auf die Mitbeteiligung von Frauen an der zerstörerischen Kulturentwicklung zu reflektieren. Zwar hatten Anfang der sechziger Jahre der Eichmann- und der Ausschwitz-Prozeß zu einer erneuten Auseinandersetzung mit der Vergangenheit geführt, doch blieb es auch in diesen Medienspektakeln bei der vorsichtigen Einhaltung eines Sicherheitsabstandes zu den verhandelten Verbrechen. Die juristischen Versuche mit der Vergangenheit abzurechnen ließen zudem indirekt den Eindruck entstehen, die Verbrechen der Nazizeit seien mit strafrechtlichen Mitteln katalogisierbar, die Täter benennbar und die Opfer erführen Genugtuung, wenn man sie für das ihnen angetane Unrecht finanziell entschädigt. Unter ähnlichen Vorzeichen hatte der aberwitzige Mythos von der 'Entnazifizierung' das bundesdeutsche Gewissen schon bald nach dem Krieg beruhigt. Was bei so viel Gerechtigkeitssinn nicht zum Thema wurde, ist der latente Militarismus in den Köpfen aller, die subjektive Seite des totalen Terrors, jene Denkhaltung, die Opfer sucht und Opfer findet, ganz besonders aber: jene Denkhaltung, die sich zum Opfer machen läßt. Da die Rede von der 'Wiedergutmachung' zum einen impliziert, daß die Folgen der geschehenen Verbrechen reversibel seien und zudem die Diskussion eines immer latenten Faschismus tabuisiert war, hatte die Autorin zu Recht zu fürchten. Sie schreckte möglicherweise deshalb vor der Veröffentlichung des schon vorher begonnenen Romans *Der Fall Franza* zurück, weil die Darstellung faschistoider Züge in zwischenmenschlichen Beziehungen stärker als je zuvor ein Verstoß gegen geltende Verabredungen war. Ohne die Arbeit an *Der Fall Franza* ganz aufzugeben, arbeitet sie an *Malina* und legt diesen Roman als ihre erste längere Prosaarbeit 1971 zur Veröffentlichung vor.

Interessanterweise konzentriert sich die Kritik bei Erscheinen des Romans auf die scheinbar analytische Struktur der Handlung, folgt der Kriminalspur, die der letzte, apokryphe Satz »Es war Mord« legt. Fast alle Rezensenten gehen mehr oder weniger ausführlich der Frage nach, wer der mysteriöse Mörder sei, und orientieren sich dabei entlang genau der Polaritäten, die der Text in Bewegung bringt bzw. denen er sich auf unterschiedlichen Ebenen widersetzt. Die Logik, die die Definitionsfelder »Opfer« bzw. »Täter« in eine eindeutige Beziehung zueinander setzt, um sich schließlich in der Identifizierung der Täter zu beruhigen, kann der Text nur enttäuschen. Enttäuscht bleiben dann auch jene Literaturkritiker, die die Exposition der Handlung, die Travestie von Ermittlungs und Fahndungsverfahren außer acht lassen. Die auf den ersten Seiten des Romans bloß ironisch zitierten Kompositionsprinzipien des analytischen Dramas sind völlig inadäquat für die Erfassung der dargestellten Problematik. So werden die Figuren in steckbrieflich verkürztem Aktenstil eingeführt und dadurch eher verschleiert als erklärt. Außerdem wird die konkrete Zeitangabe »heute« als nicht faßbare Aktualität zur Diskussion gestellt, und in Analogie dazu ist der geographisch scheinbar so eindeutig definierte Raum »Wien« aufgelöst in den subjektiv-symbolischen Zwischenraum der »Ungargasse«. Werden diese auktorialen Prämissen, die dem Text von Anfang an den Charakter eines sehr tastenden, sehr inszenierten und nie selbstsicheren Experiments geben, übersehen, so wirken die Urteile der meisten Kritiker nicht überraschend: Der Text wird u.a. als die »Geschichte einer Neurose« (Heißenbüttel), als »Lyrikerprosa«, die sich durch »konkrete Irrationalität« auszeichnet (Blöcker), als Dokument einer »Lebenskrise« (Hartung), als »egozentrischer« Liebesroman (Korff) oder als »Dokumentationstext einer schwierigen Seele« (Kaiser) gelesen.

Hier kommt eine Ungleichzeitigkeit zum Ausdruck, die das Gesamtwerk der Autorin auszeichnet und die sich in der Rezensionsgeschichte spiegelt.[72] Noch bevor von der »Neuen Subjektivität« in der Literatur gesprochen wird, versucht Ingeborg Bachmann eine Ausdrucksform für die weibliche Subjektivität zu finden, eine Subjektivität, die oft hinterrücks destruktiven psychischen Abhängigkeitsverhältnissen zum Opfer fällt. Diese psychischen Strukturen reflektieren den Gewaltcharakter der gesellschaftlichen Ordnung, und insofern trifft sich der später von der Neuen Frauenbewegung aufgegriffene Slogan aus der Studentenbewegung, »das Private ist politisch«[73] mit einem Aspekt der *Todesarten*, auch wenn der Romanzyklus nicht in das narrative Schema der in den späten siebziger Jahren aktuellen Dokumentations- und Erfahrungsliteratur paßt.

Um die zeitbedingte Kritik nicht überzustrapazieren, möchte ich nur auf einen Aspekt vieler Rezensionen hinweisen, der mir im Zusammenhang meines Themas besonders erwähnenswert erscheint. Der Autorin wird vielfach vorgeworfen, sich unpolitisch und eskapistisch mit einer deformierten Innerlichkeit auseinanderzusetzen, ja dabei sogar die soziale Wirklichkeit »ins Eklige« zu verkehren, wie man bei einem Kritiker lesen kann (Heißenbüttel). Die Realität habe in diesen introspektiven Aufzeichnungen »keine disziplinierende Wirkung mehr« (Hartung), und die Liebeserwartung der Ich-Figur sei schlicht »egozentrisch« (Korff).[74] Was diese Polemik implizit zum Ausdruck bringt sind Bewertungen, die über eine rein literaturwissenschaftliche Kritik hinausgehen und traditionelle Erwartungshaltungen dem Thema Liebe gegenüber, mithin eine Diskurserwartung aussprechen. Man(n) orientiert sich an der Ästhetik des späten 18. und frühen 19. Jahrhunderts, vor allem an der Debatte zwischen den »Klassikern« und »Romantikern«. Es wird entweder die Standardkritik klassischer Autoren an der romantischen Ästhetik formuliert, wenn man der Autorin vorwirft, Liebe als »ein subjektiv in sich befangenes Gefühl, das zu keinem konkreten Du trägt« (Hartung), darzustellen; oder aber es wird gegen den Anachronismus polemisiert, die Sehnsuchtsfigur der literarischen Klassik, die Figur der »schönen Seele« (Heißenbüttel) – wenn auch in lädierter Form – zu evozieren. Der Roman, als »Liebesroman« oder als »Geschichte einer

Neurose« klassifiziert, wird damit an den ästhetischen Maßstäben einer Zeit gemessen, in der das literarisch zelebrierte Liebesdogma dazu diente, die soziale Utopie einer fragilen bürgerlichen Gesellschaft aufzubewahren.[75] Die »schöne Seele« verkörpert als idealisiertes Konstrukt von Weiblichkeit einen wesentlichen Teil dieser Utopie.[76] Die zum Symbol absoluter Harmonie und aufopfernder Hingabe stilisierte Frau hatte Vorbildfunktion, sie sollte die soziale Integrität und Identität des von rationalen Sachzwängen zerrissenen männlichen Subjektes gewährleisten, den Mann zumindest ästhetisch mit seinen eigenen Zerstörungstendenzen versöhnen. »Im bürgerlichen Weltbild ist die Rolle der Frau als *Objekt* männlicher Anbetung eng verknüpft mit der Ästhetik, die als die schöne und harmonische Gegenwelt zur entfremdeten gesellschaftlichen, männlichen Praxis definiert ist.«[77]

Indirekt lassen die männlichen Kritiker von *Malina* noch 1971 eine solche männliche Sehnsucht nach intakten weiblichen Kompensationsfiguren erkennen, eine uneingestandene Sehnsucht, die den Bezug zwischen gesellschaftlicher Praxis und ästhetischer Transformation deutlich demonstriert. Wenn sie die pathologischen Züge der Protagonistin und die destruktiven Präokkupationen des weiblichen Erzähler-Ichs ablehnen, dann deshalb, weil *Malina* drastisch das utopische Versprechen der harmonischen Verbindung Liebe – Weiblichkeit negiert. Sowohl die polemische Erwähnung der »schönen Seele« als auch die Kritik an der dargestellten 'asozialen' Liebeshaltung reflektieren indirekt, daß der zeitgenössische Liebescode der Frau offenbar nach wie vor eine Erlösungs- oder Heilungsfunktion zuschreibt. Da *Malina* sich für die Zeit ungewohnt scharf mit dem Liebesmythos auseinandersetzt, fühlt sich die männliche Kritik polemisch herausgefordert. Das, was Bachmann hier betreibe, sei ein »Falschspiel mit der Liebe« behauptet Friedrich Wilhelm Korff, und wirft der Verfasserin weiterhin vor, sie behandle Ivan, den Geliebten der Ich-Figur, »als Mittel und nicht als Zweck«, eine Argumentation, die deutlich an die philosophischen und ästhetischen Debatten des frühen 19. Jahrhunderts anknüpft.[78] Seine zum Vergleich herangezogenen Marginalien (Ovids *Metamorphosen*, ein halb scherzhaft eingestreutes Jean Paul-Zitat über das 'Wesen der Jungfrauen') lese ich als unfreiwilligen Hinweis darauf, daß die Autorin gegen die Regeln der sich nach wie vor erhaltenden klassisch-romantischen Liebesvorstellung verstößt und ihr Roman nicht zuletzt deshalb weitgehend negativ bewertet wurde.

In bezug auf den zeitgenössischen Diskurs sind jedoch zwei andere

Bemerkungen Korffs noch interessanter. So heißt es in zwei Fußnoten, *Malina* enthalte sich jeder sexuellen Explizitheit, und dies sei eine Ausnahme gegenüber zahlreichen Neuveröffentlichungen. Nicht zuletzt diese Zurückhaltung habe ihr »die Bewunderung eingebracht, sich sogar in einem Liebesroman der Darstellung des Sexuellen enthalten zu können«, während andere hingegen »Sexualoffenheit und Gesellschaftsbezug vermißte[n].«[79] Dieser aus dem Haupttext verwiesene Kommentar macht auf eine grundsätzliche Akzentverschiebung aufmerksam, die Liebe im öffentlichen Diskurs gegen Mitte der sechziger Jahre erfährt.

Noch Anfang der sechziger Jahre reflektiert gerade dieses Thema die Gültigkeit christlicher Moralvorstellungen, dementsprechend eng orientiert sich das Reden und Schreiben über die Liebe an der Institution Ehe. Doch die gegen Ende der Dekade einsetzenden Liberalierungstendenzen, vor allem die Studentenbewegung, führen zu einer militanten Ablehnung und Revision aller bürgerlichen Wertmaßstäbe. Die studentische Linke fordert, die bürgerlichen Vorstellungen von Liebe, Ehe und Sexualität aus ihren institutionalisierten Zwängen zu lösen und sie staatlicher Bevormundung zu entziehen. Das schlägt sich deutlich am Buchmarkt nieder. Bestand ein Großteil der Veröffentlichungen zwischen 1961 und 1965 noch in christlichen Lebensanweisungen, unmittelbar gefolgt von Ratgebern für ein erfolgreiches Eheleben, so indizieren zwischen 1965 und 1970 veröffentlichte Titel wie etwa *Liebe contra Sex*, *Can Sex Hurt Love* oder *Geschlechtliche Beziehungen vor der Ehe* nur allzu deutlich die radikale Akzentverschiebung im sich politisierenden Gespräch über die private Gefühlswelt.

Auch die Bildsprache der Illustrierten ändert sich: Der nackte Frauenkörper fungiert als verkaufsfördernder Blickfang. Ab 1965 wirbt selbst ein Magazin wie *Konkret* zunehmend mit dem halbnackten Frauenkörper, wobei das Layout des Titelblatts dabei in ironischem Kontrast zu dem politischen Anspruch der sich radikal gesellschaftskritisch gebenden Zeitschrift steht. Doch nichtsdestotrotz läßt die durch diese Werbepolitik erzielte Umsatzsteigerung auf eine 'befreite' und ausgesprochen gewinnträchtige Schaulust schließen. Der nackte Frauenkörper wird zum brisanten Blickfang, der politisch vermarktet wird. So lautet die unter einem Pin-up-Girl angebrachte Schlagzeile der *Konkret*-Ausgabe vom März 1966: »Der Militarismus hat auch eine Sexualgeschichte.« Als die ehemalige Chefredakteurin Ulrike Meinhof das Blatt 1970 verläßt (und die RAF gründet), wirbt *Konkret* sinnigerweise mit einer »anderen« Frau – der »Bardot, nackt und rot«.

Diese Entwicklungen lassen sich auch auf dem Buchmarkt verfolgen. Die Neuerscheinungen im Herbst 1970 zeigen laut *Spiegel*, »daß immer mehr Buchmacher ihre Bestsellerhoffnungen auf Betten-Belletristik und Potenz-Protz-Produkte setzten. Sex verspricht, neben der beliebten Gattung des Frauen- und Familienromans, immer noch das beste Geschäft«[80]. Entsprechend stehen auf der Sachbuch-Bestsellerliste immer mehr Sex-Protokolle oder Sex-Atlanten. Die öffentlich geführte Diskussion über die Liebe gibt jetzt bereitwillig Antwort auf die Frage: Was Sie schon immer über Sex wissen wollten und bloß nicht zu fragen wagten! Man spricht nicht mehr über die Rolle von Familie und Ehe, sondern über die 'Beziehung', ein Konzept, das auch die aktuelle Bild- und Werbesprache beeinflußt. In den fünfziger Jahren war die Anwesenheit der Frau in den Medien weitgehend charakterisiert durch die Kontur der adretten asexuellen Hausfrau und Konsumentin. Eine harmlos lächelnde Gestalt stellt ihren Geschlechtsgenossinnen neue technische Geräte vor. Eine Dekade später verlagert sich der Warencharakter auf die Frau selbst, auf ihre Sexualität, die den männlichen Konsumenten ansprechen soll. Diese neue öffentliche Sichtbarkeit der Frau läßt die Tatsache, daß das Verhältnis der Geschlechter ausschließlich aus der Perspektive des Mannes organisiert ist, nur noch stärker hervortreten.

Die Manipulation männlichen Begehrens über den zur Schau gestellten sexualisierten weiblichen Körper spricht aus, daß das Verhältnis der Geschlechter aus dem Ehe- und Familienkontext freigesetzt wurde bzw. die Öffentlichkeit stärker als zuvor bereit ist, die Existenz der immer schon gelebten außerehelichen und leidenschaftlichen Affären zum Thema zu machen. Mann und Frau begegnen sich jetzt jedoch nicht befreiter im Sinne eines reflektierteren Selbstbewußtseins, sondern ihre 'freie Beziehung' muß zunächst als das Korrelat eines freien Marktes gelesen werden. Sexualität wird damit auch zum Gradmesser für soziale Ungerechtigkeiten und Unterdrückungsmechanismen, wie Alice Schwarzer in ihrem für die Frauenbewegung bahnbrechenden Protokollbuch *Der 'kleine Unterschied' und seine großen Folgen* (1975) deutlich feststellt:

Am schlimmsten ist es in der Sexualität: die »Sexwelle«, Kolle und Reich brachten den Frauen nicht mehr Freiheit und Befriedigung, sondern mehr Selbstverleugnung und Frigidität. [Mir ist klargeworden], daß die Sexualität der Angelpunkt der Frauenfrage ist, Sexualität ist zugleich Spiegel und Instrument der Unterdrückung der Frau in allen Lebensbereichen …

Jeder Emanzipationsversuch muß darum früher oder später in der Sackgasse landen, solange jede Frau einzeln privat dem Mann ausgeliefert ist.[81]

Der männliche Blick und sein Begehren setzen nach wie vor das Bild von Weiblichkeit zusammen, jetzt nicht mehr als asexuelle Ehefrau und Mutter, sondern als attraktiven konsumierbaren Körper. Die vielbegrüßte »sexuelle Revolution« kann, wie Schwarzer zu Recht feststellt, aus weiblicher Perspektive wohl kaum als Fortschritt betrachtet werden. Die ehemalige Fixierung an das Haus wird lediglich abgelöst durch Unterwerfung unter den Markt, ein Sachverhalt, der Mitte der siebziger Jahre u.a. von der Neuen Frauenbewegung aufgegriffen wird. Die feministische Gegenrede stellt die Vereinnahmung der weiblichen Gefühlen, des weiblichen Körpers und der weiblichen Sexualität durch Experten und Marktstrategen heraus. Erfolgreiche Veröffentlichungen von Frauen sind zum einen Erfahrungsberichte und Protokolle, in denen sich Frauen zum ersten Mal öffentlich über die Realität ihrer oftmals als enttäuschend erlebten Sexualität äußern (Schwarzers Buch kann hier exemplarisch genannt werden), zum anderen entsteht die sogenannte 'Frauenliteratur', in der u.a. das Thema Liebe auf neue Weise kritisch beschrieben wird. In der jetzt entstehenden Literatur von Frauen wird, wie Sigrid Weigel feststellt,

> die Differenz zwischen den Liebes-Mythen und den herrschenden Geschlechterverhältnissen akzentuiert... An die Stelle von Liebesgeschichten treten jetzt Geschichten von Trennungen oder Beziehungsgeschichten, wie überhaupt die Rede über die 'Liebe' durch die Rede über 'Beziehungen' und über Sexualität ersetzt wird.[82]

Während die Rezensionen des Erscheinungsjahres von *Malina* einen defizitären Liebes*mythos* im Werk Bachmanns einklagen, lehnen feministische Kritikerinnen 'romantische' Wunschbilder zunächst generell ab und machen auf die ihnen zugrundeliegende defizitäre *Realität* im Liebesleben von Frauen aufmerksam. Eine offene und nüchtern-sachliche Inventur des weiblichen Liebeslebens ersetzt ihnen die Rede über den Mythos der Liebe. Weil ein politisch eng gefaßter Erfüllungsbegriff zunächst auf einem autonomen weiblichen Gegenentwurf in der Literatur von Frauen besteht, wird der *Malina*-Roman kritisch bewertet.[83] *Malina* greife in bezug auf die Forderungen der Frauenbewegung zu kurz, heißt es. Haupteinwand ist jetzt nicht mehr der Mißbrauch des Mannes »als Mittel zum Zweck«, sondern die Konstellation des Romans, in der das weibliche Ich »zwar dem Mann als ganz anderes gegenübersteht, zugleich aber von ihm völlig abhängig ist«. Der Autorin wird von der Literaturkritikerin Marlies Gerhardt vorgeworfen, es nicht gewagt zu haben, »die Lösung, die in später geschriebenen weiblichen Autobiographien durchgespielt wird, auch nur auf Probe zu denken: Das Atemholen, die Autonomie, die Distanz, das Leben ohne einen männlichen Messias«[84]. Eine andere Kritikerin moniert, daß Bachmanns »Idealvorstellung der Liebe die Form der totalen Hingabe, der einseitigen totalen Unterwerfung« annehme, daß das weibliche Ich sich mit dem Idealbild des Mannes identifiziere, »um für diese Leistung mit Zuneigung belohnt zu werden«[85].

Die Rezeption von *Malina* ist also einerseits geprägt durch die anachronistische Erwartungshaltung männlicher Kritiker, die auf einen traditionellen Liebesbegriff rekurrieren, und andererseits durch die utopische Erwartungshaltung weiblicher Kritikerinnen, die auf dem ästhetischen Gegenentwurf eines autonomen weiblichen Subjekts insistieren. Während die eine Seite auf einem gemäßigten Frauenbild besteht, fordert die andere, alle gängigen Weiblichkeitsmythen einer rigorosen Kritik zu unterziehen und dabei positive Leitbilder für Frauen zu entwickeln.

Diese Diskussionen müssen dabei in Zusammenhang gesehen werden mit der Art und Weise, wie Frauen in den Medien vorkommen, nämlich als Reduzierung auf einen konsumierbaren attraktiven Körper. Das Thema »Liebe« wird sexuell aufgeladen, und zwar so, daß der Körper 'Frau' immer mehr an Materialität gewinnt und dabei Irigarays These vom »Frauenmarkt« illustriert. »Die Körper der Frauen [liefern] – durch ihren Gebrauch, ihre Konsumption, ihre Zirkulation – die Bedingungen ... die die Sozialität und die Kultur möglich machen, aber eine verkannte Infrastruktur ihres Aufbaus bleiben.«[86] *Malina* liegt eine ähnliche grundsätzliche Einsicht in die Funktion des Weiblichen zugrunde. Bachmann arbeitet die Zirkulation des Weiblichen innerhalb eines kollektiven Imaginären auf. Sie konzentriert sich dabei auf die komplexe Verflechtung zwischen den Mythen von Weiblichkeit und den Mythen der Liebe innerhalb des Diskurssystems Liebe. Getragen von der erst später formulierten Einsicht, daß das Private politisch ist, durchquert ihre Schreibweise traditionelle Erwartungsmuster von Mann und Frau in der Liebesbeziehung. Ihr Thema reflektiert dabei zugleich die zeitgenössische weibliche Unzufriedenheit mit der Liebes- bzw. Eherealität, eine Tatsache, die sich deutlich an den steigenden Scheidungsraten ablesen läßt. Alice Schwarzer zitiert eine Statistik, derzufolge 1971 80444 Ehen geschieden wurden, »fast doppelt soviel wie zehn Jahre zuvor. In zwei Dritteln aller Fälle sind es Frauen, die die Scheidung einreichen«[87].

Da man heute durch die völlige Erschließung der Fragmente aus dem Nachlaß den größeren Zusammenhang erkennen kann, den der

Todesarten-Zyklus umreißen sollte, schlägt Sigrid Weigel vor, »die Lesart von *Malina* als unglückliche Liebesgeschichte endgültig ad acta zu legen«[88]. Wenn ich den Roman aber dennoch als weibliche Niederschrift der Liebesgeschichte lese, dann mit Bezug auf die mittlerweile von der feministischen Kritik geleistete Aufarbeitung der Liebesordnung, die zutage gefördert hat, daß die Frau nicht nur Opfer, sondern auch Komplizin der 'Gewalttat Liebe' ist. Diese alltägliche Gewalttat wird in Liebesmythen und Trivialklischees sorgfältig verdeckt, um dann unter anderem in den verobjektivierenden Frauenabbildungen der 'Sexwelle' um so deutlicher hervorzutreten. In Mythos und Klischee als identitätsstiftende Erfahrung für die Frau inszeniert, erweist sich die Realität der Liebeserfahrung für die Ich-Figur in *Malina* als das genaue Gegenteil dieses idealen Versprechens. Diese These liegt dem zweiten Teil dieses Kapitels zugrunde. Die gewalttätige Vereinnahmung weiblichen Lebens durch die Liebesordnung, die Negierung einer eigenständigen weiblichen Identität wäre jedoch nicht möglich ohne das stillschweigende Einverständnis der Frau. Bachmann analysiert – und dies entgegen gegenteiliger Behauptungen überhaupt nicht »wehleidig« – die »Mittäterschaft« der Frau in der gegebenen Ordnung. Der »Satz vom Grunde«, den sie zu schreiben versucht, ist in gewisser Weise die Vorwegnahme der sachlichen Inspektion weiblicher Existenz, auf der einige Jahre später die Neue Frauenbewegung besteht, ohne daß Erfahrungsberichte und Selbstbekenntnisse die komplexe Klarheit von Bachmanns literarischer Gegenrede erreichen können. Diesem Aspekt geht der dritte Teil dieses Kapitels nach. Es erübrigt sich zu betonen, daß meine Erklärungen notwendig tentativ und auf einige Motive beschränkt bleiben müssen. Ich kann und will immer nur Teilaspekte herausgreifen und diese durch die Konfrontation mit dem Diskursfeld »Liebe« kommentieren.

»Ein Mann, eine Frau – seltsame Worte, seltsamer Wahn«: Die Mimesis des Liebesdiskurses

> Die unmögliche, unangemessene, unmittelbar anspielende und sich jeder gewollten Direktheit entziehende Sprache der Liebe setzt Metaphern frei: Sie ist Literatur.
>
> Julia Kristeva, *Geschichten von der Liebe*

Malina bildet eine Konstellation ab, in der ein weibliches Subjekt durch den Mythos und die Realität der Liebe umklammert ist. Die Figuren Ivan und Malina verkörpern verschiedene Aspekte dieses Subjekts: einerseits ein Liebesbegehren und andererseits eine Rationalität, die dieses Begehren ablehnt. Die Aufteilung des Romans in drei Kapitel bildet zunächst auf einer deskriptiven Ebene die Liebesbeziehung zwischen der Protagonistin und Ivan ab. Der letzte Teil schildert das Ende dieser Liebe und streicht die utopischen Momente, die sich mit der Nähe zu dem Geliebten verbinden, weitgehend durch. Das Mittelstück setzt sich aus Diskursfragmenten zusammen, die kollektive Strukturen in der weiblichen Psyche aufdecken und darstellen, in welchem Ausmaß das weibliche Liebesbegehren durch soziale und psychische Vorgaben aus der Vater-Tochter-Beziehung befangen ist.

Den drei Kapiteln des Romans ist eine Prämisse vorangestellt, die die zentralen Figuren einführt und darüber hinaus den räumlichen und zeitlichen Rahmen der Inszenierung umreißt. Vor allem die auktorialen Reflexionen über Raum und Zeit haben propädeutischen Charakter.

Die Gegenwart, aus der heraus gesprochen wird, ist als »heute« keine zeitliche, sondern eine psychische Einheit, die sich in körperlichen Symptomen manifestiert. »Nur ich fürchte, es ist ‘heute’, das für mich zu erregend ist, zu maßlos, zu ergreifend, und in dieser pathologischen Erregung wird bis zum letzten Augenblick für mich ‘heute’ sein« (BW III, 13). Zeit, als »pathologischen Erregung« charakterisiert, kann keine strukturelle Orientierungshilfe mehr sein; die Logik von Vorher und Nachher, von Ursache und Wirkung ist suspendiert. Das indirekt zitierte Schema des Entwicklungsromans, die narrativ-logische Erzählführung über die Genese eines vorbildlichen Individuums, wird abgewiesen und durch eine assoziative Offenheit, die sich ihrer Parameter nicht sicher ist, ersetzt. Die auktoriale Instanz beantwortet keine Fragen und verweigert klärende

Hilfskategorien. Vielmehr ist die an die LeserInnen weitergegebene Suche nach Orientierung Gegenstand des Erzählens selbst. Auch die scheinbar klar umrissene Einheit des Ortes, die Reduzierung des Handlungsortes auf Wien bzw. auf eine bestimmte Wiener Straße, die »Ungargasse«, bleibt ambivalent. Einheit stellt sich einzig und allein durch die Anwesenheit der drei Figuren her: Der Ort »hat sich daraus ergeben, daß wir alle drei dort wohnen, Ivan, Malina und ich« (BW III, 14). Die »Ungargasse« hat Züge eines imaginären Ortes und bildet die biographisch-psychische Konstellation ab, die das Leben der Ich-Figur bestimmt. Durch ihre Liebeserwartung und Liebesenttäuschung ist sie mit Ivan, durch die Hilfestellung bei der analytischen Aufarbeitung der Liebesgeschichte mit Malina verbunden.

Für die Ich-Figur werden die knappen Angaben zur Person – im Gegensatz zu Ivan und Malina fehlt die Angabe des Geburtsdatums und des Berufs – später erweitert durch biographische Fragmente, die die beiden Pole akzentuieren, zwischen denen sich die Protagonistin aufreibt: die Erfahrung von Liebe und die Erfahrung von Gewalt. Die kurzen Notizen über die Vergangenheit beschränken sich auf die Erfahrung des ersten Kusses von einem namenlosen Fremden und der ersten Kränkung, »das erste Bewußtsein von der tiefen Befriedigung eines anderen, zu schlagen« (BW III, 25). Die heimliche Verbindung dieser Erfahrungen zu klären, den an dieser Stelle noch undurchsichtigen Zusammenhang von Liebe und Gewalt aufzudecken, motiviert den Versuch, den »Satz vom Grunde« zu schreiben. Dabei bewegt sich die Narration von der Ebene der leicht aussprechbaren Erinnerung, in der störende Anteile verschwiegen werden, auf eine Ebene zu, die als »verschwiegene Erinnerung, in der mich nichts mehr stören darf« (BW III, 23), bezeichnet wird.

Die auf den ersten Seiten umrissene Beziehung zwischen der Ich-Figur und Malina trägt als erzähltechnische Prämisse die gesamte Romankonstruktion und läßt erkennen, daß Malina nicht unabhängig von der Ich-Figur zu sehen ist. Als 'anderer' Teil der Ich-Figur verkörpert Malina die 'erkenntnistheoretische' Prämisse des schmerzhaften Erkenntnisprozesses. Anfangs passiv-beobachtende Instanz, wird diese Figur später analytisch-kritisches Instrument in der Auseinandersetzung mit kollektiven »Frühschichten« im Ich, die die Liebesbegegnung kontaminieren. Malinas Perspektive trägt den gesamten Schreibprozeß als *Erkenntnis*prozeß: Es gibt »nur etwas zu klären mit ihm, und mich selber muß und kann ich nur vor ihm klären«, behauptet die Erzählerin in bezug auf Malina. Beim involvierten

Aufschreiben der Liebesgeschichte bleibt er notwendigerweise im Hintergrund, doch das finale Durchstreichen dieser Geschichte ist nur mit seiner Hilfe möglich.

Die sehr präzise beschriebene und sehr komplexe Beziehung zwischen der Ich-Figur und Malina definiert sich über Denkstrukturen und Verhaltensweisen, die geschlechtsspezifische Differenzen evozieren, ohne daß sie sich glatt darauf reduzieren läßt. Während es Malina durch eine selektive und selektierende Wahrnehmung seiner Umwelt immer gelingt, die Ruhe zu bewahren, quält sich das Ich durch ein »konvulsivisches Leben«; während es Malina immer gelingt, klare Grenzen zwischen sich und den anderen zu setzen, verschwindet das Ich in den Ansprüchen anderer.

> Mir scheint es dann, daß seine Ruhe davon herrührt, weil ich ein zu unwichtiges und unbekanntes Ich für ihn bin, als hätte er mich ausgeschieden, einen Abfall, eine überflüssige Menschwerdung, als wäre ich nur aus seiner Rippe gemacht und ihm seit jeher entbehrlich, aber auch eine unvermeidliche dunkle Geschichte, die seine Geschichte begleitet, ergänzen will, die er aber von seiner klaren Geschichte absondert und abgrenzt. (BW III, 22f.)

Die Anspielung auf den biblischen Schöpfungsmythos konstruiert den Unterschied der beiden Figuren über kulturgeschichtliche Zuschreibungen der Geschlechter. Es sind traditionelle *Bild*konstruktionen von Mann und Frau und nicht das biologische Geschlecht, die Malina und die Ich-Figur sowohl hierarchisch als auch komplementär einander zuordnen. Ihre Verschiedenheit, so heißt es an einer Stelle, sei »nicht eine Frage des Geschlechts« (BW III, 22). Die Priorität, die das Ich Malina einräumt, legitimiert sich vielmehr durch die Tradition patriarchaler Schöpfungsmythen, die die Frau in der Position des Nachträglichen und Sekundären festhalten: »Ich war von Anfang an *unter* ihn gestellt« (BW III, 17).

Als skizzenhaft angedeutete eigenständige Figur, die zunächst die Illusion vermittelt, Malina und die Ich-Figur seien zwei voneinander unabhängige Personen, repräsentiert Malina eine interessierte, doch unauffällige Öffentlichkeit. Er wird vorgestellt als jemand, der sein Leben lebt, »ohne sich je bemerkbar zu machen durch Einmischungen, Ehrgeiz, Forderungen oder unlautere Verbesserungsgedanken an den Prozeduren« der Behörden (BW III, 11). Der Hinweis auf sein Studium der Geschichte und Kunstgeschichte kann implizieren, daß Malina um die allgemeine Text- und Bildgeschichte, die die Präsenz des Weiblichen unterschlägt, weiß; und dieses Wissen trägt dazu bei, dem 'konvulsivischen' Leben der Ich-Figur keine Bedeutung zuzumessen. Malinas ruhige Ausgeglichenheit, so wird später immer deutlicher, ist erkauft durch die scharfe Abgrenzung der Ich-Figur von seiner »klaren Geschichte«.

Sowenig wie es hier um Fragen des biologischen Geschlechts geht, sowenig kann die paradoxe Verbundenheit der beiden Figuren – eine Nähe, die trotzdem als deutliche Differenz beschrieben ist – aufgelöst werden nach dem Schema der Paarbeziehung:

Die längste Zeit sind wir nicht einmal auf den Gedanken gekommen, daß wir, wie andere auch, überall als Mann und Frau auftauchen. Es war der reinste Fundgegenstand für uns, aber wir wußten nichts damit anzufangen. Wir haben sehr gelacht. (BW III, 249)

Malina und die Ich-Figur bilden unterschiedliche Teile eines weiblichen Subjekts ab, das Neben- und Gegeneinander verschiedener Denk- und Gefühlsbewegungen, wobei die unterschiedlichen Verhaltensmuster Malina eher als 'männlich' und die Ich-Figur eher als 'weiblich' erscheinen lassen. Der erzählerische Kunstgriff, eine Person durch zwei Figuren verschiedenen Geschlechts darzustellen, beleuchtet die prekäre Position weiblicher Subjektivität innerhalb der gegebenen Ordnung. Prekär sowohl im Hinblick auf die Autorschaft als auch im Hinblick auf das Erlebnis der Liebe, wobei beides nicht getrennt voneinander betrachtet werden kann. Die traditionelle Form der Liebesgeschichte schreibt dem Mann die Autor- und damit gleichzeitig die Subjektposition zu, der Frau hingegen die Position des beschriebenen Liebesobjekts. Die 'literarische Schizophrenie', die Bachmann hier zur durchgehenden Erzählperspektive macht, markiert jene Dialektik von Ausgrenzung und Beteiligung, die die Position der Frau grundsätzlich bestimmt, nicht nur wenn sie liebt oder schreibt. Auf die Handlungsebene übersetzt sich das in die Abwesenheit Malinas, wenn die Erzählerin Ivan trifft, und in die Abwesenheit Ivans bei der Auseinandersetzung der Erzählerin mit ihrem Liebesverlangen.

Die Darstellung der Liebesgeschichte erfolgt aus der Perspektive eines weiblichen Subjekts, dessen Handlungen und Begehren jedoch indirekt stets kommentiert und korrigiert werden durch die Perspektive Malinas. Damit ergibt sich eine ambivalente Konstellation, die Schilderung der Begegnungen mit Ivan erscheint von Anfang an als gebrochen und bildet damit die spezifischen Befangenheiten der Frau in der Liebe ab. Das grundsätzliche Problem, das dieser Roman anspricht, ist die Frage nach der Schreibweise der Liebe aus der Sicht der Frau. In die Spaltung des erzählenden Subjekts in Ich und Malina übertragen, also als problematische Erzählperspektive realisiert, thematisiert *Malina* die Schwierigkeit, einem Begehren

Ausdruck zu verleihen, das ganz im Anderen aufgehen will und sich doch gleichzeitig als eigenständige (auktoriale) Stimme zu erhalten sucht, die auch noch jenseits der Liebesklage und des Liebesverlangens Bestand hat. Diese Eigenständigkeit kann nur fragmentarisch vorhanden sein, solange die Anwesenheit des Geliebten das Leben der Ich-Figur bestimmt; entsprechend ist der Geliebte abwesend, sobald die Ich-Figur versucht, die Splitter ihrer Subjektivität aus den ersten Lebens- und Liebeseindrücken zu versammeln.

Die ablehnende Haltung der zeitgenössischen Kritiker gegenüber dieser ungewöhnlichen Perspektiv- und Handlungsführung macht deutlich, wie ungewöhnlich Bachmanns Schreibweise der Liebe ist. Traditionelle bürgerliche Vorstellungen werden nicht einfach im Namen eines idealen Liebesbegriffs zurückgewiesen – das war immer schon Teil des Topos –, sondern kritisch dargestellt in Hinsicht auf geschlechtsspezifische Konstellationen, die das spektakuläre Liebesdrama vorantreiben und weiblicher Autorschaft bestimmte Diskursvorschriften machen. Ein Blick auf Liebesgeschichten der sechziger Jahre soll klären, welche Tabus eine derart über Liebe schreibende Autorin verletzt.

Das Thema Liebe ist Anfang der sechziger Jahre offensichtlich wieder aktuell, und zwar trotz weltpolitischer Ereignisse, die schwärmerische Gefühle marginal, unproduktiv und eskapistisch erscheinen ließen, wie Benn 1961 apodiktisch formuliert: »Die Liebe... ist ja auch kein Inhalt mehr, es wird durch sie nichts anders, sie bringt keine Verwandlung, sie ist ein Surrogat für Unproduktive.«[89] Solch resignative und im Lauf der sechziger Jahre zunehmend ablehnende Äußerungen gegenüber bürgerlichen Liebesvorstellungen und institutionalisierten Gefühlen hört man jedoch meist von literarischen Profis und intellektuellen Kulturkritikern; die breite Öffentlichkeit hat nach wie vor und immer noch ein Verlangen nach eskapistischer Romantik, wie Schlagertexte und Filme dieser und heutiger Zeit nachhaltig belegen. Rolf Hochhuths Bemerkung aus dem Nachwort der von ihm 1961 herausgegebenen Sammlung von Liebesgeschichten faßt prägnant zusammen, daß die Rede über die Liebe zeitbedingten Veränderungen unterliegt:

> Die Liebe, so sagt man, ist »ein ewiges Thema« – da es doch genauer wäre zu sagen: ist ewig ein Thema. Denn wie jeder andere menschliche Bereich unterliegt auch sie dem Wandel, beinah schon der Mode.[90]

Die aus einem ErzählerInnen-Wettbewerb ausgewählten Geschichten werden unter dem bezeichnenden Titel *Liebe in unserer Zeit* veröffentlicht. Sie stammen vor allem von nicht professionellen Autoren und Autorinnen und haben oft den Charakter literarisierender Sozialstudien oder autobiographischer Skizzen. Die manchmal recht unbeholfenen Ästhetisierungen lassen die Signatur der Zeit unmittelbarer hervortreten. Unter und neben den teilweise trivialen und in Stil und Zuschnitt an Romanzen und Mädchenliteratur angelehnten Erzählungen finden sich viele, die aus männlicher und weiblicher Erfahrung Kriegserlebnisse aufarbeiten. Wenn sie die Erfahrung der ersten Liebe oder das monoton gewordene Eheleben zum Thema haben, neigen sie zu melodramatischem Pathos; wenn sie brutale und unmenschliche Kriegserlebnisse aufzeichnen, fallen sie in den distanziert-resignierten Ton existentieller Gleichgültigkeit. Das erste Thema wird mehr von Frauen, das zweite mehr von Männer bearbeitet. Alle Erzählungen reflektieren jedoch unmittelbar, welche Bilder und Werte den zeitgenössischen Diskurs über die Liebe bestimmen, und lassen sich damit in der Tat als »modische« Formulierungen dessen lesen, was »ewig ein Thema« ist. Auf einer theoretischeren Ebene notieren die nachgestellten Essays von drei Mitgliedern der Jury den Metadiskurs, vermitteln die Ansprüche, Erwartungen und Auswahlkriterien gegenüber der Liebesgeschichte.

Zwischen die Extreme von heute pathetisch anmutenden Aussagen wie »die Liebe ist das A und O der Dichtung« und nüchternen Absagen an romantische Chiffren gespannt, wird die Aktualität und Relevanz des Themas von allen drei Herausgebern betont. Ein Mitglied der Jury, Otto Flake, leitet seinen Essay mit einer sehr unromantischen Geschichte ein, nämlich der nüchternen Beschreibung des zeittypischen Schicksals einer jungen Frau. Die zwanzigjährige Olga M. wird von einem weitaus älteren Mann geheiratet, zweifach geschwängert, dann einer reicheren Frau wegen sitzengelassen und gerät aufgrund ihrer prekären finanziellen Situation in Gefahr, eine, wie der Autor sich ausdrückt, »Nitribit« zu werden.[91] Flake benutzt die Schilderung dieses alltäglichen Frauenschicksals jedoch nicht, um auf die ungleiche Situation der Geschlechter innerhalb der Liebesordnung aufmerksam zu machen, sondern dazu, den Wert eskapistischer Träume (und Erzählungen) zu betonen: »Die armen Frauen, immer waren und sind sie auf Träume angewiesen zur Ergänzung der Wirklichkeit«.[92] (Ein leicht ironischer Ton sei ihm dabei zugestanden.) Im gleichen Atemzug warnt Flake »die armen Frauen« eindringlich davor, sich auf »ihre Jugend, die Frische ihrer Farben, den goldenen nachtschwarzen Ton ihres Haares und das, was im amerikanischen Kriminalroman die Kurven oder Rundungen genannt wird«, zu verlassen. »Das sind hübsche anziehende Sachen, aber schließlich doch, nicht wahr, recht banale Dinge.«[93] Mit deutlichem Bedauern stellt er fest, daß die Frau nicht mehr »die Hüterin der Geheimnisse des Geschlechts« sei, daß diese Vorstellung des 18. Jahrhunderts einer modernen Desillusionierung, einer »entzauberte[n], illusionslose[n]« Liebesrealität gewichen sei. Doch, so merkt er zeitkritisch an, die moderne Form der Liebesauffassung »gibt nichts mehr her. Die Illusion gibt etwas her... die idealen Empfindungen geben etwas her«[94]. Und mit dieser These im Schilde zitiert Flake den Wertekatalog, der sich mit der Vorstellung von Liebe immer schon verbunden hat und immer noch verbinden soll. »Zu den idealen Empfindungen gehört zum Beispiel die Treue... die Geduld, die Erwartung, die Bereitschaft, das Opfer sogar.«[95] Im Licht dieser moralischen Rede nimmt sich die Schilderung des fiktiven Schicksals der Olga M. fast zynisch aus. Alle zitierten Werte beziehen sich auf traditionelle weibliche Verhaltensmuster, und eben die Erfüllung dieser Muster fixiert die Benachteiligung der Frau im gesellschaftlichen Liebessystem, verborgen unter den Gratifikationen, die der »treuen«, »geduldigen« und »opferbereiten« Frau zustehen. Selbst wenn man annimmt, daß die pars pro toto erfundene Olga M. Opfer für die Aufrechterhaltung ihrer Ehe gebracht hat, ändert das doch nichts an der Tatsache, daß sie dabei selbst zum Opfer wird und – wie so viele Opfer – möglicherweise dafür mit ihrem Körper bezahlt. Die moralischen Ermahnungen des Autors, sich als Frau nicht einzig und allein auf die Reize der »banalen« Körperlichkeit zu verlassen, greifen angesichts der Notlage dieser Frau – in der eben diese Reize das einzige ihr verbleibende Kapital darstellen – ironisch in die Leere eines sehr realen circulus vitiosus.

Die von Flake angeführten Werte: eheliche Treue, unerschütterliche Erwartung, die Bereitschaft, die Geduld und das Opfer sind in der Tat Hauptgegenstand der in die Sammlung aufgenommenen Erzählungen. Oftmals ergibt sich ein dramatischer Konflikt aus der Spannung zwischen Leidenschaft und Eheroutine, Erwartung und Realität. Immer aber kennzeichnen Erlösungshoffnung und Bezauberung durch die oder den Geliebten die Atmosphäre der Darstellungen. Während jedoch männliche Autoren die Frau entweder als die 'Andere' (zum Teil wird auf den Diskurs des 'edlen Wilden' zurückgegriffen) idealisieren oder den männlichen Figuren die Position des zynischen welterfahrenen Helden einräumen, fehlen *diese* Typisierungen des anderen Geschlechts in den Geschichten von Frauen. Zwar findet sich dort auch ein klischiertes und verherrlichendes Bild von Männlichkeit, doch bindet sich dies nicht so sehr an äußere Attribute als vielmehr an die Gefühle, die dem Mann von weiblicher Seite entgegengebracht werden. Damit läßt sich fast der Schluß ziehen, Frauen seien weniger in den Mann als in das Gefühl der Liebe verliebt.

Werden Enttäuschungen des Ehelebens aus der Sicht von Frauen dargestellt, liegt der Akzent oftmals auf der Bereitschaft der Ehefrau, bei sich selbst die Schuld zu suchen und neu anzufangen. Während männliche Erzähler fast durchgehend eine auktoriale Stimme gebrauchen, die über das Schicksal der Liebenden in der dritten Person berichtet und so eine sichere Distanz zum Geschehen herstellt, bevorzugen Frauen deutlich die unmittelbarere Ich-Erzählung. Die weiblichen Erzähl-Figuren umreißen die fiktive Realität zwischen den Koordinaten ihres Gefühls; außerhalb derselben nimmt sich alles unwichtig aus. Damit entsteht fast der Eindruck, daß die schreibenden Frauen unfähig oder unwillig seien, sich von der Dramatik des Liebeserlebnisses zu distanzieren, und sich in ihren liebenden oder leidenden Protagonisten mehr oder weniger unverhüllt ein alter ego schaffen. Die Einheit der in den privatesten Innenräumen schwelgenden Ich-Perspektive, die an den Vorgängen der Öffentlichkeit nicht interessiert ist und sich von dieser abschirmt, bleibt unangetastet, auch dann, wenn Zerrissenheiten und Verzweiflung den Ton der Handlung bestimmen. Für Frauen scheint das Liebeserlebnis lebensbestimmend zu sein; das Spiel mit Selbstmordgedanken aufgrund enttäuschter Liebe ist nur ein weiteres Indiz dafür. Vor allen Dingen ein Konflikt wird immer wieder von Frauen ausgeschrieben: der schmerzhafte und tief kränkende Graben zwischen Erwartung und Realität. Die Diskrepanz zwischen Erwartung und Realität bestimmt so unterschiedliche Themen wie die erste Verliebtheit, den Ehebruch des Mannes oder die außereheliche Affäre. Hier scheint Flakes Diktum von der Relevanz eskapistischer Träume für die limitierte Realität von Frauen (fast alle weiblichen Figuren bewegen sich im beschränkten Umfeld des Hauses) bestätigt zu werden. Der Illusionswert der Liebe, der durch die Realität enttäuscht wird, wird von Autorinnen weit eindringlicher gestaltet als von ihren männlichen Kollegen; die Illusion gibt wohl wirklich etwas her, so scheint es – zumindest für die Herzen der Frauen.

Auch Flakes Rede von der Idealität dieses Gefühls spiegelt sich in den ausgewählten Arbeiten. Die Bestätigung der Liebe als ein utopischer Wert, ihre Stilisierung zum Religionsersatz in einer postchristlichen Weltordnung ist allen Geschichten eingeschrieben, auch denen, die nüchtern den resignativen Verzicht auf das Ausleben des Gefühls schildern. Selbst und gerade da, wo Krieg oder Unfälle der Handlung melodramatische Züge verleihen, bleibt der Gestus des Erzählten *affirmativ*: Der abstrakte Wert Liebe bleibt unangetastet; noch bzw. gerade in der Tragik der Liebenden erhält sich die Dynamik des leidenschaflichen Begehrens. Auch in den Fällen, wo Indifferenz und versagte Liebeserfüllung bzw. die liebestötende Alltagsroutine Thema sind, bestätigen die Erzählungen den Wert der Liebe, insofern sie grundsätzlich am Wert der gesellschaftlich institutionalisierten Beziehungen festhalten.

Im Vergleich mit dieser eine Dekade früher erschienenen Sammlung von Liebesgeschichten tritt der provokative Unterschied zum *Malina*-Roman in der Behandlung des Themas sehr deutlich hervor. Obwohl Bachmann gar nicht umhin kann, Versatzstücke des etablierten Liebesdiskures aufzugreifen, entsteht niemals der Eindruck einer literarischen Liebesfeier.[96] Der Roman formuliert zwar erneut die Bezauberung durch die Liebe, die Auszeichnung des Geliebten durch die Emphase des ihm entgegengebrachten Gefühls und die sich mit der Liebe verbindende Erlösungshoffnung, doch die Ambivalenz der gespaltenen Ich-Perspektive, die den Roman trägt, ohne ihn auktorial zu glätten, unterminiert die scheinbare Eindeutigkeit der umkreisten Motive. Das jubilierende Sprechen von der Liebe, mit dem das erste Kapitel einsetzt, wirkt von Anfang an fragil durch die latente Anwesenheit des schweigenden Kritikers Malina. Die eigentliche 'Handlung' – wenn diese Kategorie überhaupt noch angewendet werden kann – besteht in der fortschreitenden Zurücknahme dieser 'weiblichen' Stimme, dem allmählichen Aufdecken der Genese dieser Stimmlage durch Malina, die 'männliche' Stimme des Ich.

Das erste Kapitel mit der trivialen Überschrift »Glücklich mit Ivan« gehört der Erinnerungsebene an, die als Erlebnis des Glücks und als öffentlich sanktionierte Rede mühelos freigegeben werden kann. Es ist der erzählerische Nachvollzug einer Liebesbeziehung, von deren Gesten, Riten und Sprache. Weitere Charakteristika der oft trivialisierten Liebeskonstellation werden später unter dem Titel »Das Geheimnis der Prinzessin von Kagran« abgebildet. Als fragmentierte, vom übrigen Text kursiv abgesetzte Passage bildet dieses Märchen einen Subtext, der Elemente des Liebesdiskurses aufgreift, ästhetisch verfremdet und gleichzeitig in seiner Bildsprache analysiert.

Das Bild, mit dem das Ivan-Kapitel einsetzt, spricht die Prämisse des ersten Romanteils aus: die Szenographie der Erwartung. (Ich zitiere die Eingangsszene vollständig.)

Wieder geraucht und wieder getrunken, die Gläser, und noch zwei Zigaretten zugelassen für heute, weil zwischen heute und Montag drei Tage sind, ohne Ivan. Sechzig Zigaretten später aber ist Ivan zurück in Wien, er wird zuerst die Zeitansage anrufen und seine Uhr kontrollieren, dann den Weckauftrag OO, der sofort zurückruft, danach sofort einschlafen, so rasch wie nur Ivan das kann, aufwachen, vom Weckauftrag gerufen mit einem Groll, dem er jedesmal einen anderen Ausdruck gibt, mit Gestöhne, Flüchen, Ausbrüchen, Anklagen. Dann hat er all den Groll vergessen und ist mit einem Sprung im Badezimmer, um sich die Zähne zu putzen, dann unter die Dusche zu gehen, dann sich zu rasieren. Er wird den Transistor anstellen und die Frühnachrichten hören. Österreich I. APA. Wir bringen Kurznachrichten: Washington... (BW III, 28)

Die Position der Ich-Figur ist grundsätzlich die der Wartenden. Die Einheiten der Wartezeit werden in Zigaretten und Alkohol gezählt, Surrogate für die Sucht nach seiner Anwesenheit. Die Spannung der Erwartung entlädt sich in dem Genuß, seine Ankunft zu imaginieren, die Leidenschaft des Wartens wird durch die minutiöse Wiedergabe privater Routinen des Geliebten beschwichtigt und zugleich gefeiert. Dabei suspendiert die auktoriale Präsenz die objektive Ordnung der Zeit: Alles findet »heute«, unmittelbar, innerhalb einer imaginären Gegenwart und auf der eigenen Gedankenbühne statt. Die Erzählstimme schafft sich derart die Fiktion, immer am Leben Ivans teilzuhaben: Die intime Kenntnis seiner Lebensrituale macht es möglich, sich jeden einzelnen unspektakulären Moment abzurufen und aufzuzählen, sein Leben wird evoziert, als wäre es das eigene. Die imaginierte Ankunft des Geliebten wird trotz ihrer Banalität zum gleichermaßen faszinierenden wie irritierenden Spektakel, das die eigene wartende Immobilität gekonnt überspielt. Während offizielle Zeitzonen und Räume von weltpolitischer Bedeutung aus der Perspektive der Wartenden diktatorische Einschränkungen und Einmischungen bedeuten, die Ivan jener vereinnahmenden Erwartung entziehen, versteht es die hier um Ausdruck ringende Stimme der Sehnsucht, die Gestalt des Geliebten in jedem Moment in ihr »heute«, in ihren Raum der »Ungargasse« zu holen.

Das »Ungargassenland« bedeutet analog der Präsenz des »heute« den imaginären Ort reiner Liebesbegegnung, einen Ort, gegenüber dem »Washington und Moskau und Berlin... bloß vorlaute Orte [sind], die versuchen, sich wichtig zu machen« (BW III, 28). Diesem Szenarium der Erwartung entspricht seit der ersten Begegnung mit Ivan nur dieses »Land«:

Die Grenzen waren bald festgelegt, es ist ja nur ein winziges Land, das zu gründen war, ohne Gebietsansprüche und ohne rechte Verfassung, ein trunkenes Land, in dem bloß zwei Häuser stehen, die man auch im Dunkeln finden kann, bei Sonnen- und

Mondfinsternis, und ich weiß auswendig, wieviel Schritte ich machen muß, von mir schräg zu Ivans Haus, ich könnte auch mit verbundenen Augen gehen. Nun ist die weitere Welt, in der ich bisher gelebt habe ... auf ihre geringfügige Bedeutung reduziert, weil eine wirkliche Kraft sich dieser Welt entgegensetzt, wenn diese Kraft auch, wie heute, nur aus Warten und Rauchen besteht, damit von ihr nichts verlorengeht. (BW III, 29)

Roland Barthes charakterisiert das in *Malina* so ausführlich beschriebene Szenarium der Erwartung als ein Fragment des Liebesdiskurses:

Der Andere ist im Zustand immerwährenden Aufbruchs, im Zustand der Reise; er ist, seiner Bestimmung nach, Wanderer, Flüchtiger; ich, der ich liebe, bin, meiner umgekehrten Bestimmung nach seßhaft, unbeweglich, verfügbar, in Erwartung, an Ort und Stelle gebannt ...

Es gibt eine Szenographie der Erwartung: ich lege sie fest, ich löse ein Stück Zeit ab, in der ich den Verlust des Liebesobjekts schauspielerisch darstelle und alle Effekte einer kleinen Trauer heraufbeschwöre.

Das Wesen, das ich erwarte, ist kein reales. Wie der Säugling an der Brust der Mutter, so »schaffe ich es aus meiner Liebesfähigkeit, aus dem Bedürfnis, das ich nach ihm habe, immer wieder neu«: der Andere taucht da auf, wo ich ihn erwarte, da, wo ich ihn bereits erschaffen habe. Und wenn er nicht kommt, so halluziniere ich ihn: die Erwartung ist ein Wahnzustand.[97]

Die Erwartung stellt also imaginäre Anteile der Liebesbeziehung heraus. Als aus dem eigenen Liebesbedürfnis *geschaffenes* Gegenüber ist der oder die Geliebte Fiktion: Die Autorfunktion verdoppelt sich hier. Liebende sind per se Autoren ihrer Liebesgeschichte, auch wenn diese nicht schriftlich fixiert wird; wenn jedoch wie hier ein Liebeserlebnis Gegenstand des Schreibens wird, schieben sich Fiktion und Imaginäres noch mehr ineinander. Die Liebe, als Sehnsucht nach einem Gegenüber auf den Liebenden und das Imaginäre zurückverweisend, trägt in sich bereits fiktive Anteile. Sie ist ein leidenschaftlich ausstaffiertes und auf der eigenen Gedankenbühne aufgeführtes Drama. Als fiktionale Darstellung wird sie nun noch einmal Imagination: auktorial manipuliertes Material des Imaginären, über das der Autor leicht die Kontrolle verliert. Barthes Begrifflichkeit (»Szenographie«, »schauspielerisch«, »Wahnzustand«) stellt diese Verdoppelung der Fiktion in der Liebesgeschichte heraus.

Bachmann greift hier ein traditionelles Diskursfragment auf, durchquert es und stellt gleichzeitig die Frage nach der *Anwesenheit* der Frau in diesem Diskurs. Auch das Imaginäre eines weiblichen Subjekts, so wird nach der Durchquerung der sprachlich fixierten Liebeskonstellation immer deutlicher, ist ein von der männlichen

Stimme usurpierter Bereich, der die Anwesenheit einer weiblichen Figur ebenso prekär macht wie die oben sowohl beklagte als auch gefeierte Abwesenheit des männlichen Geliebten.

Die von der Ich-Figur als »wirkliche Kraft« bezeichnete Realität, die sich der Objektivität entgegensetzt, sie für geringfügig erklärt und Ivan zum Gefühlsmittelpunkt macht, wird im Text nie eindeutig benannt, sondern nur durch Metaphern umkreist: »Ich weiß den Namen des Virus, aber ich werde mich hüten, ihn vor Ivan auszusprechen« (BW III, 35). Die Erzählerin evoziert die magische Überzeugung, die das Aussprechen des Namens mit der Tötung des Genannten gleichsetzt, und gibt an, in der »animierten Welt einer Halbwilden« zu leben. In immer neuen Metaphern wird die Gefühlsrealität »Ivan« beschrieben. Ivans Abwesenheit generiert einen sehnsüchtigen Wortschwall; der Mangel produziert eine »imaginäre Flut«, eine »Verdichtung der Sprache«, in der »die Präzision der Referenz und des Sinns« (Kristeva) verlorengeht. Begriffe aus Politik: ein Land »ohne Gebietsansprüche und ohne rechte Verfassung«; der Ökonomie: seit der »Besitzübernahme« ist alles »von der Marke Ivan, vom Haus Ivan«; dem Militär: »denn ich werde siegen in diesem Zeichen«; der Medizin: »dieser Virus«; der Religion: »mein Mekka und mein Jerusalem« werden zu idiosynkratischen Beschwörungen der Liebe. Der Anspruch auf eine eigene Sprache, der hinter diesen literarischen Transformationen steht, die Vereinnahmung banaler oder grandioser Worte, die Orchestrierung der Liebesverbindung durch die spielerische Verwendung von bedeutungsvollen Klangkörpern der von überall her geborgten und zweckentfremdeten Begriffe feiern die Mächtigkeit der Liebe, das Freisetzen einer gesteigerten Kreativität in dem nach Ausdruck für die Liebe suchenden Subjekt. Die scheinbar eklektische Metaphorik umreißt die Kreation einer als vollständig und unbegrenzt empfundenen eigenen Welt, illustriert den Versuch »in der Liebe [ein] eigenes Territorium auszumachen, [sich] als eigen zu errichten, um [sich] in einem erhabenen Anderen, der Metapher oder Metonymie des souveränen Guts, aufzuheben«[98]. Die metaphorische Feier der Verbindung zu Ivan beschreibt einen der Öffentlichkeit entzogenen Innenraum, in dem sich das Ich seiner Einmaligkeit versichert weiß: Die Ich-Figur hält die Tür zu ihrem Zimmer geschlossen, wenn sie zusammen sind, »nicht, um uns zu verbergen, sondern um ein Tabu wiederherzustellen ... und so stellen wir uns einer vor den anderen und schützen, was uns gehört und nicht zu greifen ist« (BW III, 33). Der Topos der vor der brutalen Realität geschützten 'Insel der Liebenden' klingt ebenfalls an: »Während wir uns so mühelos zurechtfinden miteinander, geht dieses Gemetzel in der Stadt weiter« (BW III, 34).

Die gebrauchten Metaphern sind jedoch nur scheinbar eklektisch und auch nur scheinbar individueller Ausdruck der Liebe; als sehr präzise Beschreibungen der Ivan-Ich-Konstellation sind sie nie zufällig. Die durch sie abgebildeten Strukturen der totalen Vereinnahmung, Über- bzw. Unterordnung und Idealisierung spiegeln vielmehr die sozio-ökonomische Ordnung der modernen Leistungsgesellschaft, nach deren Muster das Geschlechterverhältnis in Familie und Ehe institutionalisiert bzw. im Klischee sentimentalisiert ist. Die radikale Kritik an diesen Institutionen und Klischees wird in den späten sechziger Jahren formuliert und ist unter anderem Ausgangspunkt der Neuen Frauenbewegung, deren gesellschaftskritischen Fokus Karin Schrader-Kleberts *Kursbuch*-Artikel »Die kulturelle Revolution der Frau« zusammenfaßt. Die Autorin spürt der patriarchalen Politik in der Liebes- und Partnerschaftsideologie nach und erläutert, in welcher Hinsicht und warum der Slogan 'das Private ist politisch' einen solch brisanten Gehalt hat.[99] Ihre These stellt eine interessante Verbindung zu Bachmanns Text dar:

> Liebes- und Partnerschaftsideologie sind in der modernen Ehe an die Stelle der patriarchalischen Gewalt der bürgerlichen Kaufehe des 19. Jahrhunderts getreten. Diese neuen Ideologien sind keine Negationen der patriarchalen Gewalt, sondern ihre völlige Verinnerlichung.[100]

Bachmanns ästhetische Wiedergabe der Liebesideologie akzentuiert jene Momente, die die hierarchische Ordnung der Geschlechter noch *vor* ihrer Institutionalisierung, noch *bevor* sie sich im sozialen Code verfestigt haben, als *sprachliche* Spiegelung verinnerlichter psychischer, sozialer und ökonomischer Strukturen im Liebesdiskurs selbst zutage treten lassen. Die Metaphorik, mit der hier ein Liebesverhältnis aus weiblicher Sicht beschrieben wird, macht deutlich, daß die Verhaltensweisen der Ich-Figur sich wie selbstverständlich an den Mustern von Abhängigkeit, Unterordnung und 'Anbetung' orientieren. Die »Besitzübernahme« durch einen gottähnlichen Mann, vor dessen Kommunikationsmedium, dem Telefon, sie niederfällt »wie ein Moslem auf seinen Teppich«, inszeniert und fixiert die von der Imagination der Frau selbst reproduzierte Machtposition des Mannes. Der Lebensinhalt der Protagonistin kreist um die Erfüllung eines männlich-göttlichen Gesetzes, eine Mission, die als Gebot der berauschenden und scheinbar so 'authentischen' Gefühle auf keinerlei äußeren Zwängen beruht, sondern freiwillig erfüllt wird.

Die dichten Metaphern des Textes vermitteln theoretische Einsichten der Zeit und analysieren gleichzeitig deren Konsequenzen für die weibliche Position innerhalb des Diskurssystems. Sie machen Beschädigungen und Kränkungen deutlich, die die Protagonistin durch vergangene Liebesbeziehungen erfahren hat, und sprechen zugleich die subtile Dialektik der Fortschreibung und Fixierung dieser Beschädigungen durch die neue Liebesbeziehung mit aus. Die den Geliebten preisende emphatische Rhetorik versucht zwar, den letzten Punkt auszublenden, doch das gleichermaßen verwendete analytische Vokabular insistiert unter der Hand auf diesem Zirkel. Ivan werden die Züge eines Heilsbringers und Messias zugeschrieben, durch ihn wird die »Auferstehung« möglich, durch ihn setzt für das lädierte Ich »ein Wiedergutmachungsprozeß, eine Läuterung« ein. Diese Begrifflichkeit greift nur vor dem Hintergrund einer geoder zerstörten Realität, die überwunden werden muß, und es ist die Welt ganz allgemein, die als »krank« bezeichnet wird und die die Liebe als »die gesunde Macht nicht aufkommen lassen will«. Wenn es zudem heißt, daß der Geliebte sie zu »heilen« anfängt, ist impliziert, daß sich das Ich selbst durch die Abwesenheit der Liebe als beschädigt und krank betrachtet. Der dialektische Umschlag geschieht in dem Moment, in dem die 'heilende Macht' Liebe ebenfalls mit dem Vokabular der Pathologie charakterisiert wird: Sie ist das »Virus«, das schwer zu bekommen ist, auf das man lange warten muß, »bis man reif ist für diese Ansteckung«. Die Virus-Metapher hebt die Hoffnung auf Heilung durch die Liebe auf und erklärt jetzt im Gegenteil die Liebe selbst als krankmachend. Das vorgängig beschriebene Krankheitsbild wird nicht aufgehoben, sondern nur neu zusammensetzt: Die hartnäckige Illusion von der Vorstellung der Liebe als 'heilender Kraft' ist die Krankheit, an der die Protagonistin leidet.

Die Konsequenzen dieser 'Krankheit' stellen sich aus ihrer Perspektive folgendermaßen dar: »solange ich ihn höre und mich von ihm gehört weiß, bin ich am Leben« (BW III, 60). Ivan wird zum Synonym für Wirklichkeit; Liebe und Leben fallen zusammen; eine kühle Rhetorik der süchtigen Abhängigkeit vom Geliebten entfaltet sich, äußerlich durch die poetische Diktion vom übrigen Text abgesetzt:

Ich denke an Ivan.
Ich denke an die Liebe.
An die Injektionen von Wirklichkeit.
An ihr Vorhalten, so wenige Stunden nur.

An die nächste, die stärkere Injektion.
Ich denke in der Stille.
Ich denke, daß es spät ist.
Es ist unheilbar. Und es ist zu spät.
Aber ich überlebe und denke.
Und ich denke, es wird nicht Ivan sein.
Was immer auch kommt, es wird etwas anderes sein.
Ich lebe in Ivan.
Ich überlebe nicht in Ivan.
(BW III, 45)

Dieses Zitat markiert den Anfang eines erzählerischen Bogens, der als konfliktreiche Spannung die Emphase der Liebe schwächt und schließlich fast ganz zurücknimmt. Der hier zum ersten Mal ganz explizit eingeführte Spannungsbogen illustriert die Verletzbarkeit der weiblichen Subjekt-Position in der Liebe: Das Leben im Geliebten macht es unmöglich, als denkendes, eigenständiges Subjekt zu überleben. Unterstrichen wird der Konflikt durch den grammatischen Aufbau der knappen Sätze. Obwohl das Ich syntaktisch konsistent als Subjekt der Aussagen fungiert, während die hergestellte Analogie 'Liebe gleich Wirklichkeit gleich Ivan' das grammatische Objekt bildet, annullieren die Satzaussagen das exponierte Subjekt und machen es zum semantischen Objekt. Hier wird der traditionelle Liebestopos 'du bist mein Leben' zwar thematisch aufgegriffen, doch formal travestiert. Die Gleichsetzung von Liebe und Leben wird als dialektisches Rätsel behandelt und mit der Sorgfalt eines emotional indifferenten Logikers durch den dritten Begriff »Überleben« aufgelöst. Die Einführung des dritten Begriffs kennzeichnet die leidenschaftlich ausgesprochene Analogie von Leben und Liebe als Widerspruch in sich selbst und gliedert sie, nun als Aporie, neu in den Text der Liebesgeschichte ein. Damit zerfällt die anfangs zelebrierte imaginäre Verfügungsgewalt über den Geliebten und läßt ein antagonistisches Kräftefeld aus der einstigen Einheitsphantasie hervortreten, in dem Malina als der analysierende Katalysator immer mehr Gewicht bekommt. Diese Dialektik, Leben und Überleben nicht vereinbaren zu können, umklammert die Situation der Ich-Figur und wird im Schlußbild des Romans durch den Gang in die Wand zu Ende geführt.

Die hier bearbeitete Darstellung eines traditionellen Diskursfragments stellt die Frage nach der *Position* der Frau innerhalb der Liebesphrasen. Als grundsätzlich Wartende wird ihr die Stabilität einer Identität außerhalb der Liebe versagt. Die in den Text der Liebesgeschichte eingeflochtenen Episoden aus dem Leben der Protagonistin handeln alle von den verzweifelten Versuchen, sich auch in einem Leben ohne Ivan zu etablieren, in wahrsten Sinne des Wortes Autorin einer eigenen Geschichte zu werden. Der Text, den sie zu schreiben versucht, widersetzt sich dabei zunehmend dem aus der Verbindung zwischen Ivan und ihr erwachsenen jubilierenden Ton. Aus der Geschichte einer Liebespassion wird unversehens eine Passionsgeschichte:

> ... wenn ich so zusammengetan bleibe mit Ivan, ich kann das nicht mehr abtun von mir, denn es ist, entgegen alle Vernunft, mit meinem Körper geschehen, der sich nur noch bewegt in einem ständigen, sanften, schmerzlichen Gekreuzigtsein auf ihn. (BW III, 173)

Diese Passionsgeschichte der Liebe wird in den achtziger Jahren zunehmend Gegenstand weiblichen Schreibens. Mit unterschiedlichen Akzenten greifen Autorinnen wie Elfriede Jelinek und Anne Duden den für die Frau vorhandenen Widerspruch zwischen Leben und Liebe auf. Beide Autorinnen setzen dabei radikale Schreibweisen ein, die den emphatischen Liebesdiskurs dekonstruieren, indem sie den darin verzerrten und verwickelten weiblichen (Sprach-)Körper auf unterschiedliche Weise zum Sprechen bringen, während Bachmanns Roman zunächst der grundsätzlichen Schwierigkeit, Liebe zu leben, bzw. der Schwierigkeit, aus weiblicher Sicht über Liebe zu schreiben, Ausdruck verleiht. Noch vor der Neuen Frauenbewegung weist Bachmann auf verdrängte und ausgegrenzte Gewaltverhältnisse im *Text* der Liebe. Elfriede Jelinek betont 1984 in ihrer Kritik des Romans: »Ingeborg Bachmann ist die erste Frau des deutschsprachigen Raums, die mit radikal poetischen Mitteln das Weiterwirken des Krieges, der Folter, der Vernichtung in der Gesellschaft, in den Beziehungen zwischen Männern und Frauen beschrieben hat.«[101]

Im Schachspiel der Liebenden symbolisieren sich taktische Rituale der Liebesverbindung, die unterschiedliche Positionen von Stärke bzw. Schwäche und der spielerische Kampf um die fragile Balance von »Sieger- und Verliererposition«. Anstelle des wörtlichen Liebesgeständnisses, das einem Eingeständnis der Schwäche gleichkommt, greift das Paar auf körperliche Gesten zurück.

> Kopfsätze haben wir viele, haufenweise, wie die Telefonsätze, wie die Schachsätze, wie die Sätze über das ganze Leben. Es fehlen uns noch viele Satzgruppen, über Gefühle haben wir noch keinen einzigen Satz, weil Ivan keinen ausspricht, weil ich es nicht wage, den ersten Satz dieser Art zu machen, doch ich denke nach über diese ferne fehlende Satzgruppe, trotz aller guten Sätze, die wir schon machen können. Denn wenn wir aufhören zu reden und übergehen zu den Gesten, die uns immer

gelingen, setzt für mich, an Stelle der Gefühle, ein Ritual ein, kein leerer Ablauf, keine belanglose Wiederholung, sondern als neu erfüllter Inbegriff feierlicher Formen, mit der einzigen Andacht, derer ich wirklich fähig bin. (BW III, 48)

Die sakralisierte Wahrheit des Körpers, die in der Lage scheint, die Unzulänglichkeiten der Sprache bzw. das Schweigen aus Angst vor Kränkung aufzufangen, wird inszeniert als ein Ritual, das sich deutlich von der 'neuen' sexuellen Aggressivität der Zeit absetzt. Der Text referiert an dieser Stelle auf den textuell kodierten Gefühlskult des 19. Jahrhunderts, dem zufolge »nicht Brunst, sondern Inbrunst«[102] das Liebeserlebnis trägt. Die antiquiert anmutende Vorstellung des feierlich-religiösen Liebesvollzugs scheint Einspruch zu sein gegen die Banalisierung der Körperlichkeit in den Medien, literarischer Protest gegenüber unverhüllten Körperbildern, die anscheinend mehr Entfremdung als Nähe produzieren. Doch auch diese dem Körper mühsam gegen die Sprache in der Literatur abgewonnene sakrale Wahrheit ist ambivalent und wird als schmerzhaftes »Gekreuzigtsein« beschrieben. Die »Andacht« vor der Liebe mündet unweigerlich in eine Unterwerfungsgeschichte. Die in der Semantik des 'Ich liebe dich' beschworene Utopie einer einzigartigen Harmonie von Gefühl, Körper und Rationalität kann nicht hergestellt werden, da die Projektion eines männlichen Messias gerade jene christliche Ordnung bestätigt, die sich über den Ausschluß des begehrenden weiblichen Körpers konsolidiert hat.

Auffällig ist, daß die metaphorischen Einkreisungen aller intensiven Empfindungen sich grundsätzlich entlang einer religiösen Rhetorik bewegen, indem sie sowohl deren leidenden als auch deren jubilierenden Gestus imitieren. Bachmann macht damit auf eine signifikante Verschiebung aufmerksam, die das Phänomen der Liebe im postchristlichen Zeitalter erfährt und die von Ulrich Beck in einer soziologischen Studie über Formen von Liebe, Ehe und Elternschaft ausführlich und präzise aufgearbeitet wurde. Mit seiner These von der Liebe als »Nachreligion« behauptet Beck die Analogie von Religion und Liebe und damit die Ersatzfunktion, die der Liebe einen postchristlichen, innermodernen Sinn gibt.

Religion und Liebe beinhalten das Schema einer analog gebauten Utopie. Sie sind jede für sich *ein Schlüssel aus dem Käfig der Normalität*. Sie öffnen die Normalität auf einen anderen Zustand hin. Die Bedeutungspanzer der Welt werden aufgebrochen, Wirklichkeiten anders und neu erstürmt. In der Religion geschieht dies auf eine Wirklichkeit, die als Überwirklichkeit die Endlichkeit des menschlichen und alles anderen Lebens in sich enthält. In der Liebe erfolgt dieses Aufschließen der Normalität sinnlich, persönlich, in sexueller Leidenschaft, aber auch in der Öffnung des Blicks füreinander und für die Welt.[103]

Das, was an dieser Stelle positiv formuliert wird[104], ist in der Prämisse des *Malina*-Romans ambivalent: Die »andere« Wirklichkeit, die seit dem ersten Kuß in das Bewußtsein der Protagonistin gedrungen ist, wird kontrastiert und zurückgenommen durch »das erste Bewußtsein von der tiefen Befriedigung eines anderen, zu schlagen«. Der religiöse Subtext in *Malina* führt die zwischen Liebe und Religion hergestellte Parallele noch weiter aus, indem er den auch im Klischee hergestellten Zusammenhang von Liebes- und Leidensgeschichte behauptet – diesmal allerdings ohne heroische Überhöhung der Beteiligten: Ivan und die Ich-Figur sind *nicht* Tristan und Isolde oder Romeo und Julia, trotz der vielen inneren und äußeren Parallelen.

Das 'Ich liebe dich', das Ivan explizit verweigert: »Ich liebe niemand. Die Kinder selbstverständlich ja, aber sonst niemand« (BW III, 58), ist Ursache der »pathologischen Erregung« der Ich-Figur. Wenn Ivan fragt, »wer das angerichtet hat, dein Zusammenfahren, dein Kopfeinziehen, dein Kopfschütteln, dein Kopfwegdrehen« (BW III, 48), dann geht seine Frage ebenso fehl, wie die der Kritiker, die nach dem 'Mörder' suchen. Es gibt kein einzelnes Individuum, das für den lädierten Zustand des Ich verantwortlich wäre, sondern es ist die Liebesbeziehung selbst, die pathologischen Charakter hat. Die Kopf-Metaphorik kann als Hinweis auf die 'typisch weibliche' Flucht aus dem Denken in die Emotionen gelesen werden, als Hinweis auf die für Mann und Frau scheinbar unterschiedlich organisierte Lebens- und Liebeserwartungen, die eine konfliktfreie Begegnung der Geschlechter verhindern. Dieser Unterschied wird jedoch in den Geschichten über die Liebe ausgeblendet, eine Tatsache, die es der Ich-Figur so schwer macht, ihren »Roman« zu schreiben bzw. ihn so zu schreiben, wie Ivan es sich leichthin vorstellt.

Das Projekt, das sich immer mehr zwischen das Paar schiebt, ist ein 'schönes' Buch über das Leben und die Liebe. Ivan findet verstreute Manuskriptanfänge mit Titeln wie »Drei Mörder«, »TODESARTEN« und »Die ägyptische Finsternis«, die ihn wütend machen. Verärgert plädiert er für eine eskapistische Literatur, die das Elend dieser Welt ausblendet:

> ... es muß auch andere [Bücher] geben, die müssen sein, wie EXSULTATE JUBILATE, damit man vor Freude aus der Haut fahren kann, du fährst doch auch oft vor Freude aus der Haut, warum schreibst du nicht so. Dieses Elend auf den Markt tragen, es noch vermehren auf der Welt, das ist doch widerlich, alle diese Bücher sind widerwärtig. (BW III, 54)

Das das Geschehen zunehmend orchestrierende Stichwort EXSULTATE JUBILATE evoziert die intensive Erfahrung von Freude und

Lebenslust, mit der die Ich-Figur sich in ihrer unmittelbaren Situation nicht identifizieren kann, nach der es sie aber gleichzeitig schmerzlich verlangt. Mit der Realität der Beziehung zu Ivan konfrontiert, nimmt das Latein wörtlichen Charakter an:

> Das wirst du wohl verstanden haben. Ich liebe niemand. Die Kinder selbstverständlich ja, aber sonst niemand. Ich nicke, obwohl ich es nicht gewußt habe, und Ivan findet es selbstverständich, daß auch ich es selbstverständlich finde. JUBILATE. Über einem Abgrund hängend, fällt es mir dennoch ein, wie es anfangen sollte: EXSULTATE. (BW III, 58)

'Vor Freude aus der Haut fahren', so übersetzt Ivan für sie. Das Pathos der Liebe ist – dem ungehaltenen Ivan unbewußt – in einem doppelten Sinne darin festgehalten: als intensive, den Körper ganz durchdringende Erfahrung der Freude und als Leiden am Körper und Lebensverlust. Die Ich-Erzählerin will Ivans Ermahnungen beherzigen und wünscht nichts sehnlicher, als sich die Utopie einer heilenden Liebeserfahrung im poetischen Sprechen bewahren zu können:

> ... ich pflanze mich fort mit den Worten und ich pflanze auch Ivan fort, ich erzeuge ein neues Geschlecht, aus meiner und Ivans Vereinigung kommt das Gottgewollte in die Welt:
>
> Feuervögel
> Azurite
> Tauchende Flammen
> Jadetropfen (BW III, 104)

Sie weiß aber zugleich, daß die ihr zur Verfügung stehende Sprache und deren Ordnung die Utopie der unverstellten Begegnung zwischen Liebenden, die Erzeugung des projektierten »neuen Geschlechts« zwangsläufig betrügen muß:

> ... es hat vor allem mit dem Lesen zu tun, mit Schwarz auf Weiß, mit den Buchstaben, den Silben, den Zeilen, diesen unmenschlichen Fixierungen, den Zeichen, diesem zum Ausdruck erstarrten Wahn, der aus den Menschen kommt ... (BW III, 93)

An dem Punkt, an dem die Verzweiflung über die ungenügende sprachliche Ordnung[105] und die Weigerung Ivans, sich ganz auf die Liebe einzulassen, die Ich-Figur zu überwältigen drohen, wird der legenden- oder märchenartige Subtext »Die Geheimnisse der Prinzessin von Kagran« in den Text montiert. Er formuliert die Schwierigkeiten, mit denen sich die Ich-Figur konfrontiert sieht und verfolgt diese als Elemente einer langen Texttradition der Liebesmythen und -legenden. Deren Topoi – tiefe, aber unrealisierbare Liebe, Unausweichlichkeit der Begegnung und des Leidens – und deren dramatischer Aufbau – phantastische Überhöhung des Geliebten und sagenhafte Bezauberung durch den Geliebten – umstellen jedes Liebespaar mit Erwartungen und Ansprüchen, die an der Realität des Alltags fast notwendig scheitern müssen. Das Märchen kommt als prototypische Liebesgeschichte in Texten über die Liebe potentiell nie an ein Ende, so auch in *Malina* nicht. Seine stilisierten narrativen Elemente, vor allem die der abgrundtiefen Verzweiflung und der jubilierenden Hoffnung, ziehen sich durch den ganzen Roman als hartnäckige Spuren der stets gleichen widerständigen Geschichte. Immer wieder unterbrechen Fragmente aus dem Märchenteil den weiteren Fluß des Textes, und zwar zum einen als Utopie eines erlösten Lebens: »ein Tag wird kommen, an dem die Menschen schwarzgoldene Augen haben«, zum anderen als Ausdruck resignierter Verzweiflung: »sie sah keinen Ausweg mehr aus der befremdlichen Landschaft«. Der Märchentext illustriert in dramatisch stilisierter Form den Schreibwiderstand der Erzählerin gegenüber ihrer eigenen Liebesgeschichte und hält gleichzeitig ihre Sehnsucht nach einem 'schönen' Text über die Liebe fest. Als Aufzeichnung der »Legende einer Frau, die es nie gegeben hat«, ist er Darstellung der Rückseite des Liebesmythos, Aufzeichnung der schmerzhaften Konsequenzen, die die Liebeserfahrung für die Frau haben kann. An diesem Text läßt sich ablesen, daß die Autorin bei ihrer Neubearbeitung der Liebesgeschichte auf kultur- und ideengeschichtliche Festschreibungen zurückgreift, die nach wie vor Bestandteil des Liebesdramas sind. Dies soll im folgenden Exkurs gezeigt werden.

Exkurs:
»Die Prinzessin von Kagran« oder Die falsche Rettung in die Liebe

> Wir sind im Begriff zu erwachen,
> wenn wir träumen, daß wir träumen.
> Novalis

Zu einer nicht näher bezeichneten 'frühen' Zeit werden territoriale Kämpfe geschildert, in deren Verlauf die frei und friedfertig umherschweifende Prinzessin von Kagran die Herrschaft über ihr Land verliert und in Gefangenschaft gerät. Verschiedene alte Könige halten sie abwechselnd als kostbares Beutestück fest, ihr Schicksal scheint festzustehen: Sie und damit ihr Land sollen gegen ihren Willen durch eine pragmatische Zwangsehe vereinnahmt werden. Aber:

»Weil die Prinzessin eine wirkliche Prinzessin war, wollte sie sich lieber den Tod geben, als sich einem alten König zuführen zu lassen« (BW III, 63). Fast lapidar schildert der Text hier einen kulturgeschichtlichen Umbruch, in dessen Verlauf Frauen mehr und mehr an gesellschaftlicher Freiheit und Entscheidungsfähigkeit verlieren und in den geschlossenen Raum des Hauses verbannt werden. Als Repräsentantin einer noch nicht domestizierten 'wilden' Weiblichkeit wehrt sich die Prinzessin gegen dieses Schicksal, ohne diesem aber aus eigener Kraft entgehen zu können. Dazu benötigt sie vielmehr einen »anderen« Mann, verkörpert durch die Figur des phantastischen »Fremden«, dessen wunderbare Stimme die Gefangene völlig unerwartet erlöst. Als poetische Gegenfigur zu den prosaischen und machthungrigen Königen scheint er nichts von der Verzweifelten zu verlangen, sondern taucht, ganz wie es die Dramatik mittelalterlicher Romanzen verlangt, als deus ex machina plötzlich auf, um ihr zu helfen. Die märchenhafte Kommunikation mit ihm findet jenseits aller formulierbaren Worte statt, der Klang seiner Stimme, seine zarten Gesten bezaubern die Prinzessin in einem nie gekannten Maße. »Die Prinzessin und der Fremde begannen zu reden, wie von alters her, wenn einer redete, lächelte der andere. Sie sagten sich Helles und Dunkles« (BW III, 68). Die gesichts- und namenlos bleibende Gestalt[106] korrespondiert einer bis dahin nicht gekannten (oder benötigten) Sehnsucht nach unverstellter zweckloser Begegnung mit dem anderen Geschlecht. *Weil* er es zu versprechen scheint, löst der Fremde ein grenzenloses Begehren nach bedingungsloser Liebe und Nähe aus und legt damit gleichzeitig den Grundstein zu allen kommenden Enttäuschungen. Das Versprechen und die Hoffnung, die sich an seine Existenz binden, haben ebenso fatale Konsequenzen wie die Zwangsehe, der die Prinzessin durch das Auftauchen des Fremden entgeht:

> Da hatte sie ihr Herz verloren, und sie hatte doch sein Gesicht immer noch nicht gesehen, weil er es verbarg, aber sie gehorchte ihm, weil sie ihm gehorchen mußte ... Der Fremde entwarf schweigend seinen und ihren ersten Tod ... denn er hatte ihr den ersten Dorn schon ins Herz getrieben, und inmitten ihrer Getreuen im Burghof fiel sie blutend von ihrem Rappen. (BW III, 65; 70)

In beiden Fällen wird aus der einst unabhängigen Prinzessin eine in Zirkelschlüssen befangene Frau: »sie gehorchte ihm, weil sie ihm gehorchen mußte«. Gehorchen muß sie sowohl den Gesetzen der feindlichen Könige und Fast-Ehemänner als auch dem Fremden, und das, obwohl die Gewalt der einen rein äußerlicher und die des anderen innerlicher Natur ist. Der Effekt für die Prinzessin ist in beiden

Fällen der gleiche: Ihr Schicksal erfüllt sich von nun ab durch den Mann.

Anklänge an die Undine-Geschichte sind deutlich, wenn auch die Akzente anders gesetzt sind. Die Prinzessin gerät nach ihrer Flucht in eine bedrohliche Naturwelt, aus der sie nur herausgelangen kann durch die Hilfe, sprich Liebe, eines Mannes. Doch während Undine zwar klagend, aber unbeschadet nach jedem Liebeserlebnis mit den Naturelementen verschmilzt, da sie diesen und nicht der Menschenwelt zugehört, wird die Prinzessin von der Natur abgewiesen und kehrt »blutend« vor Liebe in die Menschenwelt zurück. Im Gegensatz zu »Undine geht« figuriert der Mann hier als der »Andere«. Er ist die imaginäre Sehnsuchtsfigur, mit der sich sowohl die Hoffnung auf Erlösung als auch die Erfahrung eines unausweichlichen tiefen Schmerzes verbindet. Gegenüber den klaren Koordinaten der vermiedenen Hochzeit mit einem der Könige bleibt der Raum dieser Verbindung so imaginär und flüchtig wie ihre Sprache. Als Einspruch gegen die patriarchale Rationalität verspricht sie die Poesie liebender Begegnung, wenngleich bzw. *gerade weil* die Prosa der Verhältnisse keinen Raum dafür läßt.

Das aufgezeichnete Paradoxon besteht darin, als Frau durch die kulturgeschichtliche Entwicklung von einer 'Gefangenschaft' in die nächste zu geraten: Die einzige Rettung vor der Entmündigung durch einen ungeliebten Ehemann ist die Liebe zu einem »Anderen«, dessen imaginäre Präsenz ebenso fatale Folgen hat wie die reale des Ehemannes. Die Formulierung dieser Erkenntnis wird im Märchentext interessanterweise der Frau in den Mund gelegt. Die Prinzessin zitiert dem erstaunten Fremden die Zukunft in Form von für sie selbst unverständlichen Worthülsen und mißt den Wahrheits- und Sinngehalt der von ihr geäußerten und für beide noch unverständlichen anachronistischen Prophezeihung an einem einzigen, scheinbar evidenten Kriterium, nämlich der Realität ihres zukünftigen Leidens: »doch wir werden es sehen, wenn du mir die Dornen ins Herz treibst« (BW III, 69). Wie in Anne Dudens Schreibweise[107] wird hier dem Körper der Frau eine Sprache und ein Erkenntnispotential zugestanden, das später als Widerstand gegenüber dem hier beschriebenen fatalen Liebesbegehren eingesetzt wird.

Als Vertreibungsgeschichte konzipiert, behauptet die Geschichte der Prinzessin von Kagran ein weibliches Leiden an der Liebe, das mit der Position innerer Ortlosigkeit einhergeht. Gezeigt wird nicht die Vertreibung *aus* dem Paradies, sondern die Vertreibung der Frau *in* den Mythos vom Paradies. In der durch den Fremden entzündeten

Hoffnung auf den Wiedergewinn eines eigenen Territoriums vertraut sich die Prinzessin mit Leib und Seele einer männlichen Retterfigur an. Doch dieses Vertrauen führt nicht zur glücklichen Rückkehr dorthin, sondern löst eine von nun an permanente *innere* Fluchtbewegung in Richtung auf diesen einen Ort aus, in den Mythos der Liebe, den rein imaginären Liebesraum, der die Flüchtende für immer zu einer Exilierten in der unmittelbaren Gegenwart macht.[108] Die im Märchen paradigmatisch vorgeführte utopische Aufladung der Liebe führt offensichtlich in ein 'Gefängnis' der Gefühle, einen Mythos, der die Ich-Figur in eine tägliche »Abwesenheit« bannt.

Interessanterweise wird im Märchentext noch eine andere Rettergestalt flüchtig gestreift: der heilige Georg, mit dem sich ein bekannter Stadtgründungsmythos verbindet. Die wiederholte Erwähnung dieser Figur – er war es, den sie zuerst mit Malina verbindet – ist wohl kaum zufällig. Über den sagenumwobenen Gründer der Geburtsstadt der Ich-Figur, Klagenfurt, heißt es lakonisch in der Geschichte von der Prinzessin: »Denn der heilige Georg, der den Lindwurm in den Sümpfen erschlagen hat, damit nach dem Tod des Ungeheuers Klagenfurt entstehen konnte, war auch hier ... tätig« (BW III, 63). Die Tötung eines Ungeheuers durch einen sagenhaften Helden bzw., wie in diesem Fall, durch einen christlichen Prinzen ist als Akt zivilisatorischer Gewalt fester Bestandteil vieler Gründungsmythen[109].

Einige bildliche Darstellungen dieser Sage porträtieren diese Figur mit einer Jungfrau, so zum Beispiel zwei gleichnamige Gemälde von Paolo Uccello *San Giorgio e il Drago*. Beide sind um die Mitte des 15. Jahrhunderts in etwa zehnjährigem Abstand voneinander entstanden. Auf dem früheren Gemälde sind die Jungfrau und der Drachen durch eine lose durchhängende Leine miteinander verbunden. Kampfplatz ist der Eingang einer sehr künstlich anmutenden Steinhöhle, hinter der sich wilde Natur erstreckt. In der zweiten Fassung steht die weibliche Gestalt unmittelbar hinter dem Drachen, die Hände zum Gebet gefaltet. Zwar findet auch hier der Kampf wieder vor einer Höhle statt, doch im Unterschied zur ersten Fassung bildet eine geometrisch geordnete agrarische Landschaft den Hintergrund für die Frauenfigur. Die Differenz in der Gemäldefiguration illustriert eine Verschiebung, die unterschiedliche Abschnitte im Diskurs über Natur und Zivilisation markiert. Die erste Fassung stellt, wie mir scheint, den ursprünglichen Kampf mit der Natur um Kultur dar, während die zweite den Kampf um Fortbestand des noch jungen Kulturraums zeigt.

Paolo Uccello, *Sankt Georg und der Drache*, London, National Gallery

Paolo Uccello, *Sankt Georg und der Drache*, Paris, Musée Jacquemart André

aus: Annarita Paolieri, *Paolo Uccello, Domenico Veneziano, Andrea del Castagno*, Florence: Litografica Faenza 1991, S. 37

Wofür steht aber in diesem Zusammenhang die Jungfrau? In beiden Fällen scheint das Untier in friedlicher Koexistenz mit der Frau zu leben. Das Motiv der 'damsel in distress' fehlt, die Jungfrau wirkt beide Male ruhig und gelassen; St. Georg, so scheint es, rettet die Jungfrau nicht *vor* dem Drachen. Er scheint eher die Frau *aus* dem Drachen zu befreien: Drache und züchtige Jungfrau repräsentieren zwei Seiten derselben Sache, die der Speer des Heiligen voneinander zu trennen sucht. Der die Kulturordnung bedrohende Drache verkörpert die 'wilde' ungezähmte Natur der Frau; ist er getötet, bleibt die domestizierte Frau übrig. Ich stütze mich hier auf Klaus Heinrichs Lesart des Perseus-Mythos. Heinrich deutet Perseus, der das Meerungeheuer tötet, Andromeda befreit, in die Stadt zurückführt und heiratet, als einen Helden, der die Frau in zwei Teile spaltet:

> Sie [Andromeda] wird nicht mehr enthauptet, sondern sie wird eleganter in zwei Teile zerlegt und so verdoppelt: in die Jungfrau, die zum Eheweib, zur Gattin bestimmt ist und darin aufgeht, und in den wilden Anteil, der als Drache verteufelt und erlegt werden muß.[110]

In der ersten Fassung des Gemäldes von Uccello sind Frau und Untier noch ganz der wilden Natur zugeordnet, in der zweiten spaltet sich die Topographie in ihre und seine Natur bzw. ihren und seinen Ort. Die bildliche Darstellung ordnet die züchtig betende Jungfrau dem rational bearbeiteten Kulturraum zu und verweist den Drachen in das Dunkel der Höhle. Die Position St. Georgs steht im Gegensatz zu der der Frau. Ihre passive Unbeweglichkeit kontrastiert deutlich mit seiner aggressiven Bewegtheit: Er hat die flexible Position des freien »Grenzgängers« zwischen beiden Orten. In bezug auf die Geschlechterkonstellation von Gründungsmythen stellt Sigrid Weigel fest:

> Die Frau, die der Held als Lohn seiner Arbeit erhält, hat ihren Platz immer innerhalb der Stadtmauern. Der Held selbst aber, der seinen Platz wechselt, hat ... zu beiden Orten Zugang: Draußen bewährt er sich als Heros, drinnen als Herrscher und Bürger (Polite).[111]

Die erste Fassung des Gemäldes korrespondiert jenem Teil der Legende, in dem die Prinzessin ihre Herrschaft verliert und in den Hof des siegreichen Königs integriert werden soll (ursprüngliche Kultivierung und Domestizierung der Natur/Frau); die zweite dem Teil, in dem die Prinzessin eine ihr nun feindlich gesonnene Natur durchqueren muß und nur mit Hilfe eines Mannes den Weg in 'ihr' nun internalisiertes Land zurückfindet (romantische Verbrämung der männlich/rationalen Verfügungsgewalt über die Natur/Frau).

Der Subtext der »Prinzessin von Kagran« beschreibt im Zusammenhang mit der Sage von St. Georg die Zivilisationsgeschichte (der Liebe) als zunehmende Exterritorialisierung des Weiblichen aus einem vom anderen Geschlecht unabhängigen Raum in den physisch wie psychisch fixierten und domestizierten Erwartungsraum.

Vermittelt durch eine männliche Grenzgänger-Figur wird die Konstellation der Geschlechter in der Legende in sprechenden Bildern festgehalten. Der Mann ist zunächst der Frau gleichgestellt, dann ihr Feind und schließlich der von ihr selbst idealisierte Retter. Und bei aller Unterschiedlichkeit im Gestus haben die beiden letzten, nach wie vor aktuellen Szenarien die gleichen fatalen Konsequenzen für die Frau: Beide sprechen ihr einen eigenen kulturellen Ort, eine vom Mann unabhängige Identität zwar nicht gänzlich ab, machen sie ihr aber doch sehr schwer. Wirksam kann diese Konstruktion jedoch nur dann sein, wenn sie imaginären Anteilen in der weiblichen Psyche korrespondiert. Sowohl St. Georg als auch der »Fremde« verkörpern ein potentiell unerfüllbares und in Mythos und Klischee ständig wachgehaltenes Begehren in der Frau nach der Begegnung mit einer omnipotenten Retter-, Ritter- oder Heilandsfigur, ein Begehren, das letztlich in die freiwillige Unterwerfung unter den Geliebten mündet. Die viel kommentierte 'Spiegelszene' des Romans gehört in diesen Zusammenhang (ich zitiere ausführlich):

> Am Graben habe ich mir ein neues Kleid gekauft, ein Hauskleid ... ich weiß für wen, es gefällt mir, weil es weich und lang ist und das viele Zuhausebleiben erklärt, schon heute ... ich muß mich im Korridor vor dem langen Spiegel mehrmals drehen, meilenweit, klaftertief, himmelhoch, sagenweit entfernt von den Männern. Eine Stunde kann ich raum- und zeitlos leben, mit einer tiefen Befriedigung, entführt in eine Legende ... Es entsteht eine Komposition, eine Frau ist zu erschaffen für ein Hauskleid. Ganz im geheimen wird wieder entworfen, was eine Frau ist, es ist dann etwas von Anbeginn, mit einer Aura für niemand ... Ich bin in den Spiegel getreten, ich war im Spiegel verschwunden, ich habe in die Zukunft gesehen, ich war einig mit mir und bin wieder uneins mit mir ... Einen Augenblick war ich unsterblich, und ich war nicht da für Ivan und habe nicht in Ivan gelebt, es war ohne Bedeutung. (BW III, 136)

Der Ort, an dem sich diese Szene abspielt, das Haus, ist nicht der eigene, authentische Ort, an dem sich eine vom anderen Geschlecht unabhängige Identität entfalten ließe, sondern bereits ein der Frau durch den Mann zugewiesener Raum. Das Haus bedeutet Warten auf den »Grenzgänger« Mann (und entspricht dem Ort, an den die Prinzessin nach ihrer Begegnung mit dem Fremden zurückkehrt, um dort für immer auf ihn zu warten). Das Hauskleid, *für* das hier eine Frau entworfen wird, ist die lustvoll übergeworfene Bühnenverkleidung für das Drama des eigenen Begehrens, in dem die Ich-Figur hier für einen Moment scheinbar völlig unabhängig von der Außenwelt agiert. Der deutliche Rekurs auf die Legende und die distanzierte auktoriale Stimme untergraben jedoch die Illusion von einem nicht-entfremdeten weiblichen Selbstbewußtsein: Die »sagenweite« Entfernung von den Männern ist nichts anderes als die sagenhafte Nähe zu dem Fremden, dessen imaginäre Präsenz die Reflektion im Spiegel passiv konturiert. Die Frau, die hier entworfen *wird*, verschwindet im Spiegel und begegnet dort nicht, wie es die Sprachoberfläche glauben machen will, sich selbst als einem autonomen Ich, sondern der Gestalt des eigenen Begehrens, die auf einen imaginären »Anderen«, den »Fremden« bzw. Ivan, bezogen ist, aber nicht mit diesem zusammenfällt.[112]

»... aber du warst einverstanden«: Die Mittäterschaft der Frau

> Das Paar als Ort, als Kriegsschauplatz in der Kultur, aber auch als der Ort, der einer vollständigen Transformation der Relation zwischen dem Einen und dem Anderen bedarf und sie erfordert. Es ist immer das Paar, mit dem man sich beschäftigen muß ...
>
> Hélène Cixous, *Geschlecht oder Kopf*

Der Text markiert Identität durch den Namen, in den die Figuren in unterschiedlichem Maße eingehen:

> Malina und ich haben, trotz aller Verschiedenheit, die gleiche Scheu vor unseren Namen, nur Ivan geht ganz und gar in seinen Namen ein, und da ihm sein Name selbstverständlich ist, er sich identifiziert weiß durch ihn, ist es auch für mich ein Genuß, ihn auszusprechen, zu denken, vor mich hin zu sagen. Sein Name ist ein Genußmittel für mich geworden, ein unentbehrlicher Luxus in meinem armseligen Leben ... (BW III, 86)

Die über Ivan hergestellte Scheinidentität ist der dünne Ersatz für einen eigenen Ort, Ersatzmittel in der Begegnung mit sich selbst. Es ist nicht zufällig, daß sich die drei Personen in Wien aufhalten, in einer Stadt, von der es heißt, daß sie »aus der Geschichte ausgetreten« sei. Denn, so behauptet die Protagonistin in dem Interview mit Herrn Mühlbauer, »von dieser Stelle der Welt aus, an der nichts mehr stattfindet, erschreckt es einen viel tiefer, die Welt zu sehen ... weil hier keine verschonte Insel ist, sondern an jeder Stelle Untergang« (BW III, 96). Wien steht für ein historisches Zentrum, das keinen unmittelbaren Einfluß mehr auf die Zeitgeschichte hat, aber an dem gerade deswegen die »Wunden« der Vergangenheit um so stärker ablesbar sind. In gewissem Sinne vermittelt Wien die Figuren nicht mit der Zukunft, sondern nur mit der Vergangenheit. Einzig Ivan, der sich ab und zu in den anderen Metropolen der Welt aufhält, steht nicht wie die anderen im Bannkreis eines Ortes, der zu einer rückwärtigen Auseinandersetzung mit der Vergangenheit auffordert.

Die Ivan-Beziehung bietet zunehmend ein Bild des Kampfes um ein Territorium. Während Ivan als »Grenzgänger« nie den Boden unter den Füßen verloren hat, verliert die Ich-Figur immer mehr an Sicherheit, da sich ihr »Ungargassenland« zunehmend als Illusion erweist und durch die Lieblosigkeit Ivans langsam an versichernder Stabilität verliert. An dem Punkt, an dem die Begrenztheiten und Aporien der Sprach- und Liebesordnung die Erzählerin an den Rand des Schweigens führen, wendet sie sich Malina zu, dessen Biographie und Existenz keine Spuren einer Liebesvergangenheit trägt. Da Malina eine indifferente, kritische Rationalität verkörpert, blieb er Zuschauer, solange die Ich-Figur sich unkritisch und mit Haut und Haar ihrem Geliebten zugewandt hatte. Jetzt stellt sie sich jedoch den Widersprüchlichkeiten ihres Verhaltens, sucht für sich den Grund für das Scheitern ihrer Verbindung zu ergründen und greift dabei auf Malina zurück. Seine sachlich interessierte, jedoch nur sehr verhalten wertende Stimme leitet sie durch die schmerzhafte Vergangenheit, konfrontiert sie an entscheidenden Punkten mit Wahrheiten, denen sie bisher unbewußt ausgewichen ist, und bestärkt sie darin, sich den Konsequenzen ihrer derart gewonnenen Erkenntnisse radikal zu stellen.

Malina ist als Teil der Ich-Figur Darstellung einer pragmatischen Indifferenz, der das weibliche Ich sein Überleben in emotionalen Konfliktsituationen verdankt. Er ist der Teil der Ich-Figur, der keine Sehnsucht nach leidenschaftlichen Gefühlen hat, sondern diese als unnötige Komplizierungen des Lebens von sich weist. Einerseits Symbol für die Subsumierung 'weiblicher' Gefühle unter die 'männliche' Denkordnung, ist Malina andererseits Symbol für Strategien, die das weibliche Ich in der Auseinandersetzung mit dem eigenen Liebesverlangen *bewußt* zu übernehmen versucht, um die Liebe zu überleben. Malina repräsentiert damit auch die weibliche Beteiligung an einer männlichen Denk- und Bedeutungsordnung, den reflektierten Umgang des weiblichen Subjekts mit schmerzhaft in den Körper eingeschriebenen Gefühlsrealitäten. Nur mit Hilfe solcher

Strategien kann sich die Protagonistin aus der Macht der Bilder befreien, die sie in einer bestimmten Position fixiert: »Er [Malina] webt nicht an dem großen Text mit, an der Textur des Verbreitbaren« (BW III, 299). Und:

> Über Malina wiederum habe ich so viel Jahre nachgedacht, es hat mich so verlangt nach ihm, daß unser Zusammenleben eines Tages nur noch die Bekräftigung war für etwas, was immer so hätte sein sollen und nur zu oft verhindert worden war, durch andere Menschen, durch verkehrte Entschlüsse und Handlungen. (BW III, 127)

Ganz zu Anfang werden Imaginationen genannt, die sich für die Ich-Figur mit der Gestalt Malinas verbinden. Die Erzählerin benennt und erschafft ihn zuerst in ihrer Phantasie. Sie nennt ihn »Eugenius«, spielt träumerisch mit einem männlichen Gegenüber, »nahm ihm seinen Namen, dichtete ihm mysteriöse Geschichten an ... ließ ihn aus der Wirklichkeit verschwinden und brachte ihn unter in einigen Märchen und Sagen, nannte ihn Florizel, Drosselbart ... ließ ihn aber am liebsten den hl. Georg sein, der den Drachen erschlug« (BW III, 20f.). Alle Bilder zitieren mythische Figuren männlicher Stärke, heldenhafte Sagengestalten, die faszinierend sind durch ihre Uneindeutigkeit, ihren fiktionalen Überschuß. Sie tragen ein rettendes Geheimnis in sich, verkörpern eine Stärke, an der das weibliche Subjekt, solange es ihr Schöpfer ist, partizipiert.[113] Und hier liegt der Unterschied zu der St.-Georg-Figur im Legendentext: Die Protagonistin verfügt an dieser Stelle über Malina, indem sie sich ihn, den unerschütterlichen Freund, den Retter aus der Not als St. Georg erfindet. Diese Imagination einer Retterfigur wird eigenwillig ins Spiel gebracht und ist keine vorgegebene Rollenzuschreibung. Alle mit Malina verbundenen Idealbilder von Männlichkeit konturieren jedoch *auch* die weibliche Inszenierung des Geliebten, fixieren und legitimieren dessen Macht und Einfluß. Als Imaginationen einer heldenhaften Männlichkeit kennzeichnen sie eine fatale weibliche Erwartungshaltung, die das Liebesverhältnis der Geschlechter bestimmt.

Die Überhöhung des Mannes zur Retter- und Heldenfigur ist eine Stilisierung, die vom weiblichen Ich mitproduziert und mitgetragen wird und die auf jene imaginären Anteile in der Begegnung zwischen Mann und Frau aufmerksam macht, die die Liebesbeziehung so enttäuschungsanfällig machen. Der Rückgriff auf diese Bilder macht deutlich, daß sich die überlegene Position, die die Ich-Figur Malina von Anfang an zuweist, der Sehnsucht nach einem mythischen Bild verdankt, das dem Mann die Kraft des Überlegenen *zuschreibt*. Als 'männlicher' Teil der Ich-Figur verkörpert Malina eine im Laufe der Zeit erlernte und schließlich immer besser beherrschte überlegene Rationalität, auf die dann zurückgegriffen werden muß, wenn sich der 'weibliche' Teil hoffnungslos in einem maßlosen Liebesbegehren verstrickt hat. Dieser Prozeß der allmählichen Übernahme rationaler Denkmuster von seiten der Frau wird durch das Bild zeitlicher Aufeinanderfolge ausgedrückt: »Du bist nach mir gekommen, du kannst nicht vor mir dagewesen sein, du bist überhaupt erst denkbar nach mir« (BW III, 247). Die Ich-Figur arbeitet an dieser Stelle *mit* und nicht *gegen* die Stilisierung eines 'männlichen' Prinzips. Sie greift auf den 'Heros der Vernunft' zurück, um den Liebeswiderspruch, in den sie verwickelt ist, zu klären. Die folgende Prämisse leitet das zweite Kapitel ein:

Malina soll nach allem fragen. Ich antworte, aber ungefragt.

Der Ort ist diesmal nicht Wien. Es ist ein Ort, der heißt Überall und Nirgends. Die Zeit ist nicht heute. Die Zeit ist überhaupt nicht mehr, denn es könnte gestern gewesen sein, lange her gewesen sein, es kann wieder sein, immerzu sein, es wird einiges nie gewesen sein. (BW III, 174)

Wichtig ist, daß die Ich-Figur jetzt zum ersten Mal selbst die Initiative ergreift und Malina die Funktion des Therapeuten zuweist: Er *soll* nach allem fragen, heißt es. Diese unscheinbare Formulierung leitet eine bewußte und von ihr initiierte Auseinandersetzung mit ihrer »pathologischen Erregung« ein, einem Zustand, der bisher zwar konstatiert, aber nie auf seinen Ursprung hin befragt wurde. Die Erzählerin nähert sich hier zum ersten Mal dem, was mit dem »Satz vom Grunde« in den heuristischen Vorbemerkungen zwar als Zielpunkt des Erzählens bezeichnet, jedoch im ersten Kapitel nicht wieder aufgegriffen wurde.

Es folgt ein Kaleidoskop von Szenen, die zu lose verbunden sind, um eine kohärente Handlungs- oder Sinnfigur zu ergeben. Die assoziativ-sprunghafte Textur dieses Kapitels imitiert ganz unmittelbar die alogischen und schmerzhaften Erfahrungsspuren in der Psyche des Ich. Mögliche Erklärungen und Aufarbeitungsstrategien sind in Form von Dialogen zwischen der Ich-Figur und Malina eingeschoben, ohne daß das dicht verzahnte Bildmaterial dabei an seiner verstörenden Intensität verlöre.

Der ungeglättet erscheinende Erzählfluß dieses Kapitels findet sein Zentrum in einem Motiv: dem Kampf und dem vermeintlichen Widerstand der Tochter mit bzw. gegenüber einem übermächtigen symbolischen Vater. Bereits das Ausgangsbild, der »Friedhof der ermordeten Töchter«, macht klar, daß hier die Position der Frau im psychischen Familiendrama beschrieben wird. Aufgearbeitet werden in einer literarischen Tour de force psychische Konstellationen von Mann und Frau, die die Genese der Erkrankung des weiblichen Ich an der Liebe abbilden. Sehr schnell wird klar, daß die Beziehung zu Ivan sich formiert hat über Elemente der Vater-Tochter-Beziehung. Das psychische Familiendrama wird hier als eine Struktur zum Thema gemacht, die der Geschlechterbeziehung vorausgeht. Anders gesagt: Das weibliche Kranken an der Liebe führt auf die Kränkung der Tochter durch den Vater zurück. Ich stelle im folgenden die psychoanalytische Lesart dieses Kapitels zurück und gehe statt dessen der in der Kritik weniger verfolgten Spur der Mittäterschaft der Frau an einem mörderischen Liebeszirkel nach.

Vom Rekurs auf die Vergasungen des Dritten Reiches[114] bis hin zu Torturen stalinistischer Provenienz zitieren die Träume des Ich apokalyptische Ausschnitte der Zeitgeschichte. Eingestreut werden dabei surreal anmutende Szenen, die vielfach Motive enthalten, die aus psychoanalytischen Fallstudien bekannt sind. Die Verzahnung dieser beiden Bereiche ist keinesfalls zufällig. Der immer wieder neu dargestellten Mißhandlung und versuchten Vernichtung des weiblichen Ich wird in der konkreten Vernichtungsgeschichte der jüngsten Vergangenheit nachgespürt; die dabei sichtbaren Mechanismen von Unterdrückung und Unterwerfung werden gleichzeitig in den Bereich eines kollektiven Unbewußten zurückverfolgt. Obgleich aus der weiblichen Perspektive beschrieben, sind die dabei zum Ausdruck kommenden Strukturen und Strategien von der männlichen Ordnung vorgeschrieben und gesteuert.

Traum-Bilder, poetische Bilder, psychische Symbole und Anspielungen auf die jüngste Gewaltgeschichte sind so nahtlos verbunden, daß sie als Teil eines größeren, überpersönlichen Zusammenhangs deutlich werden. Der eingangs angesprochene 'Faschismus im Kopf' wird hier zum Thema und zwar als sprachlich-symbolischer Niederschlag der geltenden psychischen bzw. ästhetischen Ordnung. Vor allem zwei Gewalttaten stehen dabei im Vordergrund: ein Vater, der seine Tochter zum Schweigen bringt: »er [der Vater] hat mir auch die Stimme genommen« (BW III, 181), und ein Vater, der die Tochter in den Wahnsinn treibt: »ich weiß, ich werde wahnsinnig« (BW III, 181). Die Vater-Figur wird zum vergewaltigenden Regisseur einer ästhetischen Ordnung (Theater, Oper, Film, Mode), in der die »entmündigte« Tochter nur als Leerstelle figuriert.

Mit Malinas Hilfe spürt die Ich-Figur jener »verschwiegenen Vergangenheit« nach, deren Auswirkungen in der Ivan-Beziehung deutlich wurden. Die ersten Traumszenarien halten noch an dem Glauben an die Liebe fest und betonen den intensiven Widerstand der Tochter gegenüber dem Verrat des an dieser Stelle noch für real gehaltenen Vater. Dabei ist das 'Nein' der Tochter getragen von dem Vertrauen auf die Macht und Wirkung des Wortes:

Ne! Ne! Und in vielen Sprachen: No! No! Non! Non! Njet! Njet! Nem! Nem! Denn auch in unserer Sprache kann ich nur nein sagen, sonst finde ich kein Wort mehr in einer Sprache. (BW III, 176f.)

In dem ersten Dialog mit Malina wird die Vaterfigur jedoch als eine »Vorstellung« entlarvt, die sowohl für die Hoffnungen als auch für die Enttäuschungen in der Liebesökonomie verantwortlich ist. Der Vater wird immer deutlicher als Prinzip einer omnipotenten Autorität erkennbar, der sich die Tochter bedingungslos unterwirft, allerdings in der Überzeugung, gegen diese Macht zu rebellieren. Doch während sie noch an ihrer passiven Opferrolle bzw. am Mythos ihres Widerstandes festhält, unterbricht Malina sie mit der überraschenden und, in Kontrast zu dem unmittelbar Dargestellten, sehr nüchternen Feststellung, »es ist sinnlos, mit dir zu reden, solange du zurückhältst mit der Wahrheit« (BW III, 209). Zugegeben hatte sie ihre Flucht in eine erfundene »schwere Krankheit«, nicht »um überzeugend zu wirken, sondern [um] das Schlimmste im Moment zu verhindern« (BW III, 208).

Hier wird eine seit der Freudschen Fallstudie über die Hysterie vieldiskutierte Strategie weiblichen Überlebens angesprochen: die Flucht in die Krankheit, die Selbststilisierung der Frau zum Opfer einer übermächtigen Gewalt. In diesem Zusammenhang scheint mir der Rekurs auf die ursprüngliche kulturelle und soziale Bedeutung des Opfers hilfreich.

... Passivität erklärt das Opfersein nicht. Ein Opfer ist nicht Opfer, weil es *passiv* ist, hilflos fremden Gewalten ausgeliefert oder determiniert durch widrige Umstände, sondern weil es dargeboten wird, *um* mit seiner Gabe, dem eigenen *Leben*, für etwas einzustehen, für etwas zu zahlen und mit dieser Gabe nicht mehr sich selbst, sondern den anderen zu nutzen.[115]

Die auch heute noch von vielen Frauen hochgehaltene Überzeugung von der bloßen Minderwertigkeit des Opfers verdeckt die ursprüngliche Bedeutung des Opfers, die darin liegt, das eigene Leben im Namen einer höheren Ordnung darzubieten, *damit* diese Ordnung weiter existieren kann. Der einzelne garantiert durch diese Tat die Stabilität des Kollektivs, bestätigt und bekräftigt es.[116] Diese Mitbeteiligung ist jedoch nicht immer – und das darf nicht übersehen werden – freiwillig geschehen. Um der komplexen Materie gerecht zu werden, müßte gründlich und historisch genau verfolgt werden, wie und wann ganz besonders (Jung-)Frauen entgegen ihrem Willen von Männern zu Opfergaben gemacht wurden. Hier soll nur festgehalten werden, daß die Opferung eines Mitglieds der Gruppe ursprünglich die Funktion hatte, den Bestand der Gesellschaft angesichts übermächtiger Kräfte zu garantieren[117]. In vielen Fällen wurde die offenbar angreifbare Sicherheit der gesellschaftlichen Ordnung über und durch den Körper eines in vielen Fällen namenlos bleibenden Individuums gesichert. Das zum Opfer auserkorene Individuum dokumentiert eine wesentliche Beteiligung des einzelnen am überindividuellen Ganzen, ist Ausdruck einer – ursprünglich freiwillig übernommenen – Mittäterschaft.

Auf diese Wahrheit, vor der die von alptraumartigen Vorstellungen Geschüttelte zurückschreckt, weist Malina hin, wenn er das Verhalten der Träumenden als Beteiligung an dem geschilderten mörderischen Geschehen und ihr implizites Einverständnis mit der Macht herausstreicht und damit das von ihr anfänglich so betonte »Nein« zur bloß verbalen Maske des vermeintlichen Widerstands gegenüber der Macht erklärt.

Malina: Gewußt hast du es vielleicht nicht, aber du warst einverstanden.

Ich: Ich schwöre dir, ich war nicht einverstanden, man kann doch nicht einverstanden sein, man will weg, man flieht. Was willst du mir einreden? Ich war nie einverstanden…

Malina: Wen hast du zu deinem Götzen gemacht?

Ich: Niemand… (BW III, 222f.)

Für die im folgenden näher analysierten Traumpassagen muß generell betont werden, daß die Sprünge und irrationalen Sequenzen des Geschilderten die 'Logik', die diesem Traumbewußtsein zugrunde liegt, imitieren. Form und Inhalt bilden hier eine intensive Einheit, die auch durch die interpretative Analyse nicht aufgelöst werden kann. Im Gegenteil, die LeserInnen haben die Wahl, der Wahrheit der Träumenden zu folgen oder aus der Perspektive Malinas diese als verlogenes Drama des Unterbewußten zu sezieren.

In einer der vorausgehenden Traumszenen wurde eine verdeckte, weil nicht eingestandene Komplizenschaft zwischen Vater und Tochter inszeniert. In einem »hohen Haus« hält der Vater seine Tochter und läßt sie »oben« Blumen und Bäume pflanzen, jedoch nicht ohne sie deswegen zu demütigen: »Du hältst dich wohl für eine Prinzessin, was! Für wen hältst du dich eigentlich, für etwas Besseres, was! Das wird dir noch vergehen, das wird dir ausgetrieben« (BW III, 203).

Und anstatt sich gegen diese brutale Zurechtweisung zu wehren, verzweifelt die Tochter an ihrer Unfähigkeit, es ihm recht zu machen, hofft auf Richtungsanweisungen von seiten der Autorität, die sie verzweifelt liebt.

Ich halte den Gartenschlauch in der Hand, ich könnte ihm den vollen Wasserstrahl ins Gesicht fahren lassen, damit er aufhört, mich zu beleidigen, denn er hat mir den Garten zugeteilt, aber ich lasse den Schlauch fallen, ich schlage mir die Hände vors Gesicht, er soll mir doch sagen, was ich tun soll ... (BW III, 203)

Als kurz darauf Gäste kommen, demütigt der Vater sie wiederum, diesmal in aller Öffentlichkeit. Nachdem die Gäste gegangen sind, verfolgt er die Tochter in betrunkener Gewalttätigkeit, was sie zu dem Ausruf veranlaßt: »so kann mein Vater nicht sein, so darf mein Vater nicht sein!« (BW III, 204). Dieses Bemühen, an einem idealisierten Vaterbild festzuhalten, selbst angesichts völlig gegenteiliger Erfahrungen, wird noch deutlicher, als sie angesichts des möglichen Eingreifens anderer zu seiner Verbündeten wird, indem sie ihn warnt: »Es kommt jemand, hör auf!« (BW III, 204). Sie weist Malina, der mißtrauisch wird und sie vor die Alternative stellt, »du kommst jetzt mit oder wir sehen einander nie wieder«, mit den Worten ab: »ich kann nicht mitkommen, laß es mich noch einmal versuchen, ich will ihn beruhigen« (BW III, 205). Mit anderen Worten: Sie verteidigt die Brutalität und das Verhalten des Vaters vor Malina, spielt den Vorfall herunter, ja versucht sogar später das Geschehene vor der Öffentlichkeit zu vertuschen: »ich muß die Spuren verwischen« (BW III, 205). Ich lese dies als den Versuch, die irrationale Liebe (Vater) gegenüber der klaren Rationalität (Malina) zu verteidigen und zu retten. Der Vater symbolisiert eine Macht und eine Sprache, zu der die Tochter trotz Demütigung und Mißhandlung Zugang sucht, weil dadurch – so paradox und zynisch das im Lichte der Vernunft auch erscheinen mag – ihre Position im Verhältnis der Geschlechter bestimmt ist. Die Glorifizierung und Akzeptanz der als omnipotent empfundenen Vaterfigur akzentuiert den oft uneingestandenen Anteil der Frau an der Macht. Und dieser weibliche Wille zur Kollaboration überlebt selbst die Einwände der kritischen Vernunft bzw. überhört die gequälte Tochter *fast* die Stimme der (männlichen) Vernunft und bleibt in (weiblichen) irrationalen Verhaltensmustern gefangen:

... ich habe heute Nacht Malina verloren und Malina hätte aufs Haar heute sterben müssen, wir beide, Malina und ich, aber *es* ist stärker als ich und meine Liebe zu Malina, ich werde weiter leugnen ... ich lege mich neben meinen Vater, denn hier ist mein Platz, neben ihm ... (BW III, 206; Hervorhebung S.B.)

Das Motiv der Kollaboration bzw. des Inzests mit der Macht endet in folgender Überlegung:

Obwohl ich unbeugsam denke, unbeugsam urteile, mein ganzer Körper unbeugsam geworden ist, werde ich die Vorstellung nicht los, daß ich meine Pflicht tun müsse, ich werde wieder mit ihm schlafen, mit den zusammengebissenen Zähnen, dem unbewegten Körper. Er soll aber wissen, daß ich es nur den anderen zuliebe tue und damit kein internationales Aufsehen erregt wird. (BW III, 212)

Die Berufung auf eine zweckrationale Vernunft, die sich in dem Glauben beruhigt, noch 'Schlimmeres' verhindern zu wollen, entspricht auf der persönlicheren Ebene dem Verhaltensmuster mißhandelter Frauen, deren Gegenwehr oftmals in passiv-taktierender und beschwichtigender Hinnahme der Schläge oder Angriffe besteht, um ihr Leben nicht noch weiter in Gefahr zu bringen. Christina Thürmer-Rohr beschreibt dieses Verhalten in ihrer grundlegenden Studie zum Begriff »Mittäterschaft«, auf die sich meine folgenden Überlegungen stützen, folgendermaßen:

Ums Überleben kämpfen heißt auch hier, ein auf den Mann, auch auf den Mann als Mißhandler gerichtetes, an seinen Handlungen orientiertes, auf ihn aufmerksames, auf ihn reagierendes taktierendes Verhalten, immer mit dem Ziel, die eigene Schädigung nicht zu vergrößern.[118]

Interessant wird es, wenn man diese Parallele weiterverfolgt und dabei die Frage stellt, gegen *wen* die Frau in solchen Gewaltsituationen kämpft. Ebenso wie in den sich ständig wiederholenden mörderischen Traumszenen ist der Gewalttäter oft kein zielgerichteter Mörder, sondern eine Bezugsperson, die auf perfide Weise ein »Götze« wird, insofern das Opfer ihm die Entscheidungsmacht über Leben und Tod in vielfacher Form und wiederholt in die Hand gibt. Die Unfähigkeit, sich der verletzenden Gewalt zu entziehen, verstärkt diese mit jeder Episode, aus der das Opfer zwar geschädigt, aber lebend hervorgeht.

Das heißt – in allem Zynismus – er »schenkt« ihr das Leben, wenn er sie nicht umbringt; er läßt sie im allgemeinen geschädigt, gedemütigt, aber lebend zurück. Der Täter schafft eine Situation, in der er sich zum Herrn über Leben und Tod macht. Wenn er es ihr nicht nimmt, gestattet er ihr das Leben. Er entscheidet, ob sie Opfer wird oder Überlebende bleibt. Und so ist das reale Überleben, um das die vergewaltigte Frau kämpft, nicht nur *ihr* Werk, sondern auch *sein* Werk, seine »Gnade« an ihr.[119]

Leben und Tod haben im Gewaltzusammenhang die bekannte Machtfunktion: Sie inthronisieren die Autorität. Die in den Traumpassagen immer wieder neu inszenierten Torturen lassen die Tochter am Leben, aber nur, um dann erneut ihr Leben bedrohen, d.h. den Mechanismus von Unterdrückung und halbherziger Gegenwehr aufrechterhalten zu können. Die Ich-Figur bemerkt die Konstanz dieser Verhältnisse überall, spricht von einem »langen oder kurzen Ende«, davon, daß man es eben nur »überlebt«. Und hier greift Malina ein mit dem Satz, der das Ende des Romans antizipiert und gleichzeitig die zentrale Problematik des gesamten *Todesarten*-Projekts zum Ausdruck bringt: »Wenn man überlebt hat, ist Überleben dem Erkennen im Wege, du weißt nicht einmal, welche deine Leben früher waren und was dein Leben heute ist« (BW III, 223). Im Gegensatz zu der erwähnten sozialen Stabilisierungsfunktion, die der Tod der geopferten Person einst hatte, wird hier der Tod zur einzig verbleibenden Widerstandsmöglichkeit des 'Opfers' *gegen* den Erhalt des sozialen Ganzen bzw. dessen Unterdrückungsmechanismen. Als Metapher konsequentesten Widerstands annulliert er die Stabilität von Macht und Unterwerfung: Das Opfer 'emanzipiert' sich, insofern es die Entscheidung über sein Leben selbst in die Hand nimmt.

Mit Erschütterung stellt die Ich-Figur im Laufe der Traumsequenzen fest, daß Mutter und Vater zu einer Person zusammenfließen, woraufhin Malina ihr erklärt: »Wenn jemand alles ist für einen anderen, dann kann er viele Personen in einer Person sein« (BW III, 232). Und er fährt fort: »du wirst etwas tun müssen, du wirst alle Personen in einer Person vernichten« (BW III, 232). Der Negierung der weiblichen Subjektivität durch dominierende Autoritätspersonen wird jetzt die Beseitigung eines Denkens entgegengesetzt, das den Zirkel von Gewalt und Unterdrückung aufrechterhält. Die Träumende muß die emotionale Irrationalität, die auch das Verhältnis zu Ivan bestimmt, aufgeben, um diesen Zirkel der Liebesgewalt zu brechen. Mit Schrecken wird sie von Malina zu dieser paradoxen Einsicht geführt:

Ich: ... Ich müßte mich ja selber beseitigen!

Malina: Weil du dir nur nützen kannst, indem du dir schadest. Das ist der Anfang und das Ende aller Kämpfe. Du hast dir jetzt genug geschadet. Es wird dir sehr nützen. Aber nicht dir, wie du denkst. (BW III, 311)

Erst jetzt wird die Implikation der 'Schizophrenie' der Protagonistin voll verständlich als zuerst hilflos erlebte, dann aber bewußt *forcierte* Spaltung der weiblichen Subjektivität. Das Leiden an der Liebe, dessen Genese in den Traumbildern als psychische und soziale Struktur aufgearbeitet wird, markiert ein weibliches Opferdenken, das die destruktive Konstellation der Geschlechter als Dialektik von Unterwerfungsbereitschaft und Herrschaftsverlangen weiter fortschreibt. Der Malina-Teil hingegen enthält die Verweigerung dieses

Denkens, die Bereitschaft, sich der »verschwiegenen Vergangenheit« mit emotionsloser Schärfe zuzuwenden und sie damit nicht fortzuschreiben. Thürmer-Rohr stellt in ihrer Studie über Frauen in Gewaltverhältnissen den von Kathleen Barry benutzten Begriff des »wirksamen Überlebens« zur Diskussion und betont, daß er insofern unzulänglich ist, als er

> als solcher noch nicht die Vorstellung vom *strukturellen Zusammenwirken* der Geschlechter, d.h. dem Wirken der Frau *für* den Mann [enthält]; keine Vorstellung von der funktionalisierenden Beziehungsmoral und vor allem keine Vorstellung von der *Aufhebung* dieser Art der Überlebenstätigkeit der Frau.[120]

Und genau dieser Widerspruch: als Überlebende eine Ordnung zu stützen, die die Eigenständigkeit weiblicher Subjektivität potentiell negiert und zerstört, ist Bachmann sehr deutlich bewußt gewesen. Der Begriff des Überlebens impliziert die »Normalität« der versuchten Tötung, und, wird ein weibliches Subjekt als Überlebende charakterisiert, eine Komplizenschaft der Frau mit dem Mann.

> Das »normale« Überleben der Frau [besteht] im *Mit-Überleben*, im Überleben *mit* dem Mann und unsichtbar verwoben *mit* seinen Vorhaben an ihr und an der Welt ... diese »normale« Weiblichkeit und »normale« Männlichkeit bilden den Boden, auf dem in aller scheinbaren Harmlosigkeit und Selbstverständlichkeit die *Mystifizierung* des Mannes gedeiht. Hier wird der Bedarf am Mann praktiziert, die Wertschätzung durch den Mann, die Entwertung der Frau, auch durch die Frau selbst.[121]

Die Zurückweisung dieses 'ganz normalen Wahnsinns' – und damit der »Tod« – wird in der Sprache des Romans metaphorisch als »Gang in die Wand« bezeichnet, wobei ich den Eintritt in die Wand als die Aufkündigung einer defizitären Liebesordnung lese, ohne daß – und das muß betont werden – eine neue alternative Ordnung der Geschlechter im Text vorgeführt wird. Die Wand-Metapher formuliert lediglich die Abschiedserklärung von der bewußtlos übernommenen Mittäterschaft der Frau.

Der Anfang des Endes der Beziehung zu Ivan beginnt mit einem schmerzhaften Perspektivwechsel, der den notwendigen Prozeß des Entliebens einleitet: Die Ich-Figur übernimmt den Malina-Blick: »Ivan ist nicht mehr Ivan, ich sehe ihn an wie ein Kliniker ... Wer gibt mir Ivan zurück? Warum läßt er sich plötzlich so ansehen von mir?« (BW III, 314). Dies kommt der Tötung Ivans gleich, da er nur als mystifizierter Mann Liebesobjekt sein kann und somit in gewisser Weise wie Malina ein Teil der Ich-Figur ist. Die Liebesgeschichte endet mit dem vorläufigen Rückzug auf eine emotionslose Subjektivität, die sich der Liebe, insofern sie als Mittäterschaft an einem 'kranken' System begriffen wird, entzieht. »Ein Tag wird kommen, und es wird nur die trockene, heitere gute Stimme von Malina geben, aber kein schönes Wort mehr von mir, in großer Erregung gesagt.« (BW III, 326) Malina wird die Formulierung der weiteren Geschichten überantwortet: »Übernimm du die Geschichten, aus denen die große Geschichte gemacht ist« (BW III, 332).

Das Ende der Liebesgeschichte schildert den Konflikt zwischen zwei Begehren, einerseits die nüchterne Einsicht in die Notwendigkeit eines anderen Anfangs, andererseits die weiterhin fortbestehende Sehnsucht nach Liebe. Die Tötung des weiblichen Teils hinterläßt einen schmerzhaften, obgleich – und das ist wesentlich – nun im Text über die Liebe formulierbaren Riß:

> Ich stehe auf und denke, wenn er nicht sofort etwas sagt, wenn er mich nicht aufhält, ist es Mord, und ich entferne mich, weil ich es nicht sagen kann. Es ist nicht mehr ganz furchtbar, nur unser Auseinandergeraten ist furchtbarer als jedes Aneinandergeraten. Ich habe in Ivan gelebt und ich sterbe in Malina. (BW III, 335)

Eine projektierte feministische Kritik an diesem letzten Bild, die moniert, daß der Frau auch damit keine eigenständige Subjektivität zugestanden wird, sie nur 'reduziert' ist auf eine männliche Denkhaltung, greift insofern nicht, als Bachmann hier meiner Meinung nach nur ein provisorisches Moratorium des Geschlechterkampfes andeutet, das große Ähnlichkeiten hat mit der in den späten siebziger Jahren entstehenden Dokumentationsliteratur. Auch in diesen Texten ziehen sich weibliche Figuren temporär auf eine distanzierte Subjektivität zurück, um das defizitäre Verhältnis der Geschlechter aufzubrechen. Wenn Malina nach dem Gang in die Wand das Vermächtnis der Ich-Figur, deren Perspektive, deren Träume, deren Genußmittel und deren Rhythmus zerbricht, so mit dem Ziel, dem Mythos am Mann keine weitere Nahrung zu geben, denn das Verlangen nach Begegnung und Liebe bleibt in ungebrochener Stärke bestehen, noch im Einschluß in die Wand: »aber es schreit doch: Ivan« (BW III, 336).

Die Gewaltsamkeit dieser jetzt von der Frau selbst betriebenen Spaltung erhält sich in der letzten Zeile: »Es war Mord« als Erinnerung an psychische und gesellschaftliche Manipulationen, die sich in der Liebesordnung als Negierung des Weiblichen niederschlagen. Solange diese Liebesordnung die Mittäterschaft der Frau an einer für sie destruktiven Ordnung impliziert, erhält sich die Schärfe der letzten Zeile und es bleibt notwendig, der kriminellen Spur zu folgen, die hier gelegt wird. Letzteres allerdings nur, wenn der Detektiv ein Verständnis von der subtilen Dialektik hat, die der Täter-Opfer-Beziehung zugrundeliegt, und sich vorschneller Urteilssprechungen enthält.

Zu Unica Zürns »Dunkler Frühling«

> Sie dachten, ich wäre eine Surrealistin, aber ich war keine. Ich habe niemals Träume gemalt. Ich habe meine Realität gemalt.
>
> Frieda Kahlo

> Und alsbald wurde ich mit Liebe erfüllt und mit einer unschätzbaren Sättigung, die, wenn sie mich auch sättigte, dennoch einen so mächtigen unstillbaren Hunger in mir weckte, daß alle meine Glieder auf der Stelle kraftlos wurden und meine Seele sehnsuchtsvoll zu dem Übrigen hinüber zu gelangen begehrte.
>
> Mechthild von Magdeburg, *Geschichte und Tröstungen der seligen Angela von Foligno*

Liebe und Sexualität zwischen Avantgarde und Neuer Frauenbewegung

In meinen Beobachtungen zu Ingeborg Bachmanns »Undine geht« habe ich den Schnittpunkt von mythischer Geliebter und realer Frau, die Überschneidung von Imaginärem und Realität herausgearbeitet. Als Effekt männlicher Imagination fungiert die Geliebte in der ästhetischen und diskursiven Liebesordnung als das Andere der gegebenen Ordnung. In diesem Sinne kann die Undine-Figur als ein vom Mann entworfenes Sehnsuchtsbild von Weiblichkeit bezeichnet werden, das den Zirkel von Erwartung und Enttäuschung, Sehnsucht und Entfremdung in der Liebesgeschichte erhält. In *Malina* werden diese Momente von Erwartung und Enttäuschung, Sehnsucht und Entfremdung noch schärfer als ein Leiden an der Liebe entfaltet, das psychische Grundmuster in der Geschlechterkonstellation reflektiert. Als weibliches Pendant zu Undine verkörpern Helden-, Ritter- oder Erlöserfiguren eine weibliche Erwartungshaltung, die durch die reale Begegnung der Geschlechter unweigerlich enttäuscht wird.

Um diese von Bachmann aufgedeckte Dialektik von Erwartung und Enttäuschung in der Liebesgeschichte geht es auch in vielen von Unica Zürns Texten. Die erst unlängst entdeckte und in feministischen Kreisen mittlerweile sehr populär gewordene Autorin zeichnet die Verstrickung der Frau in Männlichkeits- bzw. Weiblichkeitsbilder, in die »Legende vom Leben zu zweit« nach. In dem 1959 entstandenen, gedichtförmigen Text »Das Weisse mit dem roten Punkt« wird das Szenario von der idealen »Ehe mit einem weisshaarigen, gelähmten, für immer an seinen Rollstuhl gefesselten Herrn«[122] vorgestellt, eine Verbindung, die nur aus »Belehrung und Lauschen« besteht. Dieses Bild von einer Verbindung, die sich niemals körperlich aktualisiert, also zugleich Nähe und Distanz ist, bringt eine Spannung zwischen Mann und Frau zum Ausdruck, die Ingeborg Bachmann als »Trauerbogen« beschrieb. Bedingt durch eine hartnäckige und tiefsitzende Enttäuschung durch die Realität der Liebe im Verbund mit einer irreduziblen weiblichen Sehn-Sucht nach Liebe(stäuschung) geht diese Spannung weit über die individuelle Erfahrung einer einzelnen Autorin und Frau hinaus. Als Teil einer kollektiven Erfahrungsgeschichte hat sie psychische und soziale Komponenten, die ab den siebziger Jahren zunehmend Gegenstand weiblicher 'Liebesgeschichten' werden.

1967, fast zehn Jahre nach der Veröffentlichung von »Das Weisse mit dem roten Punkt« und drei Jahre vor dem Selbstmord der Autorin entsteht die Erzählung »Dunkler Frühling«. Der ungewöhnlich offene und sehr eindringliche Text wirkt wie eine psycho-sexuelle Fallstudie. Er beschreibt die Verstrickungen eines namenlosen kleinen Mädchens in die Faszination und den Terror der Sexualität sowie eine grenzenlose weibliche Liebessehnsucht, die durch den tödlichen Sturz der Protagonistin aus dem Fenster durchkreuzt wird. Diese ungewöhnliche Erzählung wird hier insofern Hauptgegenstand der Analyse sein, als sie einerseits Veränderungen im öffentlichen Diskurs über Liebe reflektiert und andererseits eine weibliche Schreib- und Verhaltensstrategie dokumentiert, auf diese Veränderungen zu reagieren.

Zürns Arbeiten lassen sich mit einer Reihe von Diskursen und anderen zeitgenössischen Phänomenen vernetzten: Ihr Werk ist zum einen den ästhetischen Konzepten und Vorstellungen der Avantgarde und des Surrealismus verbunden, reflektiert zum anderen das sich wandelnde Verhältnis zu Sexualität und Weiblichkeit in den späten sechziger Jahren und antizipiert darüber hinaus Erkenntnisse und Forderungen der Neuen Frauenbewegung. Zum Zeitpunkt ihres Erscheinens fanden Zürns Arbeiten kaum Beachtung, was Sigrid Weigel als »ein sprechendes Beispiel für die *Ungleichzeitigkeiten* in der politischen, literarischen und feministischen Öffentlichkeit« wertet. Sie führt dazu weiter aus:

Die Öffentlichkeit war mit anderem befaßt, und die Frauenöffentlichkeit führte einen anderen Diskurs; der war bezogen auf die Topoi der 'Befreiung' und 'Emanzipation' und geprägt durch eine sozial- und ideologiekritische Redeweise. Ein Erfolgsbuch des gleichen Jahres war Erika Runges Dokumentarbuch *Frauen. Versuche zur Emanzipation*. Und die erste *Kursbuch*-Nummer, die sich einem frauenspezifischen Thema widmete, erschien ebenfalls 1969 unter dem Titel »Frauen – Familie – Gesellschaft« mit dem Untertitel »Aufsätze, Protokolle«.[123]

Obgleich Unica Zürn in ihren Arbeiten durchaus weibliche Lebenszusammenhänge beschreibt, *ihr* Leben zum Gegenstand ihres Schreibens macht, fiel sie durch ihre phantastisch-spielerische Schreibweise durch die Maschen des zu dieser Zeit geführten feministischen Diskurses, der ganz einer ideologiekritischen und dokumentarischen Zeigeweise verpflichtet war. Als unabgeschlossene und auf die Zukunft hin offene Bereiche durchdringen sich in ihren Texten Leben und Schreiben. Oft treten reale Personen als chiffrierte Kürzel in ihre Texte ein, so ist Henri Michaux bzw. Herman Melville als »H.M.« dem Text »Der Mann im Jasmin« als faszinierende Sehnsuchtsgestalt eingeschrieben. Auch ihr 1970 vollzogener Selbstmord – sie stürzt sich aus dem Fenster der Pariser Wohnung, in der sie seit 1953 mit Hans Bellmer zusammenlebt – geht als ästhetisches Zeichen einer verzweifelten Verweigerung in ihre Texte ein. 1959 in »Das Weisse mit dem roten Punkt« heißt es noch eher optimistisch:

Und noch ein Wunder, ein zweites: ich bereue es jetzt nicht mehr, dass ich mich nicht schon zwölfjährig, wie ich es vorhatte, aus dem Fenster stürzte.
Und das? Sollte das Hoffnung sein?[124]

Fast zehn Jahre später, in der Erzählung »Dunkler Frühling« wird dieser Tod dann in der Imagination vollzogen und dem realen Tod vorweggenommen. Hier vollzieht sich – in Umkehrung zu der üblichen Verwandlung von Realität in Literatur – eine Angleichung der Realität an die Imagination. Es ist der Autorin offensichtlich schwergefallen, diese Bereiche getrennt zu halten, wie u.a. die Texte »Notizen einer Blutarmen« und »Das Haus der Krankheiten« – beide 1957/58 während einer akuten Anämie entstanden – dokumentieren. Die psychische Krankheit, an der die Autorin seit 1960 leidet, fließt als phantastische Schreibweise in ihre Texte ein (»Der Mann im Jasmin«, »Das Haus der Krankheiten«).[125] Ihre Texte sind also immer auch, doch nicht nur Dokumente von Lebenskrisen, aus denen sich Zürn in einer Art von Selbsttherapie herauszuschreiben versucht. Die dabei zutage tretende Sicht auf die Wirklichkeit verschiebt die Kategorien von Realität und Fiktion ineinander und exponiert erkenntniskritisch das Verhältnis von Realität und Phantasie, eine

Tatsache, die dazu geführt hat, daß man ihr Werk zunächst dem Surrealismus zugeschlagen hat.

Dies geschah auch deswegen, weil die Zeichnungen und Nach- bzw. Vorworte Hans Bellmers die Veröffentlichungen ihrer Texte und Zeichnungen begleiten. Sein Name erleichtert bzw. ermöglicht die Veröffentlichung der *Hexentexte* (1954), Zürns erster Sammlung von Anagrammen und Zeichnungen[126]. Von Bellmer wurde Unica Zürn zu ihrer ersten künstlerischen Ausdrucksform, dem Anagrammatisieren angeregt. Wie sie rückblickend in der autobiographischen Aufzeichnung »Die Begegnung mit Hans Bellmer« feststellt, ist die Arbeit an den Anagrammen eine »begeisterte Epoche«, verbunden mit einem Mann und Künstler, der »ihr zum ersten mal [sic] von den Anagrammen [spricht] und zeigt, wie diese künstlichen, ganz neuen Wortgebilde gemacht werden«[127].

Besonders diese »künstlichen und ganz neuen Wortgebilde« werden heute oft im Rahmen der Diskussion um eine 'weibliche Schreibweise' gelesen und sollen deshalb hier angesprochen werden. Die Anagramme Zürns zeichnen sich sowohl durch ein hohes Maß an kompositorischer Strenge als auch durch eigensinnige Willkür aus. Die assoziativ-freie Manipulation des Zeichenmaterials – durch die Ausgangszeile zugleich beschränkt und gelenkt – schafft einen eigentümlichen Kontrast zwischen wörtlicher Ordnung und lautlichem Trieb. Obwohl die Worte zumeist als semantische Einheiten intakt bleiben, bewirkt deren ungewöhnliche Anordnung und lautmalerische Wirkung eine Herausforderung des Gewohnten; obwohl die Ausgangszeile ein zufälliges Buchstabenmaterial vorgibt, legen die folgenden Zeilen Zeugnis ab von einem beherrschten, manipulierten Zufall. Die in den Anagrammen verwendeten Formprinzipien von freier Assoziation, gewagter Manipulation und dem scheinbar unwillkürlichen Spiel mit dem vorgefundenen Material, vor allen Dingen aber die Kategorien von Zufall und Passivität sind Bestandteil der avantgardistischen Ästhetik. »Anagramme sucht man nicht, man findet sie«, sagt Unica Zürn über den künstlerischen Produktionsprozeß und betont damit eine vermeintliche Passivität, die ebenfalls für ihr Konzept von Liebe von entscheidender Bedeutung ist. Ihre weiblichen Figuren kommen oft zu der Überzeugung, nur zu leben, »um ihm begegnet zu sein«[128]. Wie Peter Bürger in der *Theorie der Avantgarde* grundsätzlich feststellt, kann die passive Haltung des Künstlers, das »Sich-dem-Material-Überlassen als Charakteristikum sowohl avantgardistischer wie neoavantgardistischer Kunst« betrachtet werden[129]. Die »Regression auf eine passive

Erwartungshaltung ist aus der totalen Opposition zur bestehenden Gesellschaft zu verstehen«[130]. Die Anagramme Unica Zürns haben in dieser Hinsicht zwar teil an einem übergreifenden ästhetischen Programm, gehen aber gleichzeitig darüber hinaus, insofern sie Passivität nicht nur zum *Form*gesetz, sondern auch als eine traditionelle Zuschreibung von Weiblichkeit zum *Thema* machen. Im Unterschied zum distanzierten ästhetischen Kalkül der Surrealisten, das etwa André Bretons Schreibweise in *L'Amour fou* (1937) bestimmt, leben Zürns Texte von Bildern einer regressiv-eskapistischen Phantasie, die oft als Schutzwall vor den Enttäuschungen der Realität fungieren. Der Vergleich zwischen Zürns Anagrammen und dem künstlerischen Verfahren von Hans Bellmer macht nicht nur aufmerksam auf Berührungspunkte und Differenzen zwischen Zürns Werk und der Avantgarde, sondern auch auf Unterschiede zwischen männlicher und weiblicher Kunstproduktion.

In Bretons *Manifesten des Surrealismus* heißt es provokativ:

> Surrealismus, Subst., m. – – Reiner psychischer Automatismus, durch den man mündlich oder schriftlich oder auf jede andere Weise den wirklichen Ablauf des Denkens auszudrücken sucht. Denk-Diktat ohne jede Kontrolle durch die Vernunft, jenseits jeder ästhetischen oder ethischen Überlegung.[131]

Diese als »männlich« bezeichnete subversiv-kritische Produktionsweise akzentuiert das Unbewußte und Nicht-Rationale und sucht nach einer Wahrheit des Subjekts, die jenseits von Logik, rationaler Kontrolle und ästhetischer Konvention in unwillkürlichen Äußerungsformen (*écriture automatique*) erkennbar wird. In Analogie dazu begreift Hans Bellmer das Anagrammatisieren als ein Verfahren, der Sprache ihre unausgesprochene alogische Wahrheit zu entlocken. In seinem Nachwort zu Zürns *Hexentexten* schreibt er:

> Anagramme sind Worte und Sätze, die durch Umstellen der Buchstaben eines gegebenen Wortes oder Satzes entstanden sind ... Offenbar kennt der Mensch seine Sprache noch weniger, als er seinen Leib kennt: Auch der Satz ist wie ein Körper, der uns einzuladen scheint, ihn zu zergliedern, damit sich in einer endlosen Reihe von Anagrammen aufs Neue fügt, was er in Wahrheit enthält.[132]

Die Analogie, die Bellmer zwischen Sprache und Körper herstellt, rechtfertigt das Montageverfahren im Namen einer noch zu findenden »Wahrheit«. Die hier dargestellte Kreativität bindet sich an die willkürliche Manipulation des vorgefundenen Materials und impliziert die Vorstellung einer autarken künstlerischen Subjektivität.[133] Und obwohl Bellmer mit diesem Nachwort sicherlich nicht zuletzt die Gemeinsamkeiten zwischen ihm und Unica Zürn herausstellen wollte, bleibt ein deutlicher Unterschied zwischen beiden in bezug auf ästhetischen Anspruch, ästhetische Funktion und Form. Während Bellmers de- und neumontierende Phantasie den weiblichen Körper in zahlreichen Puppenkonstruktionen voyeuristisch exponiert und ihn zum Vehikel der eigenen, nämlich subjektiv-männlichen Wahrheit und des eigenen Begehrens macht[134], versucht die assoziative Phantasie Zürns, eine Aussageweise für die durch dieses Begehren entstandenen körperlichen und psychischen Deformierungen der Frau zu finden. Während Zürn in ihrem Text »Das Weisse mit dem roten Punkt« den Wunsch formuliert, etwas zu sein, »das weder Mann noch Frau wäre«, also versucht, den Mustern von Weiblichkeit und Männlichkeit generell zu entfliehen, sind Bellmers Puppen ausschließlich eine offensive Konfrontation mit dem Schrecken und der Faszination von Geschlechtlichkeit.[135]

In seinen »Erinnerungen zum Thema Puppe« (1936, franz. Erstveröffentlichung), einer autobiographischen Reflexion über den Ursprung und die Ästhetik der Puppenkonstruktionen, beschreibt Bellmer seine Ambivalenz dem 'anderen' Geschlecht gegenüber als Motivation für sein Schaffen und gesteht, daß die Montage am weiblichen Körper ihren Ursprung in der Angst vor dem 'anderen' Geschlecht habe. Indirekt wird dabei deutlich, daß die Invasion und Demontage des weiblichen Körpers als Schild vor den lebendigen Mädchen fungiert, denn diese sind dem Künstler »nicht recht geheuer«, weil sie einen »mit geringem Aufwand, mit einer beiläufigen Zuckung rosa Plissees in einen durchaus beliebigen Jungen mit trüber Hose und trüben Schuhen« verwandeln können.[136] Bellmers anfangs noch zart-verspielte und eher 'unschuldige', später aber zunehmend obszöne Puppenkonstruktionen zeugen von der Suche nach Kontrolle und Überlegenheit über ein Lustbegehren, das durch das andere Geschlecht ausgelöst wird. Die Puppe, also das fixierte und idiosynkratisch montierte Bild des 'kleinen Mädchens', wird retrospektiv zu einem künstlerisch fruchtbaren Geheimnisträger, zur Projektionsfolie für die eigenen Phantasien:

> War nicht in der Puppe, die nur von dem lebte, was man in sie hineindachte, die trotz ihrer Gefügigkeit zum Verzweifeln reserviert zu sein wußte, war nicht in der Gestaltung solcher Puppenhaftigkeit das zu finden, was die Einbildung an Lust und Steigerung suchte? Bedeutete es nicht den endgültigen Triumph über die jungen Mädchen mit ihren großen beiseite sehenden Augen, wenn der bewußte Blick ihren Charme sich räuberisch einfing, wenn die Finger angriffslustig und nach Formbarem aus gliedweise langsam entstehen lassen, was sich Sinne und Gehirn destilliert hatten?[137]

Zwar sucht auch Zürn nach »Lust« und »Steigerung« jenseits der syntaktischen und semantischen Verabredungen, auch sie montiert ihr Material, die Wörter und Buchstabenkörper, in den Anagrammen neu zusammen, doch fehlt in ihren Arbeiten die Geste der »endgültigen« triumphierenden Aneignung der Materie und die selbstsichere Lust, durch eine »angriffslustige« Inszenierung dem eigenen Begehren bzw. dem Körper des anderen Geschlechts Herr zu werden. Bellmers Vorgehensweise ähnelt der Vivisektion: »vor dem Innern beileibe nicht stehenbleiben, die verhaltenen Mädchengedanken entblättern, damit ihre Untergründe sichtbar werden, durch den Nabel am besten, tief im Bauch, als Panorama bunt beleuchtet«[138]. Im Gegensatz zu dieser Geste des Aufdeckens und »Entblätterns« haben die Texte Zürns häufig den Modus des Wartens und Zögerns, wahren das Geheimnis, das Geschlechtlichkeit darzustellen scheint: »Das männliche Wesen ist mir so unbegreiflich wie das weibliche. Kein Weg dorthin, keine Möglichkeit für mich.«[139]

Zürns Anagramme sind nicht alle im gleichen Maße durch lautmalerischen Silbenunsinn bestimmt. Die Anagramme »Ich weiss nicht, wie man die Liebe macht« und »Ich weiss, wie man die Wollust macht« spielen zwar mit Lauten und Rhythmen, bieten den LeserInnen aber gleichzeitig eine klare Aussage an. Sie umkreisen zwei Aspekte des Liebesthemas, denen sich die Autorin immer wieder zuwendet: Sehnsucht und Sexualität. Ich lese sie hier als erste Formulierungen der von Unica Zürn später differenzierter formulierten Liebes- und Begehrenskonstellation.

Ich weiss nicht, wie man die Liebe macht

Wie ich weiss, 'macht' man die Liebe nicht.
Sie weint bei einem Wachslicht im Dach.
Ach, sie waechst im Lichten, im Winde bei
Nacht. Sie wacht im weichen Bilde, im Eis
des Niemals, im Bitten: wache, wie ich. Ich
weiss, wie ich macht man die Liebe nicht.

Ermenonville 1959

Ich weiss, wie man die Wollust macht

Die Wollust macht man, wie ich weiss
im wachen Du. O wie Samt schwillt sie
an. Ich will sie stumm, wie todeswach.
Du schwammst, wie ich, ins All – O Weite – –

Ermenonville 1959[140]

Die Ausgangszeile des ersten Anagramms ist scheinbar getragen von der Stimme eines verunsicherten Subjekts, das sein Unwissen über das Zustandekommen der Liebe ausspricht, doch die aus dieser Prämisse entwickelte Folgezeile widerspricht der Behauptung des

Nicht-Wissens. Durch eine leichte syntaktische Verschiebung verlagert sich der Akzent auf die Erkenntnis, daß Liebe nicht 'machbar', nicht frei manipulierbar ist. Die Personifizierung der Liebe unterstreicht diese Aussage: Als emotionale Macht führt die Liebe ein sehr eigenwilliges Eigenleben, das sich völlig der Kontrolle des sie erleidenen Subjekts entzieht.[141] Die preziöse Inszenierung des Raumes und der Zeit der Liebe, die weichen Alliterationen und alogischen Verbindungen erzeugen eine melancholisch-trauernde Stimmung, die das Gefühl von zäher Einsamkeit evoziert. Sehr präzise beschrieben wird dabei jedoch ein Prozeß, der sich leitmotivisch durch Zürns Texte zieht: Liebe als 'das Wachen und Bitten im Eis des Niemals', als pure Erwartungshaltung, die sich prinzipiell nicht aktualisiert. Das »weiche Bild«, in dem die Liebe wacht, erinnert an imaginäre und projektive Anteile der Liebe, während die unstillbare Sehnsucht nach einem imaginären und idealisierten Liebesobjekt eine psychische Bewegung beschreibt, die ziellos in sich kreist. Rahmenartig variiert die Endzeile die Ausgangsbehauptung noch einmal und läßt dabei die ursprünglich zum Ausdruck gebrachte Unsicherheit endgültig hinter sich. Das »ich weiss nicht« wird jetzt zu einem »ich weiss«, zu einem Wissen um die abgebildete widerständige und widerspruchsvolle Struktur der Liebe, die darin besteht, 'zu wachen, zu bitten' und sich doch nie zu realisieren. Gleichzeitig bringt das sprechende Subjekt zum Ausdruck, daß diese Haltung der Liebe gegenüber ungewöhnlich ist, daß man(n) so Liebe nicht macht.

Das Gegenstück dieses Anagramms mit der kaum veränderten Ausgangszeile »Ich weiss, wie man die Wollust macht« kreist um das sexuelle Begehren. Und obwohl nur ein Wort verändert bzw. ausgelassen ist, unterscheidet es sich in Ton und Aussage deutlich von dem ersten Anagramm. Das sprechende Subjekt äußert hier nicht die geringste Unsicherheit, insistiert darauf, zu wissen, was es weiß, zu wissen, was es will. Der Bezugspunkt des Sprechens ist ein »waches« Gegenüber. Damit stellt die zweite Zeile eine personale Bezogenheit her, die dem Anagramm über die Liebe völlig fehlt. Dort wurde die Liebe sofort zu einer eigenwilligen und eigenständigen Person, die ganz für sich existiert und sich dem sprechenden Subjekt zu entziehen schien. Die poetische Beschreibung sexueller Erregung als »stumm«, »todeswach« und wie 'Samt anschwellend' erinnert an die Rhetorik und den Gestus traditioneller Liebeslyrik, referiert auf Elemente der Minne bzw. Barocklyrik. Angedeutet wird ein Vorgang jenseits der Sprache, der auf Auflösung der Sprach- und

Körperdefinitionen drängt. Die in den letzten Zeilen angedeutete Entgrenzung im Zusammenhang mit dem Oxymoron »todeswach« erinnert an die Verschränkung zwischen Eros und Todestrieb und bringt regressive Elemente in der körperlichen Vereinigung zum Ausdruck, die Flucht aus der Körperrealität in den Tod.

Beide Anagramme beziehen sich aufeinander in der Geste der Verweigerung. Das erste beschreibt eine melancholische Erwartung, die sich der Liebe als konkreter Gegenwart verweigert und sie in die Potentialität einer nie stattfindenden Zukunft verlegt; das zweite beschreibt ein bewußtes Begehren nach Auflösung, also ein Begehren, das sich weigert, die Geschiedenheit individueller Existenz, individueller Körper anzuerkennen. Diese Verweigerungsgeste ist der Effekt eines »semiotischen Würfelspiel[s]« (Kristeva), das mit den Grenzen von Syntax und Denotation, von Logik und Semantik, Leben und Tod, Körper und Sehnsucht spielt. So stellt Inge Morgenroth in Anlehnung an Kristevas Konzept des Semiotischen für Zürns Schreibweise fest:

> Semiotisch ist in einem Text, was nicht aufgeht im Symbolischen, nicht in der Sprache als sozialer Norm, ihrer Benennung, in Syntax und Denotation, es sind die logischen Brüche, die Lust am Unsinn, Rhythmus, Intonation und die Wortspiele, die die Ordnung durchkreuzen.[142]

Die Durchkreuzung der Sprachordnung in den Anagrammen trifft sich mit der von Zürn in anderen Texten vorgenommenen Durchkreuzung der sozialen und kulturellen Liebesordnung. Man kann die anagrammatischen Verschiebungen von Sinn und Syntax sowohl als Indiz für Verschiebungen innerhalb des Liebescodes werten, aber auch als adäquate Schreibweise für die oft widersprüchliche Position des weiblichen Subjekts im Liebesdiskurs und in der Liebesrealität betrachten.

Vor allen Dingen der letzte Punkt hat im Zusammenhang mit dem in den siebziger Jahren in Frankreich entwickelten Konzept der *écriture féminine* zu der aktuellen Popularität der Autorin beigetragen. Es ist nicht verwunderlich, daß Zürns eigensinnige Montagearbeit am Sprachzeichen in den fünfziger und auch noch sechziger Jahren auf wenig Verständis stößt. Zu diesem Zeitpunkt interessierte Literatur von Frauen *noch nicht* und die Avantgarde *nicht mehr.* Erst heute, mit der Rede von einer 'weiblichen Ästhetik' und dem neu entdeckten Interesse an den Schnittpunkten von Avantgarde und weiblich subversiven Schreib-Strategien, öffnen sich die idiosynkratischen Texte der Autorin neuen Betrachtungsweisen[143]. Vor diesem neuen Diskussionshintergrund ist man auf Unica Zürn aufmerksam geworden, und die Autorin ist mittlerweile, wie Ursula Krechel feststellt, vor allem in Frankreich fast zur Kultfigur geworden.[144]

Bevor ich mich jetzt der Analyse von Zürns Erzählung »Dunkler Frühling« zuwende, stellt sich die Frage nach dem Diskussionszusammenhang von Liebe, Sexualität und Weiblichkeit in den späten sechziger und frühen siebziger Jahren. Welche Funktion und welchen Raum nimmt das Thema 'Liebe' in der westdeutschen Öffentlichkeit ein und welche Aspekte davon werden in Zürns Erzählung aufgegriffen bzw. antizipiert?

1966 behauptet Petra Kipphoff in ihrer Rezension von Angelika Schrobsdorffs Erzählband *Diese Männer* scharfzüngig: »die Frau hat zur Zeit Konjunktur ... Von demoskopischen Instituten, soziologischen Seminaren und Illustrierten wird sie auseinandergenommen und wieder zusammengesetzt«[145]. Dieser Trend verdrängt die Weiblichkeitsmythen und -idealisierungen der fünfziger Jahre. Ab Mitte der sechziger Jahre gilt der Frau zunehmend ein analytischer und pornographischer Blick. Als soziologisches und psychologisches Untersuchungsobjekt wird sie zum Gegenstand des wissenschaftlichen Diskurses, als spärlich oder gar nicht bekleideter Blickfang in Illustrierten und Boulevardpresse zum Gegenstand öffentlichen Begehrens.

Der große Erfolg von sexologischen Studien wie Kinseys *Das sexuelle Verhalten des Mannes* (1948, deutsch 1955) und *Das sexuelle Verhalten der Frau* (1953, deutsch 1954), Masters' und Johnsons *Die sexuelle Reaktion* (1966, deutsch 1970) und des noch im gleichen Jahr übersetzten Sexhandbuchs von Alex Comfort *Joy of Sex* (1972) sowie von Kolles populärwissenschaftlicher Studie *Dein Mann, das unbekannte Wesen* (1967) indizieren eine radikale Verschiebung im Diskurs über die Liebe. Mit dem Erscheinen des Sexual-Reports von Shere Hite (1977) konzentriert sich die öffentliche Diskusion zunehmend auf die weibliche Sexualität. Die dezenten 'Liebesgeschichten' der fünfziger Jahre – der im Zusammenhang mit *Malina* zitierte Erzählband *Liebe in unserer Zeit* ist ein typisches Beispiel dafür – geraten in den Hintergrund und werden ersetzt durch einen semiwissenschaftlichen Diskurs über sexualtechnische Details. Damit einher geht die kommerzielle Ausschlachtung der neuen befreiten Rede über Sexualität in einer Vielfalt von zum Teil neu auf den Markt kommenden Magazinen und Zeitungen.

So verdanken die in dieser Zeit gegründeten »St. Pauli Nachrichten« ihren ungeheuren Erfolg nicht zuletzt den ab Ende 1969 unter dem Slogan »Seid nett aufeinander« abgedruckten Kontaktanzeigen.

Mitte der siebziger Jahre ist die Regenbogenpresse voll mit Schlagzeilen wie »Leser-Diskussion über Liebe und Zärtlichkeit: Frei, offen, ohne Tabus« oder »Sexuelle Freiheit – gibt es sie wirklich?« bzw. mit Artikeln, die die neu gewonnenen 'wissenschaftlichen' Sexstudien reißerisch zur Diskussion stellen. Die in einem Boulevardblatt eingerichtete Dauerrubrik *So liebt die Frau* – eindeutig Reaktion auf den Hite-Report – impliziert ein neues Beziehungsverständnis. Nachdem aufregende und befriedigende Sexualität zum Kristallisationspunkt der Mann-Frau-Beziehung geworden ist, gesteht man jetzt auch der Frau das Recht auf sexuelle Erfüllung zu. Dieser Liberalisierungstrend, der mit der bürgerlichen Sexualreformbewegung der zwanziger Jahre begann und in den siebziger Jahren seinen Abschluß findet[146], weckt jedoch männliche Ängste vor einer übermächtigen weiblichen Sexualität, die im wissenschaftlichen und pornographischen Diskurs verarbeitet bzw. lediglich verbrämt werden.

Gleichzeitig setzt eine staatlich geförderte »Aufklärungswelle« ein. Aufklärungsfilme wie *Helga – Vom Werden des menschlichen Lebens* (1967), vom Zentralinstitut für gesundheitliche Aufklärung in Auftrag gegeben und finanziert, reflektieren das neue öffentliche Interesse an Sexualität. Diese Akzentverschiebung im Fernsehprogramm wird 1969 von Kölns Fernsehspiel-Chef Günter Rohrbach als positive Liberalisierung bewertet: »Weil der Bildschirm die allgemeine Liberalisierung in Deutschland widerspiegelt, kann der Sex enttabuisiert und als selbstverständlicher Teil des Lebens betrachtet werden.«[147]

Der öffentliche Diskurs über Liebe und Sexualität gibt sich wissenschaftlich-aufklärerisch oder gesellschaftskritisch-provokativ, wobei das Verhältnis zur Sexualität immer mehr zu einem sozialkritischen Parameter wird. Ganz besonders trifft dies auf das Verständnis von sexueller Befreiung in der Linken und in der Studentenbewegung zu, Gruppen, die in ihrer Rede über Sexualität einen gesellschaftlichen Umsturz mitdenken. Neue soziale Modelle wie etwa die Wohngemeinschaft oder die von Marcuse inspirierte »offene Beziehung«, in der Eifersucht und Besitzdenken idealiter eliminiert sind, sind eine deutliche Absage an bürgerliche Ehe-, Treue- und Besitzvorstellungen.

In ihrem kritischen Beitrag zur »feministischen sexuellen Revolution« weist Barbara Sichtermann auf die ambivalente Position der Frau in der neuen 'aufgeklärten' sozialen Praxis hin und argumentiert, daß Frauen mit dem Wegfall sexueller Tabus keinesfalls aufgeklärter behandelt werden, sondern die Beziehung zwischen den Geschlechtern jetzt lediglich »auf die Profanität der Warenwelt heruntergebracht« sei, in anderen Worten: »Sexualität als Konsumgut, die Partner als nur austauschbar«.[148] Ihre Hauptkritik aber gilt dem Reduktionismus der frühen Frauenbewegung, die sich unter anderem auf die Frage nach vaginalem und klitoralem Orgasmus, also auf eine sexualtechnische, wenngleich auch implizit 'politische' Frage konzentriert. Sichtermann begegnet diesem 'Biologismus' mit dem stichhaltigen Argument:

Ein Orgasmus ... hat immer eine *Geschichte*, die Geschichte eines Begehrens und einer Erregung, und wenn eine solche Geschichte gelebt worden ist, dann ist es zweitrangig, wo die Stimulierung erfolgt.[149]

Ihr Hinweis auf die Verschränkung von Sexualität und der individuellen Liebesgeschichte, in der kollektive Erwartungen, Praktiken und Rollenmuster zusammenlaufen, wirft ein interessantes Licht auf die literarischen Geschichten, die Ende der sechziger Jahre *über* das weibliche Begehren zirkulieren.

1969 – im Jahr der Veröffentlichung von »Dunkler Frühling« und ein Jahr nach dem Pariser Mai – wird die Indizierung des 1749 zuerst in London und dann 1960 bei Desch, München, erschienenen 'Hurenromans' *Fanny Hill* erstmals aufgehoben. Im gleichen Jahr werden Felix Saltens fiktive Memoiren einer Wiener Prostituierten neu verlegt. Angesichts der zeitgenössischen »Schöner-Lieben«-Welle findet die unterhaltsam und offen geschriebene Lebensgeschichte der *Josefine Mutzenbacher: »Die Lebensgeschichte einer wienerischen Dirne, von ihr selbst erzählt«* positive Resonanz. Das Buch zeichne sich durch einen »nichts verschönernden Realismus [aus und sei] frei von Ästhetisiererei und ebenso frei von selbstmitleidender Betrachtung«, heißt es in einer zeitgenössischen Rezension; die Fiktion einer »Folge von sexuellen Höhepunkten ohne Leben« wird gelesen als kritischer Kommentar über das bürgerliche Lebenskonzept, »dessen Höhepunkte die Vermeidung des Sexuellen« war.[150] Wenn damit die Fiktion einer frei gelebten Sexualität zum Vehikel der Kritik an beschränkten bürgerlichen Lust- und Moralauffassungen wird, entspricht das durchaus den theoretischen Vorstellungen und Maximen der Studentenbewegung. Auffällig ist jedoch, daß diese als aufklärend und kritisch gewerteten Fiktionen zwar von Männern geschrieben, jedoch *unter dem Namen* von Frauen veröffentlicht werden. Weibliches Begehren wird bzw. bleibt damit eine von Männern erzählte und *erfundene* Geschichte und reflektiert lediglich den männlichen Diskurs über Liebe bzw. Weiblichkeit. Die enthusiastisch angestrebte sexuelle Revolution versandet hinterrücks in der männlichen Appropriation von weiblicher Sexualität und damit bleibt das allerorts öffentlich exponierte 'andere' Begehren wieder einmal stumm. Zürns Erzählung »Dunkler Frühling« setzt an diesem Widerspruch an, insofern die Autorin die Geschichte weiblichen Begehrens als die fatale Verstrickung der Frau in den von kulturellen Experten geführten Diskurs über Weiblichkeit offenlegt. Der Text erkundet die Ränder eines weiblichen Leidens an der Liebe und relativiert dabei die Eindeutigkeit der öffentlich diskutierten, geförderten, analysierten und programmatisch gelebten »sexuellen Utopie«. Gleichzeitig hinterfragt Zürns eindringliche Schilderung von eskapistischen und masochistischen Tendenzen das im Namen von Aufklärung, wissenschaftlichem Fortschritt und nicht zuletzt im Namen von fiktiven Frauengestalten emphatisch proklamierte neue Beziehungsideal.

Wenn Sexualität zur kritischen Kategorie wird, an der die Wahrheit des Subjekts bzw. der Gesellschaft gemessen wird, dann läßt sich dieser Diskurs auch als Fortsetzung avantgardistischer Gesellschaftskritik begreifen. Als provokative Opposition zur modernen Leistungsgesellschaft und als ästhetische Perversion der bürgerlichen Liebesidee, »einer zum Zwecke der Reproduktion domestizierten und in die Familienform eingezwängten Sexualität«[151], hatten die Surrealisten die Vorstellungen der sogenannten Junggesellenmaschinen entwickelt. Michel Carrouges definiert die Junggesellenmaschine als »ein phantastisches Vorstellungsbild, das die Liebe in einen Todesmechanismus umwandelt«[152]. Wie er weiterhin ausführt, funktioniert dieses Bild über die »Trennung der Geschlechter« und die Korrespondenz zwischen Mechanik und Sexualität.[153] Die Reduktion des Sexuellen zu reiner Mechanik, die Trennung der Geschlechter und die Synthese von Sex und Folter – das alles sind Reaktionen auf bürgerliche Doppelmoral und Leistungszwänge. Insofern Zürn auf die Verstrickung in die Geschlechtlichkeit mit dem Bild der »Liebe in der Distanz« antwortet, und insofern Trennung sowie Leidens- und Todessehnsucht Elemente ihres Liebeskonzeptes sind, partizipiert sie an der avantgardistischen Provokation. Ihr hartnäckiges Festhalten an der intensiven Hoffnung auf »Ergänzung« hingegen grenzt ihre Schreibweise von diesem surrealistischen Vorstellungsbild ab und rekurriert – im Vergleich zu den Surrealisten eher affirmativ – auf romantische und trivialmythische Liebeskonzepte. Im Gegensatz zu männlichen Autoren hält Zürn an der Liebe als einem Erwartungsraum, als einem Ort schöner Täuschung fest und versucht, diesen psychischen Ort vor den Enttäuschungen durch die Realität zu schützen, bzw. ihn als Schonraum vor die enttäuschende Realität zu schieben.

Der Ausgangspunkt der Neuen Frauenbewegung, die in den siebziger Jahren immer mehr an Profil gewinnt, ist die Erkenntnis, daß sich die Lage der Frauen nicht allein durch theoretische Analysen der gesellschaftlichen Situation und politische Aktivitäten verändern läßt. Unter dem Motto »Privates öffentlich machen« tauschen sich Frauen in Selbsterfahrungsgruppen über ihre persönlichen Erfahrungen als vom Patriarchat Unterdrückte und Benachteiligte aus. Das Ziel besteht darin, Bewußtseins- und Verhaltensveränderungen in bezug auf das Verständnis der eigenen, sozial und kulturell konditionierten Weiblichkeit zu erreichen. Schon sehr bald, so berichtet eine Teilnehmerin einer solchen Selbsterfahrungsgruppe, wurde klar, daß die Konzentration auf das äußere Feindbild Mann nicht ausreichte, sondern »internalisierte Bilder davon, wie eine Frau zu sein hat, eigene Verhaltensweisen, eigene Abhängigkeitswünsche« eine ebenso große Rolle in der sozialen und psychischen Dynamik im Verhältnis zwischen Mann und Frau spielen.[154] Dementsprechend wird die Diskussion weiblicher Sexualität, der weiblichen Psyche und des weiblichen Körpers zum dominierenden Thema in der Frauenbewegung.

Auch diese in den siebziger Jahren zunehmend differenzierter diskutierte Einsicht in die Relevanz und die Tragweite internalisierter Bilder und psychischer Konstellationen läßt sich mit Zürns Erzählung »Dunkler Frühling« vernetzen. Der Text entfaltet Bild- und Bedeutungsstrukturen von Männlichkeit und Weiblichkeit und gleichzeitig sowohl die Genese und Geschichte des weiblichen Begehrens als auch die Geschichte der weiblichen Liebessehnsucht. Obgleich die Erzählung thematisch mit Texten wie Franz Wedekinds *Frühlingserwachen* oder Robert Musils *Die Verwirrungen des Zögling Törleß* verwandt ist, geht sie durch ihre oft drastische und schockierende Offenheit über den traditionellen Rahmen der Pubertäts- und Sozialstudie hinaus. Der Text durchquert neben einer Vielzahl psychoanalytischer Theorien auch Elemente der traditionellen Liebesliteratur wie z.B. Vorstellungen der mystischen Liebe, wie sie in der Liebeskonzeption der Troubadoure und des Minnekults im 12. Jahrhundert entwickelt wurde.

»Alles ist falsch«: Eine Geschichte weiblichen Begehrens

> Die Psychoanalyse hält über die weibliche Sexualität den Diskurs der Wahrheit. Einen Diskurs, der das Wahre über die Logik der Wahrheit sagt: nämlich, daß das Weibliche in ihr nur im Inneren von Modellen und Gesetzen vorkommt, die von männlichen Subjekten verordnet sind. Was impliziert, daß nicht wirklich zwei Geschlechter existieren, sondern nur ein einziges.
>
> Luce Irigaray, *Cosi fan tutti*

> Es ist ganz einfach ein Spalt da zwischen den Beinen ... Es ist eine Illusion. Dieses ganze Geheimnis um den Sexus, bis man schließlich entdeckt, daß es eben nichts ist – nur eine Leere ... nichts ist da, einfach nichts.
>
> Henry Miller, *Wendekreis des Krebses*

Die Behauptung Michael L. Moellers, daß »die Basis jeder Liebesbeziehung die Beziehung zu den Eltern« sei, klingt zwar wie ein oft gehörter Allgemeinplatz, muß jedoch sehr ernst genommen werden. Insofern die gesamte Lebensgeschichte Mitgift jeder Beziehung ist, ist »die Liebe Geschichte, bevor sie beginnt.«[155] Dasselbe behauptet Barbara Sichtermann, nur konkreter auf die Sexualität bezogen: »Ein Orgasmus, wenn er zustandekommt, hat immer eine *Geschichte,* die Geschichte eines Begehrens und einer Erregung.« Entsprechend sei das Problem der Orgasmuslosigkeit »das Problem oder die Krise einer *Geschichte* der Lust, d.h. des Sich-etwickeln-Könnens von Begehren«[156]. Zusammenfassend beschreibt der Sexualwissenschaftler Gunter Schmidt diesen Sachverhalt als die Interdependenz von »Bedürfnisgeschichte, Beziehungsgeschichte und Geschlechtsgeschichte«:

> Sexualität ist ein *Bedürfnis*, und in ihr schlägt sich die individuelle Geschichte mit Bedürfnissen, die gesamte Bedürfniserfahrung eines Menschen von früh an nieder ... in ihr schlägt sich die gesamte Beziehungsgeschichte eines Menschen nieder ... die Erfahrung eines Menschen mit seiner Männlichkeit oder Weiblichkeit.[157]

Unica Zürns Text entwickelt die Erfahrungsgeschichte eines namenlosen kleinen Mädchens als eine solche Konstellation. Die spezifischen Konsequenzen, die die Geschichte der Liebe und des sexuellen Begehrens für das weibliche Subjekt haben können, werden dabei schonungslos aufgedeckt und radikal zu Ende gedacht. Lose aneinander gereihte Episoden aus den ersten zwölf Jahren einer weiblichen Kindheit werden detailliert beschrieben und nüchtern konterkariert mit psychologischen Einsichten und sozialkritischen Kommentaren. Das ständige Hin und Her zwischen Innenperspektive und Außenansicht, Mittelbarkeit und Unmittelbarkeit verleiht dem Text eine eigentümliche Qualität, die die LeserInnen einem fortwährenden Wechsel zwischen Nähe und Distanz aussetzt. Dabei steht der nüchterne, fast analytisch wirkende Erzählton in Kontrast zu der Intensität der beschriebenen Phantasien, die durch ein intensives Begehren nach »Ergänzung« getragen sind. Das dabei entstehende Spannungsfeld zwischen faktischer Realität und kindlichen Angst- und Sehnsuchtsvorstellungen entwirft die widersprüchliche Position des weiblichen Subjekts im psychischen und sozialen Raum der Liebe, die im folgenden nachgezeichnet werden soll.

Der Text setzt mit folgendem Bild vom Vater ein:

> Ihr Vater ist der erste Mann, den sie kennenlernt: eine tiefe Stimme, buschige Augenbrauen, schön geschwungen über lächelnden schwarzen Augen. Ein Bart, der sie sticht, wenn er sie küßt. Ein Geruch nach Zigarettenrauch, Leder und Kölnischem Wasser. Seine Zärtlichkeit ist stürmisch und komisch zugleich ... Sie liebt ihn vom ersten Augenblick an ...
>
> Aber bald, mit dem Größerwerden, merkt sie schmerzlich überrascht, daß er kaum zu Hause ist. Sie sehnt sich nach ihm. Er macht sich rar, und wer sich rar macht, der wird vermißt. (173)

Die Attribute des Mannes – tiefe Stimme, stechender Bart, Geruch nach Zigarettenrauch, Leder und Kölnisch Wasser – klingen banal und klischiert. Der erste Absatz liest sich wie ein Auszug aus einem Werbetext für Zigaretten, Herrenparfum oder Whisky. Stereotype Versatzstücke attraktiver Männlichkeit bilden die oberflächliche Grundlage für die Liebe des kleinen Mädchens zu ihrem Vater. Doch das, was der Text hier scheinbar vereinfacht darstellt, bildet auf der sozialkritischen Ebene ab, welcher Art die Klischees von Männlichkeit bzw. Weiblichkeit sind und wie sie in der kulturellen Textur Bedeutung erhalten. Auf der psychologischen Ebene zeigen diese Diskursfragmente, wie sich Männlichkeit und Weiblichkeit in der weiblichen Psyche plazieren und vor allem, wie sie von dem kleinen Mädchen mit emotionaler Signifikanz aufgeladen werden. Die Perspektive der Erzählstimme ist dabei einerseits den Empfindungen und Erkenntnissen der Protagonistin zeitlich und analytisch voraus, aber andererseits der Unmittelbarkeit und Dramatik der erlebenden kindlichen Innenperspektive verpflichtet.

Abgesehen von den beschriebenen äußerlichen Attributen erscheint der Vater vor allem deshalb so begehrt und begehrenswert, weil er häufig abwesend ist. Er hat damit im Gegensatz zur Eindeutigkeit der Präsenz der Mutter bzw. generell zu allen »Frauen, die sie gewöhnlich umgeben«, die »Anziehungskraft, die derjenige ausströmt, der sich rar und geheimnisvoll macht« (173). Die textuelle Prämisse ordnet die Frau der gewöhnlichen, banalen und langweiligen Anwesenheit zu, während der abwesende Mann 'ein großer Zauberer', ein geheimnisvolles Wesen ist, nach dem sich das kleine Mädchen sehnt. Der Text reflektiert hier präzise die sehr unterschiedlichen sozialen und psychischen Orte der Geschlechter *und* gleichzeitig die Konsequenzen, die diese Differenz für die Wahrnehmung und Bewertung von Männlichkeit bzw. Weiblichkeit hat. Barthes behauptet unter dem Stichwort »Abwesenheit« eine zum Klischee erstarrte geschlechtsspezifische Differenz, die deshalb jedoch keineswegs abgegolten ist:

Historisch gesehen wird der Diskurs der Abwesenheit von der Frau gehalten: die Frau ist seßhaft, der Mann ist Jäger, Reisender; die Frau ist treu (sie wartet), der Mann ist Herumtreiber (er fährt zur See, er »reißt auf«).[158]

Auf der Textoberfläche ist die Abwesenheit des Vaters bedingt durch den Krieg. Dieses weltpolitische Ereignis ist aber nur gegenwärtig als eine flüchtige 'traurig-tragische' Melodie, die das zweijährige (!) Mädchen an einem grauen Regentag hört, eine Melodie, die »die Ahnung von etwas Schrecklichem« auslöst. Die Relevanz des Krieges ist also reduziert auf die emotionale Reaktion des Kindes. Implizit notiert der Text hier, wie sich das Bild vom starken Mann, »der selbst das Unwahrscheinlichste vollbringen kann« (173) – ein Klischee, das nicht zuletzt im Rahmen jeder Kriegspropaganda immer wieder neu aktualisiert wird –, in der Psyche des Kindes bilden und erhalten kann. In den durch die Abwesenheit des Vaters produzierten und intensivierten Erinnerungsbildern fallen Vater und Held zusammen und bilden so das Vorstellungsbild des begehrenswerten Mannes.

Der Vater ist auch nach dem Krieg oft nicht zu Hause, »er verläßt immer wieder unruhig das Haus und kommt nach Monaten gebräunt und friedlich zurück« (173). Die Reaktion des Kindes auf sein Kommen und Gehen besteht darin, »sich unendlich zu ihm hingezogen« zu fühlen (173). Die hier beschriebene Geschlechterkonstellation, die dem Mann eine größere Mobilität erlaubt, ihn als »Grenzgänger« nicht ausschließlich an Haus und Familie bindet, hat tiefgreifende Konsequenzen für die Vorstellungen des kleinen Mädchens von

Männlichkeit und Weiblichkeit. Abwesenheit bedeutet Unterschiedliches für Männer und Frauen. Wie Regula Venske grundsätzlich feststellt, hat

> die Kategorie der Abwesenheit des Mannes für die Frau ... einen anderen theoretischen Ort als die Abwesenheit der Frau im Patriarchat. Dabei ist der 'Ort' weiblicher Abwesenheit der Alltag selbst mit der ihn konstituierenden Banalität ... Im Gegensatz zum Verständnis der weiblichen Absenz, die eine Absenz von Sinn und Ausdruck, weibliche Ohnmacht in der Geschichte ist, repräsentiert die männliche Abwesenheit ... noch als solche ein Stück patriarchalische Macht ... durch Distanz und Unnahbarkeit wird Bedeutung konstituiert.[159]

Im Gegensatz zu der banalen Eindeutigkeit und Monotonie des Alltags erlaubt physische Distanz eine imaginierte Präsenz, einen phantastischen Überschuß und Mehrwert, wie er in Literatur, Film und Malerei reproduziert wird. Die dort reproduzierte Position männlicher Überlegenheit, Macht und Stärke führt dazu, daß das kleine Mädchen ein Mann sein möchte, »schon in reifen Jahren, mit einem schwarzen Bart und schwarzen Augen« (179). In ihrer Phantasie lebt sie umgeben von männlichen Heldengestalten. Die zum Schutz gegen die Dunkelheit nächtlich herbeizitierte »Nachtwache« besteht aus: den »beiden Räuber[n] der Sabinerinnen, de[m] drohende[n] starke[n] Araber ... Douglas Fairbanks mit seinem blanken Säbel und seinem Gürtel voll Pistolen und Kapitän Nemo« (179). Fiktive (männliche) Figuren dienen als Schutzwall vor den lebhaft empfundenen Gefahren der Dunkelheit, während die Vorstellung vom »Schauerlichen und Gefährlichen« gleichzeitig einen faszinierenden Phantasieraum schafft, in dem Routine und Langeweile des sich selbst überlassenen Kindes aufgehoben sind.

Diese identitätsstiftenden Imaginationen vom anderen Geschlecht lassen sich verbinden mit Lacans Überlegungen zur Konstitution von Geschlechtlichkeit in der Psyche. Lacan betont, daß »die Einrichtung einer unbewußten Position im Subjekt« nicht durch die »Reduktion auf biologische Gegebenheiten« aufgelöst werden kann. Von ungeheurer Wichtigkeit bei der Plazierung des Subjekts auf der Achse männlich/weiblich ist »die Beziehung des Subjekts zum Phallus, die sich ohne Rücksicht auf den anatomischen Geschlechtsunterschied herstellt« und gemeinhin durch einen *Mythos*, also eine Geschichte, einen Diskurs illustriert wird.[160] Insofern Lacan das Unbewußte und die Sprache in Analogie denkt, wird *Differenz* zur entscheidenden Kategorie: Die Zeichenordnung ist »ein System gegenseitiger Oppositionen; jedes Zeichen bedeutet das, was die anderen nicht bedeuten«[161]. Bedeutung bindet sich also an die

Anwesenheit bzw. Abwesenheit eines Elementes, eine Einsicht, die sich auf einer allgemeineren Ebene weiterführen läßt zu der These, daß das Wort immer auf die Abwesenheit des Objekts verweist bzw. daß das Objekt/Ding zugunsten der Bedeutung an Substanz verliert.[162] Venskes Beobachtung zu der sozialen und geschlechtsspezifisch gefärbten Bedeutung von Abwesenheit und Anwesenheit läßt sich durch Lacans Einsicht, daß erst diese Differenz auf der linguistischen und auf der psychischen Ebene Bedeutung konstituiert, ergänzen. Individuelle Wünsche, Erinnerungen und Begehren sind nicht nur – wie alle Sprachäußerungen – Anzeichen einer irreduziblen Trennung vom Objekt, sondern laden dieses auch mit Bedeutung auf. Dieser Vorgang der Symbolisierung – im Text eindeutig markiert als Imaginationen, die sich um den abwesenden Vater ranken – prägt die individuelle Geschichte des Subjekts innerhalb der kulturellen und sozialen Ordnung. Da der Text Männlichkeit vorwiegend als Abwesenheit darstellt, macht er aufmerksam auf diese Dialektik, die einen Mangel in intensive imaginäre Präsenz umschlagen läßt.

Während Männlichkeit sich derart über die Kette Vater, Mann, Held, Abwesenheit, Vollkommenheit, Schönheit und Stärke herstellt, erscheint Weiblichkeit im Gegenteil als bedrohende Präsenz und verschlingende Begierde:

> An einem Sonntagmorgen kriecht sie zu ihrer Mutter ins Bett und erschreckt sich vor diesem großen dicken Körper, der seine Schönheit schon verloren hat. Die unbefriedigte Frau überfällt das kleine Mädchen mit offenem, feuchtem Mund, aus dem sich eine nackte Zunge herausbewegt, lang wie das Objekt, das ihr Bruder mit seiner Hose verhüllt. Eine tiefe unüberwindliche Abneigung vor der Mutter und der Frau entsteht in ihr. (174f.)

Eigenwillig überspringt der Text die erste Phase der kindlichen Entwicklung – die ursprüngliche Mutter-Kind-Symbiose – und akzentuiert statt dessen den ambivalenten Prozeß der Loslösung von der Mutter und die Hinwendung zum Vater. Indirekt beschreibt Zürn hier den in den sechziger und siebziger Jahren in der Psychoanalyse vieldiskutierten weiblichen 'Objektwechsel', »in dessen Verlauf das kleine Mädchen seine Besetzung von der Mutter als Liebesobjekt abzieht, um den Vater zu besetzen«[163]. Zürns literarische Schilderung der kindlichen Psyche läßt die Mutter jedoch nie als Liebesobjekt in Erscheinung treten, sondern betont von Anfang an den Objekt*wechsel*, d.h. jene Entwicklungsphase, die »unter dem Zeichen des männlichen Körpers steht« (174). Wenn die Mutter als Person eingeführt wird, von der das kleine Mädchen sich entsetzt abwendet, dann notiert der Text hier auch das problematische Verhältnis zwischen Frauen in der patriarchalen Ordnung. Das maßlose Begehren (sie »überfällt« das Kind mit ihrem Kuß) und das Desinteresse der Mutter (sie schiebt das Kind von sich »wie einen Gegenstand«) schildern auf der Textoberfläche eine Kränkung und eine tiefe Entfremdung. Diese Entfremdung ist zum einen bedingt durch die reale Machtlosigkeit der an den privaten – und das heißt für das Kind: banalen – Innenraum (Schlafzimmer) gebundenen Frau. Für die nach positiven, sprich mächtigen Identifikationsfiguren suchende Tochter bietet die Mutter lediglich das Bild hilfloser, wenngleich aggressiver Einsamkeit und wird deswegen zurückgewiesen. Zum anderen beruht die Entfremdung zwischen Mutter und Tochter auf dem unausgesprochenen Gesetz, demzufolge weibliches Begehren grundsätzlich auf Männer gerichtet ist und somit die Tochter als Liebesobjekt ausschließt.

Gleichzeitig wird der psychische Ursprung dieses Mutter-Tochter-Dilemmas beschrieben. Die expressive Sprache (vor allem die 'phallische Zunge'), mit der die Abwendung von der Mutter beschrieben wird, referiert auf ein psychisches Entwicklungsstadium, das durch die Angst, von einer als übermächtig empfundenen, phallischen Mutter verschlungen zu werden, bestimmt ist. In dieser Phase ringt das Kleinkind um Eigenständigkeit und Selbst-Bewußtsein und fühlt sich durch die Möglichkeit, in die ursprüngliche Ungeschiedenheit zwischen mütterlichem und eigenem Körper zurückzufallen, aufs äußerste bedroht. In seinem Aufsatz über das »Spiegelstadium« beschreibt Lacan einen Vorgang, der »vor jeder gesellschaftlichen Determinierung die Instanz des *Ich* (moi) auf einer fiktiven Linie situiert«[164]. Er bezieht sich hier auf die »jubilatorische« Reaktion des motorisch noch hilflosen Kleinkindes auf sein Spiegelbild. Die kindliche Ich-Wahrnehmung ist 'fiktiv', insofern das Spiegelbild die reale infantile Hilflosigkeit nicht hervortreten läßt und dem Kind statt dessen eine vom mütterlichen Körper getrennte, scheinbar vollkommene 'ganze' Gestalt vermittelt. Diese Fiktion wird durch den anerkennenden Blick der Mutter aufrechterhalten und bestätigt. »Das *Spiegelstadium* ist ein Drama, dessen innere Spannung von der Unzulänglichkeit auf die Antizipation überspringt«[165], insofern der Spiegel-Blick der Mutter auf das Kind eine Vollkommenheit antizipiert, die das Kind realiter nicht hat. Die Ich-Wahrnehmung des Kindes beruht also zunächst völlig auf der Anerkennung durch eine andere und ist dementsprechend verletzbar. Aus der Vorstellung, verschlungen zu werden, die später in Träumen als Bild vom zerstückelten und fragmentierten Körper wiederkehrt, spricht die Angst vor der Macht jener ersten Anderen, der das Kind zunächst völlig ausgeliefert war. Als Erinnerungsspur erhält sich diese Ambivalenz gegenüber dem (mütterlichen) Weiblichen im Unterbewußtsein als ein Wissen um die grundsätzlich *fiktive* Kohärenz des Subjekts und damit um die Verletzbarkeit von Identität. Dabei darf nicht vergessen werden, daß es die infantile Ohnmacht und nicht die faktische Realität ist, welche die Vorstellung von einer übermächtigen und bedrohlichen Mutter (Weiblichkeit) begründet.

Interessanterweise führt der Text das kleine Mädchen zwar als Kleinkind ein, doch der reflektierende *mütterliche* Spiegel-Blick wird unterschlagen; statt dessen werden die *väterlichen* »lächelnden schwarzen Augen« schon im ersten Satz erwähnt. Es ist der Vater, der »das kleine Ding« liebkost, sie als »Prinzessin« idealisiert und »vor einem entsetzlichen Absturz wieder auffangen« kann (173). Während der Vater so als starke Identifikationsfigur eingeführt wird, erscheint die Mutter durchweg als distanzierte und das Kind durch ihr unbefriedigtes Begehren kränkende Figur. Hier überschneiden sich die im Text aufgegriffenen psychischen und sozialen Effekte von Männlichkeit und Weiblichkeit. Die Suche des kleinen Mädchens nach Geschlechtsidentität orientiert sich an der nur scheinbar banalen Beobachtung von Differenz: »Es gibt also Männer und Frauen. Ihre Beschäftigungen sind verschieden« (174). Die Mutter erscheint an keiner Stelle des Textes als positive Identifikationsfigur, sondern bleibt als bedrohliches Mangelwesen ohne eigenen Ort und ohne Zärtlichkeit und Liebe für die Tochter im Hintergrund. Sie repräsentiert Weiblichkeit als unausgefüllte Anwesenheit, als Identität, die gänzlich auf das Begehren anderer (Männer) angewiesen ist. Ihr ständiges Ringen um Attraktivität (die Mutter befiehlt der Tochter, ihr die grauen Haare auszuziehen) wirkt aus der Perspektive der von ihr vernachlässigten Tochter wie ein verzweifelter Kampf »gegen das Fett und die Trägheit ihres unförmigen Körpers« (186). Die unbefriedigte Frau hat keine Beziehung zu ihrer Tochter; in den seltenen Momenten, in denen das kleine Mädchen sie umarmen will, schiebt sie sie von sich »wie einen Gegenstand«. Diese unsympathische bzw. traurig-einsame Mutterfigur verstärkt durch ihr Verhalten bzw. ihre Macht- und Hilflosigkeit die positive Besetzung des Vaters. Die der Frauendarstellung implizite Kritik an gesellschaftlich verordneten Weiblichkeitsrollen bzw. an der sozialen Irrelevanz der Frau bleibt schwach und unausformuliert. Es wird angedeutet, daß die Mutter zwar eine Beschäftigung hat, nämlich Tagebücher schreiben, doch spricht die Mutter nie mit ihrer Tochter über ihre niedergeschriebenen Reflexionen und Gedanken. Die hier aufblitzende potentiell kritische Erkenntnis, daß 'weibliche Schrift' keine Öffentlichkeit und somit keine soziale Bedeutung hat und deshalb 'unlesbar' für die Tochter ist, wird im Text nicht weiter verfolgt. Zürns Text beschreibt Weiblichkeit sowohl auf der psychischen wie auf der sozialen Ebene durchweg als Mangel und hilflose Einsamkeit und faßt die tödliche Konsequenz dieser Geschlechtsposition zusammen in dem Sprung des kleinen Mädchens aus dem Fenster.

Es darf allerdings nicht übersehen werden, daß der Text eine 'weibliche Alternative' zur Mutter anbietet. Das Dienstmädchen Frieda Splitter bietet ein idealisiertes Pendant zu der abweisenden Mutter-Figur, obwohl auch Frieda letztlich ein Mangelwesen ist. Das 'neue fremdartige Wesen' Frieda verkörpert im wahrsten Sinne des Wortes 'Splitter' von Weiblichkeitsklischees, die neu und faszinierend für das kleine Mädchen sind. Frieda taucht unter dem Vorzeichen des Reizvollen und Fremdartigen in der Welt des Kindes auf und lebt dem kleinen Mädchen – in Ergänzung zu den Bildern »von verschleierten Damen«, die der Vater aus dem nahen Orient schickt – eine populäre Stilisierung von Weiblichkeit vor. Sie erweckt sofort »den Eindruck einer großen Dame«, ihr Verhalten und ihre Aufmachung wirken verführerisch und aufregend auf das Gemüt des einsamen und neugierigen Kindes.

Sie trägt einen violetten, seidenen Unterrock mit weißen Spitzen. Ihre Lippen sind geschminkt und ihre Haare fallen in schwarzen Locken auf ihre nackten weißen Schultern. Sie duftet nach Fliederparfum. Ihre Fingernägel sind lang und rot. Die Absätze ihrer Schuhe sind hoch und zerbrechlich. Frieda raucht beim Lesen und ißt Schokoladenbonbons ... Frieda ist 18 Jahre alt und möchte Filmschauspielerin werden. (176)

Frieda repräsentiert die Wunschvorstellung von der weiblichen Macht: die Suche nach weiblicher Verführungs-Macht. Ihr Verhalten ist ganz auf den Blick und das Begehrens des Mannes abgestimmt und beeindruckt das nach weiblichen Vorbildern hungrige Mädchen nachhaltig. Sie identifiziert Frieda mit der 'jungen schönen Gräfin' aus der *Schloß Stolzenberg*-Lektüre und sehnt sich mit ihr nach einem passenden männlichen Verehrer:

... die junge schöne Gräfin reitet auf einem Schimmel zur Jagd. Eine grüne Feder weht an ihrem Hut. Sie hat einen Falken auf der Schulter. Im Gebüsch ist ihr Liebhaber versteckt. (176)

Doch der Text untergräbt diesen Trivialmythos von Weiblichkeit durch den kühlen Blick auf die reale Situation des Dienstmädchens:

Und bei all ihrer Schönheit arbeitet sie wie eine Besessene in dem großen Haus mit den vielen Zimmern. Die Arbeit ist schwer. Frieda ist sehr zart und fällt abends wie tot in ihr Bett. Leider hat sie einen häßlichen Freund: einen bejahrten Mann mit Bauch und Glatze und einem Auto…

Das Kind wollte gern, daß Frieda einen schönen jungen Prinzen zum Mann hätte und mit ihm in Schloß Stolzenberg wohnte. (177)

Sehr präzise wird hier der Effekt der idealisierenden Weiblichkeitsklischees herausgearbeitet: Die eskapistische Lektüre maskiert die harte Realität und läßt Frieda teilhaben an dem Mythos von Prinzessin und Märchenprinz. Und es ist das Bild von der schönen und aufregenden Frieda und nicht das müde und abgearbeitete Dienstmädchen oder die um männliche Aufmerksamkeit ringende Mutter, das sich in der Psyche des Kindes als Ideal von Weiblichkeit erhält. Dabei markiert die Nähe zwischen dem kleinen Mädchen und Frieda zugleich den Umschlag in die Pubertät und damit die sexuelle Aufladung der Vaterimago, die von jetzt an den Erzählfluß bestimmt.

Die Weiblichkeitsbilder, die der Text vorstellt, sind gezeichnet durch einen fundamentalen Mangel, dem nur durch eine »männliche Ergänzung« abgeholfen werden kann. Während sich der idealisierte Vater in einem räumlich und sozial weiten Rahmen frei bewegt, verharren die weiblichen Figuren in gespannter Erwartung auf einen von außen kommenden Mann oder ein von außen kommendes Ereignis. Diese Geschlechterkonstellation prägt das kindliche Verständnis vom eigenen und vom anderen Geschlecht und bestimmt nicht zuletzt die intensiv geschilderte Suche nach sexueller Ergänzung. Seitdem der Vater aus dem Krieg zurück ist, stellt das kleine Mädchen Beobachtungen zu der Differenz von Mann und Frau und zu ihrem Berührungspunkt an.

Wenn sie in ihrem Zimmer liegt und einschlafen soll, betrachtet sie das Fensterkreuz. Bei der Form des Kreuzes muß sie an Mann und Frau denken: die senkrechte Linie ist der Mann, die waagerechte ist die Frau. Der Punkt, in dem sich die beiden treffen, bedeutet ein Geheimnis. (Sie weiß nichts von der Liebe.) Die Männer tragen Hosen, die Frauen Röcke. Was sich unter den Hosen verbirgt, erfährt sie durch Beobachtung ihres Bruders. Was sie zwischen seinen Beinen sieht, wenn er sich entkleidet, erinnert sie an einen Schlüssel, und sie selbst trägt das Schloß in ihrem Schoß. Wie alle Kinder entdeckt sie die Bestimmung der Geschlechter. (174)

Diese fast lakonisch wirkende Beschreibung umreißt den ersten Versuch des kleinen Mädchens, das Rätsel der Sexualität zu lösen. Der nüchtern-sachliche Ton und der explizite Verweis, daß sie noch nichts von der Liebe weiß, betonen eine unvoreingenommene weibliche Neugierde im Umgang mit Sexualität, die selten Gegenstand literarischer Darstellung ist. Der Text verletzt ein Tabu, das in *Malina* durch die Stimme der Malina-Figur repräsentiert wurde, das Tabu nämlich, aus weiblicher Perspektive in literarischen Texten analytisch-deskriptiv über psychosexuelle Mechanismen nachzudenken. Präzise zeichnet Zürn Phasen infantiler Entwicklung nach und greift dabei Aspekte des lebhaft geführten zeitgenössischen psychologischen Diskurses über weibliche Sexualität auf. So umreißen die dargestellten Spiele und Phantasien des kleinen Mädchens die Phase frühkindlicher Sexualität, die Freud als »phallische Phase« bezeichnet hat, und die für das Mädchen angeblich zur »Erkenntnis ihres Penismangels oder besser ihrer Klitorisminderwertigkeit mit dauernden Folgen für ihre Charakterentwicklung« führt.[166] Im Gegensatz zu Freuds Behauptung sind die im Text für die Genitalien verwendeten Metaphern von Fensterkreuz, Schlüssel und Schloß jedoch nicht über das Paradigma von »Mangel« und »Minderwertigkeit«, sondern über die Kategorien von Ergänzung und Zuordnung organisiert. Diese Metaphorik bewertet den männlichen Körper nicht *höher*, sondern *noch* in *komplementärer* Differenz zum eigenen – eine angesichts der im Text beschriebenen Realität der Geschlechterordnung eher utopische Figur. Erklärbar wird sie durch die Tatsache, daß das Mädchen zum Zeitpunkt dieser Beobachtung noch ein sehr vages Bewußtsein von den wirklichen Machtverhältnissen zwischen Mann und Frau hat.

Die auf diese erste Beobachtung der Geschlechterdifferenz folgenden, ausführlich geschilderten weiblichen Sexualphantasien und Masturbationsszenen wirken auch heute noch provokativ und ungewöhnlich, vor allem wohl deshalb, weil sie dem hartnäckig sich erhaltenden Mythos von der weiblichen Scham widersprechen. (Ich zitiere eine dieser Masturbationsszenen vollständig.)

> Sie denkt nach, um auch für sich eine Ergänzung zu finden. Alle länglichen und harten Gegenstände, die sie in ihrem Zimmer findet, holt sie in ihr Bett und schiebt sie zwischen die Beine: eine kalte, blanke Schere, ein Lineal, einen Kamm und den Stiel einer Bürste. Den Blick auf das Fensterkreuz gerichtet, sucht sie nach einer männlichen Ergänzung für sich. Sie reitet auf den kalten Metallgittern ihres weißen Betts. Sie nimmt ihre goldene Halskette ab und zieht sie zwischen den Beinen hin und her. Sie betätigt sich fieberhaft, bis sie Schmerzen bekommt. Sie steht nachts heimlich auf und rutscht langsam die Treppe hinunter. Sie hat das Gefühl der Wollust zum ersten Mal im Schlaf kennengelernt und hat seither die Fähigkeit erworben, dieses Gefühl, wann immer sie es will, von neuem zu erzeugen. (175)

In dieser Phase der »fieberhaften« Masturbation, die mit der Erkenntnis der anatomischen Differenz einsetzt, sucht das Mädchen »nach einer männlichen Ergänzung für sich« (175) und stellt sich dabei immer wieder einen oder mehrere männliche Angreifer oder Verfolger vor, denen sie sich lustvoll und manchmal bis zu ihrem imaginierten Tod ergibt. Diese Vorstellungsspiele sind wie ihre Tag- und Nachtphantasien durch die Szenographie und das Drama von Flucht und Verfolgung, Verschwinden und Erscheinen, Angriff und Rettung bestimmt. Der Akzent liegt hier auf Träumerei und Phantasie: Die *Imagination* der an ihr verübten Gewalt und die daraus resultierende Unterwerfung versucht, eine Position eigenständiger Stärke zu errichten. In der Vorstellung des Mädchens konstituiert sich Stärke durch die Konfrontation mit einem mächtigen (männlichen) Anderen, durch die wiederholte Überwindung von Schmerz, Angst und Demütigung: »Sie leidet stumm und in masochistische Träumereien verloren, in denen die Gedanken der Rache und der Vergeltung völlig fehlen. Das Leiden und die Schmerzen bereiten ihr Vergnügen« (178). Wie in der weiblichen Mittäterschaft steckt »in der Unterwerfung unter einen idealisierten mächtigen Anderen ... der Wunsch, an ihn gebunden zu sein, mit ihm zu verschmelzen und so an seiner Macht, Stärke und Kontrolle als Eigenschaften des eigenen Selbst teilzuhaben«[167]. Die vermeintliche Passivität der Protagonistin ist also in Wahrheit eine angestrengte Aktivität, eine Einsicht, die Freud sehr vorsichtig andeutet, wenn er spekuliert, »es mag ein großes Stück Aktivität notwendig sein, um ein passives Ziel durchzusetzen«[168]. Die unausgesprochene Spielregel, der das kleine Mädchen in ihrer Suche nach Wollust folgt, lautet: je größer der erlittene Schmerz und die Angst, desto intensiver das Gefühl des Triumphes. Weibliche 'Heldenhaftigkeit' besteht nicht so sehr im Angreifen und Vernichten eines Gegners, sondern eher im Überstehen und Durchhalten eines erfahrenen Angriffs.

> Sie spielen Räuber und Prinzessin, und die Prinzessin fliegt von einem tiefen Gebüsch zum anderen, um sich vor den Räubern zu verbergen. Wird sie doch gefangen, so verwandeln sich die Räuber in Indianer, die ihr Opfer an den Marterpfahl binden und mit Pfeil und Bogen nach ihm schießen. Das Spiel wird gefährlich und das ist es, was sie will. Man verbindet ihr die Augen. Man zündet ein Feuer an, so dicht, daß ihr Kleid anfängt zu brennen. Man reißt sie an den Haaren, man kneift sie, man boxt sie. Keine Klage kommt über ihre Lippen. Sie leidet stumm und in masochistische Träumereien verloren, in denen die Gedanken der Rache und der Vergeltung vollkommen fehlen. Sie zerrt an ihren Fesseln und spürt mit Wollust, wie die Fesseln tief in ihr Fleisch einschneiden. Man verhöhnt sie, man macht sie lächerlich. Sie aber ahmt das stille beherrschte Gesicht von Eckbert nach und wird schließlich als unüberwindliche Heldin losgebunden. (177f.)

Die Erzählstimme überholt hier wie so oft die Unmittelbarkeit des erlebenden kindlichen Bewußtseins und bedient sich des psychoanalytischen Registers. Während Freuds frühe Vorstellung vom

Masochismus die »passiven Einstellungen zum Sexualleben und Sexualobjekt«[169] in den Vordergrund stellt, spricht der Text die Aktivität des Mädchens mit aus und beschreibt sie als ein durch die masochistische Rolle gefordertes angestrengtes Beherrschungsritual. Wenn der Text wie hier auf das Netz von sozialen und psychischen Zuschreibungen von Weiblichkeit rekurriert, so geschieht dies fast immer mit einer Verschiebung oder Relativierung. Zürn greift die Rede vom weiblichen Masochismus auf, stellt jedoch die traditionelle Gleichsetzung von männlichem Sadismus und Aktivität und weiblichem Masochismus und Passivität in Frage.[170] Was bei dieser Lesart allerdings nicht unterschlagen werden darf, ist die Tatsache, daß die Position der Stärke, die das kleine Mädchen sich erkämpft, notwendigerweise eine männliche Position *imitieren* muß: Sie ahmt das »beherrschte Gesicht von Eckbert nach«. D.h., obgleich der Text das semantische Zuordnungssystem verschiebt, bleibt das soziale, d.h. das geschlechtsspezifische Zuordnungssystem von Stärke und Schwäche unangetastet. Das Mädchen bzw. die Frau muß sich als männlich imaginieren, um zu überleben[171], eine fatale Verstrickung, wie der Sturz aus dem Fenster deutlich zeigt.

Im Zusammenhang mit dem Diskurs und den Konstruktionen weiblicher Sexualität ist die im Text exponierte Differenz zwischen Phantasie und Realität extrem wichtig, insofern sie dem aus weiblichen Unterwerfungsphantasien abgeleiteten (Kurz-)Schluß, Frauen wollten überwältigt bzw. vergewaltigt werden, widerspricht. Obgleich sich die kindliche Identität an der *Vorstellung* eines überwältigten und Schmerzen erleidenden Helden orientiert, bewirkt die Gewalt der *realen* Vergewaltigung durch den Bruder eine permanente und tiefgreifende Kränkung. Demütigend schon durch die Tatsache, daß der Bruder nicht zu ihren »Heldengestalten« gehört, also kein »mächtiger Anderer« ist, daß sie ihn verachtet, weil er nur »ein dummer Junge von sechzehn Jahren ist« (181), ist sie hilflos – und in diesem Sinne wahrhaft passiv – seiner Überlegenheit ausgeliefert. Sie fühlt nur »einen stechenden Schmerz und sonst nichts«, als »er sein 'Messer' (wie sie es nennt) in ihre 'Wunde'« bohrt (181). Die Rede von der weiblichen »Wunde« zitiert Freuds Vokabular; im textuellen Zusammenhang wird diese Metapher jedoch gleichzeitig ernstgenommen als Ausdruck der physischen und psychischen Verletzbarkeit der Frau. Der im Bild von 'Wunde' und 'Messer' vorgestellte sexuelle Akt wird zum Paradigma des von dem kleinen Mädchen zum ersten Mal schmerzhaft empfundenen Ungleichgewichts in der Beziehung zwischen Mann und Frau. Nicht der von Freud hypostasierte weibliche Penisneid bildet die Prämisse für die Abwendung des kleinen Mädchens von der Sexualität, sondern die reale, durch eine Vergewaltigung erlittene Kränkung. Hier korrigiert der Text die Flut männlicher Diskurse über das weibliche Begehren mit einem Realitätssplitter, der auf die geltenden Machtverhältnisse Bezug nimmt.

Sie ist beschämt und enttäuscht. Ihre nächtliche Hingabe an den dunklen Kreis der Männer um ihr Bett ist erregend und wollüstig genug, um auf diese *armselige* Wirklichkeit, die von ihrem Bruder kommt, zu verzichten ... Sie ist beleidigt und wütend. Das Erlebnis macht Bruder und Schwester zu Todfeinden. (181, Hervorherbung S.B.)

Der Vergleich zwischen der bloß phantasierten Hingabe und der realen Überwältigung, die als »armselige Wirklichkeit« defizitär und kränkend für das Mädchen ist, macht erneut darauf aufmerksam, daß die Positionen von Schwäche und Stärke sich an die Differenz von Realität und Phantasie binden. Wer sich in der Phantasie in die Situation der Erniedrigung begibt, hebt sie dadurch wieder auf, »denn wer seine Unterwerfung mitinszeniert, ist nicht mehr unterworfen«[172]. Und das steht im Kontrast zu der real erfahrenen Erniedrigung in der Vergewaltigung durch den Bruder: Was dort erniedrigende Schwäche ist, ist in der Phantasie die Stärke der kontrollierenden Inszenierung. Zürn arbeitet hier das Dilemma weiblicher Existenzweise sehr präzise auf, zum einen, insofern das kleine Mädchen die Position von Stärke und Kontrolle nur über Vorstellungs-Spiele herstellen kann, und zum anderen, insofern diese Position nur als »männlich« gedacht werden kann, das eigene Geschlecht also geleugnet werden muß.

Was bedeutet das in Hinblick auf die extremen Unterwerfungsphantasien und -spiele, welche die Grenze zum Tod überschreiten und die Vergewaltigungsszene episodisch einrahmen? An dem fast unmittelbar nach ihrer Vergewaltigung beschriebenen Traum »von Gewalt, die ein dunkler Mann an ihr verübt«, läßt sich zeigen, welchen Effekt das Bild des »wilden mörderischen Mann[es]« hat und welche Funktion es in der Psyche des kleinen Mädchens übernimmt. Wie Jessica Benjamin in ihrer grundlegenden Studie über die »Bedeutung der Unterwerfung in erotischen Beziehungen« feststellt, sind derartige sexuelle Phantasien getragen von einer kontrollierten Form der Gewalt, die auf den Ablösungsprozeß von der Mutter zurückgehen und sowohl den Wunsch nach Unabhängigkeit wie das Verlangen nach Anerkennung in Szene setzen.[173] Der »wilde Mann« ist ein mächtiger Anderer, jemand, dessen Blick und Begehren Anerkennung und Identität verschaffen: Das kleine Mädchen »fühlt sich unendlich geehrt, im Mittelpunkt der Aufmerksamkeit dieser Männer zu sein« (183). Benjamin weist auf Hegels Gedanken, daß sich das unabhängige Selbst nur entwickeln kann durch die Erfahrung, daß die eigene Handlung oder – wie in diesem Falle – der eigene Körper einen anderen zu bewegen vermag.[174]

Weil der Körper für Geschiedenheit, Individualität und Leben steht, durchbricht eine körperliche Verletzung in der Erotik das Tabu der Grenze von Leben und Tod und verletzt die Geschiedenheit des anderen... Der Zusammenbruch der (individuellen) Spannung zwischen Leben und Tod und zwischen Selbstbestätigung und Verlust des Selbst wird im Verhältnis zwischen Angreifer und Opfer realisiert: Die eine Person hält die eigenen Grenzen aufrecht, die andere läßt es zu, daß die Grenzen aufgebrochen werden.[175]

Hinter dem permissiven Begehren des Opfers steht demnach der Wunsch, der abgetrennten isolierten Existenz des Körpers zu entfliehen und in den Zustand der Ungeschiedenheit zurückzukehren. (Ironischerweise wäre diese Regression eine Rückkehr in den mütterlichen Körper, dem das Mädchen entfremdet ist.) In der Vorstellung des kleinen Mädchens gestaltet sich das folgendermaßen:

Sie sind gekommen, um sie zu töten. Das ist eine große Ehre für sie. Sie sind Könige, Fürsten und Prinzen... Nicht immer erlebt sie diese Szene bis zu ihrem Tod, der durch tausend langsame oder hinausgezögerte Messerstiche erfolgt. Es ist ihr verboten, zu schreien oder das Gesicht zu verändern. Ein Messer bohrt sich langsam in ihre 'Wunde' und wird zur heißen, beweglichen Zunge des Hundes. Während die die Wollust erleidet, schneidet ein Indianer ihr langsam die Kehle durch. (183)

Ausgedrückt wird in dieser Phantasie auch ein Dilemma spezifisch weiblicher Existenz, daß »die Phantasie körperlicher Schmerzen, manchmal sogar deren Realität ... bevorzugt [wird] vor... den erschreckenden Gefühlen der Einsamkeit und Hilflosigkeit«[176]. Die Einsamkeit des kleinen Mädchens (»Frieda ist fort. Ihr Vater ist fort. Sie haßt ihre Mutter und hat keinen Kontakt zu ihrem Bruder«, 178) wird überwunden durch die Vorstellung, im Mittelpunkt männlichmächtiger Aufmerksamkeit zu stehen. Fatal daran ist das eskapistische Element: Weibliche Stärke bleibt eine bloße Wunschvorstellung, und zwar eine Vorstellung, die sich an den Mann und seine Zuwendung bindet, die wiederum mit Erniedrigung, sogar Tod verbunden ist.

Die im Text nüchtern beschriebenen intensiven Überwältigungsphantasien stehen in einer unentwegten Spannung zu der als enttäuschend und degradierend empfundenen realen Begegnung der Geschlechter, die auch durch die Begegnung mit einem Exhibitionisten dargestellt wird. Das kleine Mädchen empfindet das reale entblößte Geschlechtsteil des Fremden als »blendend und erschütternd«, doch sobald die unmittelbare Gefahr vorüber ist, bietet dieses Erlebnis Material für die aufregende Vorstellung: »Wenn er jetzt draußen wäre, ich würde hingehen und das Ding anfassen« (185). Solche Phantasien indizieren einerseits die Erregung durch und die Angst vor der Sexualität und sind andererseits Strategien, mit dieser Ambivalenz fertigzuwerden. Eine Mischung aus Schrecken und Faszination durchzieht die masochistischen oder erotischen Phantasien. Die immer wieder beschriebene Choreographie von Flucht und Verfolgung, Angriff und Verteidigung ist Ausdruck einer symbolischen Konfliktlösung, der weibliche Versuch, an der Macht des idealisierten Anderen teilzuhaben, um so die Kontrolle über das eigene Begehren zu behalten. Daß diese Konfliktlösung allerdings keine reale Position von Stärke und Unabhängigkeit errichten kann, wird durch den Selbstmord des kleinen Mädchens sehr deutlich.

Die Radikalität der Schilderung von weiblichen Überwältigungsphantasien wirkt noch heute ungewöhnlich und bricht mit dem Tabu, mit dem die Verbindung zwischen Gewalt und Lust grundsätzlich belegt ist. Freud behandelt sie anfänglich unter der Rubrik der »Sexuellen Abirrungen« und vertritt schon sehr früh die nach wie vor provokative Ansicht, »daß Grausamkeit und Sexualität innigst zusammengehören«[177]. Diese Überzeugung wird durch seine analytische Praxis gestützt, wie u.a. die spätere Studie »Ein Kind wird geschlagen« zeigt. Freuds Behauptung, daß die Sexualität »zu den gefährlichsten Betätigungen des Individuums« gehöre[178], macht auf Ängste und Narben in der frühen Beziehungsgeschichte aufmerksam, mit denen insbesondere die Macht der Triebe das Individuum immer wieder konfrontiert.[179] Zürns Darstellung der kindlichen erotischen Phantasien reflektiert eine Facette von Sexualität, die besonders Ende der sechziger Jahre in Deutschland und Frankreich im Gespräch war und auch heute wieder aktuell geworden ist. Nicht zufällig erscheinen 1969 so explizite Sexualfiktionen wie *Fanny Hill* und *Josefine Mutzenbacher*, sondern auch *Rückkehr nach Roissy*, die Fortsetzung der skandalösen Studie sexueller Unterdrückung *Geschichte der O.* Die *Geschichte der O* war 1954 unter dem Pseudonym Pauline Réage zuerst in Frankreich erschienen und hatte nicht nur unerhörtes Aufsehen erregt, sondern auch zu viel Spekulationen über den wirklichen Autor geführt. Das Vorwort von *Rückkehr nach Roissy*, 1969 in der *Zeit* veröffentlicht, nimmt implizit auf diese Kontroversen Bezug: Der Vorname Pauline sei, so heißt es dort, Hommage an zwei berühmte Kokotten, Pauline Borghèse und Pauline Roland[180], Ort und Handlung seien ebenso authentisch wie fiktiv. Als Reaktion auf die lebhafte Kontroverse um den Autor und den Wahrheitsgehalt des Dargestellten entwickelt das Vorwort nicht ohne Ironie retrospektiv einen heuristischen Rahmen. So heißt es lapidar, die Erzählerin habe ihrem Liebhaber angeboten, »Geschichten zu schreiben, die [ihm!] gefallen«, um die räumliche und zeitliche Begrenztheit der Liebesaffäre durch das Aufschreiben ihrer sexuellen Phantasien zu erweitern, es gleichsam von der Unmittelbarkeit des realen Erlebens zu lösen und jederzeit verfügbar zu machen. Die sich hier Gehör verschaffende Fiktion einer weiblichen Stimme protestiert gegen bürgerliche Doppelmoral und versteht sich als Anwalt einer kollektiven, doch öffentlich unterdrückten erotischen Triebwelt: Es spricht »der auf lange Zeit stumme Teil von irgend jemandem, der nächtliche und geheime Teil, der sich niemals durch eine Tat oder Geste verrät, sondern über die Schleichwege des Imaginären mit Träumen umgeht, die so alt sind wie die Welt«[181]. Anders als bei den gleichzeitig veröffentlichten Memoiren der Mutzenbacher, die unter Umständen noch unter der Rubrik 'galante Literatur' in den Bücherschrank übernommen werden konnten[182], insistiert Réage darauf, die *Geschichte der O* als kritischen und provokativen Sozialkommentar zu lesen. Die dramatisch entfaltete Szenographie von sexueller Unterdrückung und Unterwerfung sei, so heißt es, Metapher für eine kollektive psychische Struktur, insofern »es in uns immer einen gibt, den wir anketten, den wir einsperren, den wir zum Schweigen bringen«[183]. Der Sexus als gesellschaftlich zurechtgestutzter Trieb: Das erinnert an die Vorstellungsbilder der Surrealisten und an deren provokative Herausforderung der domestizierten Sexualität. Auch in der *Geschichte der O* wird Sexualität zu einer kritischen Kategorie, an der die Wahrheit des Subjekts gemessen wird, d.h. ehrlich sind diejenigen, die entgegen den zivilisatorischen Repressionen ihre Unterdrückungs- bzw. Beherrschungstriebe nicht verleugnen, sondern ausleben.[184] Was Réage trotz der postulierten kritischen Absicht allerdings hartnäckig unterschlägt, ist die Tatsache, daß das Subjekt, dessen Wahrheit im Namen des Körpers verkündet wird, männlich ist und bleibt. Unterschlagen wird auch, daß hier wieder ein Mann Fiktionen und Bilder *über* das weibliche Begehren entwirft und daß die Position desjenigen, der 'eingesperrt' und 'zum Schweigen gebracht wird', anscheinend von der Frau besetzt bleiben muß.

Erotische Explizitheit scheint grundsätzlich die Antwort auf den repressiven Umgang mit Sexualität in den fünfziger und frühen sechziger Jahren zu sein. Dieter Zimmer, der in der gleichen Ausgabe der *Zeit* Réages Vorwort kommentiert, begreift die *Geschichte der O* als Warnung angesichts des sexuellen Fortschrittsglaubens der Gegenwart. »Sofern man den Begriff nicht wertend, sondern klassifizierend gebraucht«, sei der Text pornographisch, doch »'Pornographie' und das, was wir als 'Kunst' zu bezeichnen gewöhnt sind, müssen sich nicht ausschließen«[185]. Dabei verfällt er jedoch unabsichtlich wieder in das 'klassische' bürgerliche Werteregister von 'gesund' und 'ungesund', wenn er die Darstellung der Sexualität als pathologisch, als »eine tragische Krankheit« bezeichnet. Diese 'Tragik' sei es nämlich, die sowohl den progressiven wie den konservativen Gruppen einen kritischen Spiegel in bezug auf ihr Verständnis von Sexualität vorhalte.

Was sowohl die *Geschichte der O* wie auch Zürns Geschichte des kleinen Mädchens offenlegen ist die schockierende Szenographie einer 'anderen Subjektivität', einer aggressiven bzw. selbstdestruktiven Verfassung, die Freud 1930 fast resignativ als ein »gern verleugnetes Stück Wirklichkeit«[186] bezeichnet. Die Inszenierung des Verhältnisses zwischen der sich unterwerfenden O und den sie beherrschenden Männern bestätigt Freuds Beobachtung, daß »das grausame Spiel ... das zärtliche ersetzen«[187] kann, daß Gewalt und Lust eine enge Verbindung eingehen können. Solange sich die bürgerliche Liebesideologie jedoch moralistisch an den Kategorien von Zärtlichkeit, Ergänzung und Harmonie orientiert, wirkt diese Verbindung skandalös, wie unter anderem die lautstarke Empörung demonstriert, die Filme wie *Im Reich der Sinne* (1976), *Blue Velvet* (1986) und nicht zuletzt *Basic Instinct* (1992) auslösten. Solange der Zusammenhang von Gewalt und Liebe verleugnet bzw. lediglich aus voyeuristischer Sensationslust und mit geschlechtsideologischer Verzerrung[188] vorgeführt wird, stellen sowohl die *Geschichte der O* als auch die Geschichte des kleinen Mädchens in »Dunkler Frühling« einen sozialen und ästhetischen Affront dar. Im Gegensatz zu der *Geschichte der O* deckt »Dunkler Frühling« jedoch psychische und soziale Machtstrukturen mit auf, welche den Zusammenhang zwischen weiblicher Sexualität und Unterwerfungsverlangen offenlegen, und arbeitet dessen fatale Konsequenzen heraus: Trotz aller Imaginationen von Macht und Stärke ist eine gesellschaftlich prinzipiell unterworfene Subjektivität nicht überlebensfähig. In ihrer Analyse erotischer Gewaltverhältnisse präzisiert Jessica Benjamin den Affront, den beide Texte darstellen, zu der unangenehmen Wahrheit, »daß Menschen wirklich ihrer eigenen Unterwerfung zustimmen können, und daß auch in den Phantasien derjenigen, die sie nicht ausleben, Unterwerfungswünsche eine große Rolle spielen«[189]. Diese Unterwerfung, so behauptet Benjamin, geschieht nicht immer aus Angst, »sondern auch weil es ihren tiefsten Wünschen entspricht«[190], eine kontroverse These, die noch brisanter wird, hält man sie gegen die 1969 in den USA erschienene und für die feministische Bewegung bahnbrechende Studie von Kate Millet, die den Zusammenhang von *Sexus und Herrschaft* zum Thema macht. Die dort auf vielen Ebenen und an reichhaltigem Material illustrierte Einsicht, daß die Frau einer *unfreiwillig* erlittenen Unterdrückung ausgesetzt ist, war so schlagkräftig, daß es zu dieser Zeit undenkbar war, die *freiwillige* Unterwerfung der Frau auch nur zu phantasieren. Das ist kaum überraschend, zumal selbst die Vorstellung eines »tiefsten Wunsches« der Frau, einer »freiwilligen« weiblichen Unterwerfung fragwürdig ist, solange ein Geschlecht das andere dominiert bzw. sich anmaßt, für beide zu sprechen. Dementsprechend beschäftigte sich die Neue Frauenbewegung in ihren Anfängen mit der weiblichen Sexualität entlang den Begriffen von Überwältigung und Ohnmacht, so z.B. Alice Schwarzer in ihrer Studie *Der 'kleine Unterschied' und seine großen Folgen*. Dort heißt es zusammenfassend:

> Die Beziehungen zwischen Mann und Frau sind heute so eindeutig Machtbeziehungen (selbst da, wo Männer an ihrer Rolle zweifeln oder zerbrechen), daß auch die weibliche Sexualität nur wieder Ausdruck weiblicher Ohnmacht sein kann.[191]

Als Reaktion auf die Erkenntnis der permanenten sozialen, psychischen und physischen Vergewaltigung der Frau durch den Mann entsteht in den siebziger Jahren die Fiktion einer weiblichen 'Kuschelsexualität', eine Fiktion, die Ausdruck des verständlichen Begehrens ist, dem Kreislauf der sexuellen Gewalt zu entfliehen. Das wohl bekannteste Dokument der Enttäuschung über die Mann-Frau-Beziehung und der daraus resultierenden Suche nach einer 'anderen' Lust ist Verena Stefans *Häutungen*, ein Zeitdokument, auf das ich später noch eingehen werde. Nach dem Motto »Abstand halten vom potentiell gewalttätigen Mann« explorieren Frauen andere Formen von Erotik, die im September 1974 in einem *Spiegel*-Titel als »Frauen lieben Frauen. Die neue Zärtlichkeit« bezeichnet werden. Treffend wird in dem dazugehörigen Leitartikel darauf hingewiesen, in welchem Ausmaß die Vorstellungen und Bilder dieser Erotik auf männlichen Projektionen beruhen. Die Liebesrealität der lesbischen Frauen hat sicher nichts mit den Softporno-Bildern von einem Film wie etwa *Emanuelle* (1974) zu tun. Doch im Unterschied zur männlichen Homosexualität eignet sich die lesbische Beziehung besser zur voyeuristischen Verzuckerung[192], die die Akteurinnen ironischerweise wiederum zum Opfer jener männlichen Sexualordnung werden läßt, der sie gerade entfliehen wollen. In Ariane Barths *Spiegel*-Artikel »Schau mir in die Augen, Kleiner« vom 7. Januar 1991 wird ein Überblick über die »Emanzipation der weiblichen Lust« als auch über die jüngsten Trends in der feministischen Diskussion gegeben. Dort heißt es in bezug auf die aktuelle Diskussion der Verbindung von Sexualität und Aggressivität:

Es rächt sich auf subtile Weise in den eigenen Reihen, daß die Frauenbewegung den aggressiven Part dem Männergeschlecht zugeschoben hat. Zu Recht wurde die körperliche Gewalt gegen Frauen angeprangert, doch wie in einem Atemzug bekam auch die Sexualität als solche das Stigma »Gewalt« verpaßt. Im »mädchenschulhaften Klima«, wie die Politologin Ulrike Heider in *Psychologie heute* höhnte, wurde ein »infantiler Kuschelsex« propagiert, von dem frau inzwischen mit »lautstarker Distanzierung« nichts mehr wissen will.[193]

Balanciert wird die 'lautstarke Distanzierung vom infantilen Kuschelsex', wie mir scheint, allerdings durch eine differenziert geführte Diskussion der Sexualität, welche Momente potentieller Verletzung und Gewalt in den Kontext einer Sinnlichkeit zurückholt, die als Triebkraft jenseits aller Domestizierungswünsche im sozialen Untergrund existiert.[194] So wird in dem gleichen *Spiegel*-Artikel z.B. Jessica Benjamin zitiert, deren »intersubjektive Theorie« darauf dringt, traditionelle Muster von Subjekt und Objekt, Sadismus und Masochismus in Frage zu stellen. Benjamin beschreibt den Unterschied zwischen Sexualität und Erotik folgendermaßen:

Eros unterscheidet sich nicht etwa dadurch von Perversion, daß er frei von Macht- und Unterwerfungsphantasien wäre, denn Eros reinigt die sexuellen Phantasien nicht, er spielt mit ihnen. Der Begriff der Zerstörung erinnert uns daran, daß ein Stück Aggression im Liebesleben notwendig ist. Doch erst das Überleben, der Unterschied, den der andere setzt, unterscheidet die erotische Vereinigung, die mit der Dominanzphantasie spielt, von realer Herrschaft.[195]

Zürns Text antizipiert diese Diskussion, insofern er das Drama der Sexualität nicht polemisch entlang der vorwurfsvollen Kontur 'Angreifer = Mann = aktiv' bzw. 'Opfer = Frau = passiv' entwickelt. Durch die unvoreingenommene Offenheit und den Kontrast zwischen der sachlichen Erzählstimme und den involvierten Phantasien imitiert die Erzählung anscheinend vorurteilsfrei den Schock und die Intensität, den die Sexualität in der Psyche des Kindes auslöst. Die von der Protagonistin »fieberhaft« betriebene Suche nach »Ergänzung« beschreibt Strategien, mit der Überwältigung durch den eigenen Körper fertigzuwerden. Die erotischen Phantasien können zunächst – als inszeniertes Ver-Stellungsspiel – die gefürchtete

Vernichtung durch die Gewalt der Triebe abwenden, doch in letzter Konsequenz ist dieses Spiel eine Annullierung der Realität, geboren aus wirklicher weiblicher Ohnmacht, und endet deshalb tödlich.

Die immer wieder dargestellte Figur des »wilden Mannes«, des starken Anderen, an dem sich die kindliche Phantasie abarbeitet, kann durchaus als radikalisierte Form des Prinzenklischees gedeutet werden. Barbara Sichtermann behauptet mit Recht, daß Klischees nicht »ohne Spuren eines wirklichen kollektiven Wunsches« überleben können.[196] Sie liest die Ritterfigur als Ausdruck einer Wende und eines Neubeginns, als Abschieds- und Aufbruchsphantasie und warnt vor einer vorschnellen feministischen Verurteilung der darin beschriebenen Rollenzuweisungen.

> Für eine Frau, die ihre Lust mit Vergewaltigungsphantasien steigert, ist die Gewaltsamkeit des Akts nur ein [sic] Chiffre für die Gewalt ihres eigenen Verlangens... Genauso scheint mir der 'Ritter' nichts anderes als eine Chiffre für die Liebe selbst bzw. für die 'herangewachsenen' Leibwünsche, für die Sexualität.[197]

Akzeptiert man diese Substitution, löst sich die polemische Diskussion um die geschlechtsspezifische Zuweisung von Aktivität und Passivität in Mythen und Klischees zunächst auf. Doch der Akzent, den die destruktiven Elemente in den erotischen Phantasien des kleinen Mädchens erhalten, verweist auf die fragile Position des weiblichen Subjekts im Diskurs über Begehren und Liebe. In der masochistischen Phantasie drückt sich nicht zuletzt ein regressives Verlangen nach Erlösung aus: das Verlangen, den eigenen Trieb stillzustellen und damit der Antiklimax der »bedrückenden Leere« zu entgehen. Die von Zürn beschriebene Suche nach Ergänzung beschreibt eine psychische und soziale Spannung, die Jessica Benjamins Modell einer »widerspruchsfreien Erotik« als utopisch erscheinen läßt, insofern nur einer, der Mann, erreicht, was er will, »nur weil er stärker als [das Mädchen] war«. Während der traditionelle Liebesdiskurs die Frau als Liebesobjekt und den Mann als Liebessubjekt entwirft, sucht Zürn hier einem weiblichen Begehren, das auf ein männliches Liebesobjekt gerichtet ist, Ausdruck zu geben und schreibt letzten Endes doch nur die himmelweite Entfernung zwischen der Liebenden und dem Geliebten fest. In ihrem Essay »'Von einem Silbermesser zerteilt' – Über die Schwierigkeiten für Frauen, Objekte zu bilden, und über die Folgen dieser Schwierigkeiten für die Liebe« behauptet Sichtermann, daß Frauen »beim Objekte-Bilden in der sozialen Welt von einer historischen Schwäche behindert« seien. Im Gegensatz zu Männern gelänge ihnen »das Zugreifen *und* das Loslassen«, das »erst ein Objekte-Bilden im Sinne einer souveränen Aneignung, die auch wieder hergeben kann und will«, ausmacht, weit weniger. Das, so folgert die Autorin, sei u.a. bedingt durch den zähen Widerstand, den Männer dem potientiellen Ergriffenwerden, mithin ihrem Objektstatus, entgegensetzen:

> Das weibliche Begehren ist ein gebrochener, zerstückelter, verbogener, entstellter Trieb. Schon während er sein Objekt noch sucht, wird er gehemmt, umgeleitet, zum Schweigen gebracht. Nicht nur, weil Frauen wie gesagt subjektive Schwierigkeiten haben, Objekte zu bilden, sondern auch, sondern vornehmlich, weil die potentiellen Objekte dem Ergriffenwerden einen zähen Widerstand bieten ...[198]

Zürn weiß um diese Schwierigkeit, die beide Geschlechter auf unterschiedliche Weise in der Liebe erfahren, und radikalisiert sie, indem sie das weibliche Subjekt in einer strengen und luziden Distanz zum Liebesobjekt verharren läßt und damit reale Enttäuschungen abwendet. Diese Distanz, die im Grunde ein eskapistisches Verlangen nach Täuschung fortschreibt, produziert hymnische Lobreden auf den Geliebten bzw. auf die Macht der Liebe, eine selbstreferentielle Rhetorik also, die den real verspürten Mangel phantastisch überspielt und in der Fluchtbewegung aus der Realität einen endlosen Liebestext produziert. Die Sehnsucht nach dem Mann verschiebt sich so auf die Liebe selbst – doch die Liebe ist eben jenes widerständige Subjekt, das, wie in dem Anagramm »Ich weiß nicht, wie man die Liebe macht« geschildert, sich nicht zum Objekt machen läßt.

»Wer könnte die Liebe ertragen, ohne daran zu sterben«: Auch eine Liebesstrategie

> Auch im Eintreten von etwas ist noch ein Etwas, das hinter sich zurückbleibt ... Und in jeder Erfüllung, selbst in der, die dem Zielbild sozusagen zum Verwechseln ähnlich sieht, steckt ein Stückwerk des Aktiven, das der Schwäche des Verwirklichens zur Last fällt ...
>
> Ernst Bloch, *Prinzip Hoffnung*

Das kleine Mädchen sucht unentwegt »nach einer wirklichen Ergänzung und findet keine. Alles ist falsch« (182). Aus diesem Gefühl der Leere heraus verliebt sie sich plötzlich in Eckbert, dessen »chinesisches, unbewegliches Gesicht« und Schweigsamkeit ihn geheimnisvoll und anziehend machen. Die beiden entwickeln ein Liebes-Spiel, das ganz ohne körperliche Berührungen im Austausch von »Liebesbriefen« besteht. In einer für diese Briefe erfundenen Geheimschrift partizipieren sie mit kindlichem Ernst am Pathos des Liebesdiskurses:

»Ich liebe dich! Ewig Dein Eckbert.« ... »Ich liebe dich noch länger als die Ewigkeit und heißer als das Feuer.« ... »Wenn du in Todesgefahr bist, werde ich dich retten, und wenn ich es mit meinem Leben bezahlen müßte.« »Du bist die Schönste, die es auf der Welt gibt. Ich schlage jeden tot, der das Gegenteil behauptet ...« (188f.)

Diese Liebes- und Treueschwüre, verschlüsselt aufgeschrieben und sorgfältig versteckt, um nur von der auserwählten Person gefunden zu werden, grenzen den Raum der Liebe gegen die Außenwelt ab und schaffen – gemäß der traditionellen Regieanweisung – einen ganz privaten Innenraum, der gegenüber dem potentiell feindlichen Außen geschützt werden muß. Doch das kleine Mädchen setzt diesem Versteck- und Findespiel eine klare Grenze, die Eckbert nicht versteht:

Das Spiel wäre aus, wenn er ihr einen Kuß geben würde. Sie möchte immer in der Erwartung leben. Mit einem Kuß wäre alles beendet. Was soll danach kommen? Mit dem zweiten Kuß wird alles schon Gewohnheit. Sie steht auf und läuft schluchzend fort. Ist die Liebe so kurz? Gibt es gar nichts anderes als Küsse? Umarmungen? Und dann alles, was ihr Bruder mit ihr gemacht hat? Ist das wirklich schon alles? (189)

Die Liebe besteht für sie in einem unendlichen Erwartungsbogen, dem keine reale Erfüllung entspricht. Sie ist Einspruch gegen das Gewohnte, das extreme Gegenteil von Gewohnheit. Man wird hier erneut an die Figur erinnert, die das Anagramm »Ich weiß nicht, wie man die Liebe macht« beschreibt, an eine Liebeskonstellation, die sich im »Wachen und Bitten«, »im Eis des Niemals« erschöpft und erfüllt. Dieses Sehnen wird von Barthes als »Hunger ohne Sättigung« beschrieben, als zirkuläre und unendliche Bewegung, die weniger den Anderen als vielmehr sich selbst meint:

Im Liebessehnen bricht etwas auf, ohne Ziel; so als ob die Begierde nichts anderes wäre als dieser Blutandrang. Das also ist die Ermattung des Liebenden: ein Hunger ohne Sättigung, das klaffende Gieren der Liebe.[199]

Um nicht in die Banalität der Gewohnheit abzurutschen, wird die Liebe als Erwartungshaltung, als Hoffnung im Subjekt fixiert und so von der »armseligen Realität« ferngehalten. Das kleine Mädchen will sich den 'Fluchtraum Liebe' erhalten, das Außergewöhnliche des Gefühls nicht durch die Eindeutigkeit der als schmerzhaft erlebten körperlichen Vereinigung kontaminieren.

Auf der Achse der psychischen Entwicklung wird hier die »Abwendung vom Sexualleben« beschrieben, die Freud für die Frau durch die Erkenntnis ihres »Penismangels oder besser ihrer Klitorisminderwertigkeit« begründet. Und obgleich die Behauptung eines von weiblicher Seite empfundenen Mangels oder sogar einer Minderwertigkeit zu Recht als männliche Hypostasierung von weiblicher Sexualität angegriffen und einer grundsätzlichen Revision unterzogen wurde[200], stellt der Text durchaus einen Mangel fest: den Mangel an Erfüllung. Zürn beschreibt eindringlich, wie die Liebeserwartung des kleinen Mädchens als Zirkel der Hoffnung und Enttäuschung in sich kreist. Der hochgespannten Erwartung folgt eine dementsprechend tiefe Enttäuschung. Diese Enttäuschung ist zum einen bedingt durch die »beschämende« Realität der Vergewaltigung, aber weit mehr noch durch die Erfahrung, daß eine »wirkliche Ergänzung« illusionär bleibt, daß selbst die immer wieder erlebte Wollust das latente Gefühl der »bedrückenden Leere« nicht aufheben kann. Auf diese Spannung antwortet eine gesteigerte und erregte Phantasie, die als eskapistische Gewalt das Leben des kleinen Mädchens bestimmt: »Mit aller Gewalt muß sie sich in die Phantasie retten, um das Leben zu ertragen« (187).

Die Eckbert-Episode ist die Prämisse für die letzte und provokanteste Episode im Leben des kleinen Mädchens: Vorspiel für die Begegnung mit dem geheimnisvollen, dunklen Mann, in den sie sich im Schwimmbad verliebt. »Mit einer heftigen und einmaligen Zuneigung wählt sie diesen Mann zu einer tiefen und heimlichen Liebe aus« (190). Die Schilderung dieses Mannes wiederholt wesentliche Attribute, die in »Undine geht« der Undine-Figur zugesprochen wurden. Als Projektionsfigur des weiblichen Begehrens ist er »unerreichbar für sie«, er ist fremdländisch und geheimnisvoll, er spricht eine Sprache, die sie nicht versteht, er gleicht »genau einem der dunklen Männer« ihrer nächtlichen Phantasien und wird für sie zum Inbegriff von Schönheit. »Jetzt weiß sie endlich, warum sie lebt: um *ihm* begegnet zu sein.« (191) Diese extreme Idealisierung entspricht einem ebenso extremen Begehren nach Liebe, das jenseits der Achse von Trieb und Triebbefriedigung, Bedürfnis und Bedürfnisbefriedigung angesiedelt ist und auf einen radikalen Stillstand drängt. »Sie ist so ergriffen von seiner Erscheinung, daß sie sofort gerne sterben würde.« (191) Diese totale Ergriffenheit ist nicht nur Teil des Liebesdiskurses, sondern notiert auch eine grundsätzliche Spaltung im Subjekt, die Lacan als *Conditio humana* beschreibt. Das kleine Mädchen erlebt Liebe von Anfang an unter dem Vorzeichen von

Abwesenheit und Unmöglichkeit, als ein prinzipiell unerfüllbares Begehren:

Die Chance, immer zu lieben und in der gleichen Stärke, hat nur [, wer] hoffnungslos liebt. Sie ahnt etwas von dieser Wahrheit. Das ist wie mit der Tafel Schokolade, nach der man sich sehnt und die einem keiner schenkt. Man hört nicht auf, daran zu denken und sie nimmt ungeheure Wichtigkeit an. Sie ist unerreichbar. (193)

Das derart charakterisierte Begehren entspricht Lacans Konzept von dem »paradoxen, abweichenden, erratischen, exzentrischen, ja sogar skandalösen Charakter des Begehrens ... wodurch dieses sich vom Bedürfnis unterscheidet«[201]. Im Unterschied zum Bedürfnis zielt das Begehren oder der Anspruch auf etwas anderes

als die Befriedungen, nach denen er ruft. Er ist Anspruch auf eine Gegenwart oder eine Abwesenheit. Das bringt jene ursprüngliche Beziehung zur Mutter zum Ausdruck, die schwanger geht mit jenem Anderen, das *diesseits* der Bedürfnisse zu situieren ist, die es befriedigen kann ... Daher ist das Begehren weder Appetit auf Befriedigung, [sic] noch Anspruch auf Liebe, sondern vielmehr die Differenz, die entsteht aus der Subtraktion des ersten vom zweiten, ja das Phänomen ihrer Spaltung selbst.[202]

Ausgehend von der Mutter-Kind-Beziehung begreift Lacan die Sprache als das spezifisch menschliche Medium, das allein die Abwesenheit eines geliebten bzw. begehrten Objekts real oder imaginär überbrücken kann: Durch die Sprache kann sich das Kind die Mutter effektiv herbeiholen bzw. vorstellen. Menschliche Existenz trägt als sprachliche die Spur des primären Verlustes von Unmittelbarkeit. In der Symbolisierung spricht das Subjekt die Abwesenheit des symbolisierten Objekts aus und kennzeichnet damit die unaufhebbare Differenz zwischen Subjekt und Objekt. Die Suche nach einem Objekt ist unweigerlich die Suche nach dem auf immer Verlorenen, was sich im Subjekt als ein unzerstörbares Begehren nach Präsenz niederschlägt.[203] Die im Zitat erwähnte Schokolade, die einem keiner schenkt, bezieht ihren Wert und ihre Signifikanz aus der Sehnsucht und der Vorstellung, als reales Objekt verlöre sie ihren Wert bzw. würde durch das nächste Sehnsuchtsbild ersetzt. Aufgrund der Erkenntnis, oder wie es im Text heißt, der Ahnung, daß das Begehren an sich unstillbar ist, formuliert das kleine Mädchen ihr radikales Liebesgesetz: »es ist notwendig, bewegungslos zu bleiben in der Anbetung. Das Nichthandeln zum Gesetz erklären« (194).

Die psychische Energie dieses Begehrens hat regressive Züge und grenzt in seiner extremsten Form an den Todestrieb, der als 'stummes', 'todeswaches' Begehren bereits in dem Anagramm »Ich weiss, wie man die Wollust macht« angesprochen wurde. Der letzte Teil der Geschichte schildert, wie das kleine Mädchen sich völlig in der stets gegenwärtigen Vorstellung des Fremden verliert. »Nach so vielen

Tagen der Leere und Einsamkeit lebt sie plötzlich in der Fülle.« (192) Sie versucht sich völlig dem 'Anderen' anzugleichen, versucht »ihm ähnlich zu sehen«, weiß sich ihm nahe, obgleich bzw. weil er weitgehend abwesend ist.

Die hier beschriebene bewegungslose Anbetung des Geliebten aus der Distanz, die Bilderflut, die die Abwesenheit des Geliebten zur intensiven Anwesenheit werden läßt, erinnert frappierend an die Liebeskonzeption der Troubadoure, wie sie nach der Mitte des 12. Jahrhunderts in der Provence entsteht. Die einzige Verschiebung liegt in der Vertauschung der traditionellen Rollen: Hier spricht nicht der Liebende über die verehrte und vergötterte Geliebte, sondern die Liebende zelebriert ihre Sehnsucht nach dem fernen und prinzipiell unerreichbaren Geliebten. In seinem Aufsatz »Die Liebesflamme« beschreibt Christoph Wulf die Charakteristika dieser Liebesvorstellung:

> Der Liebende verzehrt sich in Sehnsucht nach der Angebeteten, ohne sie erreichen zu können, da er von ihr auf Distanz gehalten wird. Alles ist erlaubt, was das Begehren der Liebenden anstachelt, ohne es zu befriedigen. Verherrlichung der unglücklichen, ewig unbefriedigten Liebe... Die Leidenschaft dieser Liebe lebt vom Verbot der Erfüllung, von der Unüberschreitbarkeit der Grenze zwischen dem Begehren und der körperlichen Vereinigung.[204]

Diese Konstruktion von Begehren weiß um die von Lacan konstatierte unwiederbringliche Spaltung zwischen dem Subjekt und dem Liebesobjekt, deklariert sie zum Gesetz der Liebe und entwickelt daraus ein poetisch zelebriertes Ritual, das in seiner letzten Konsequenz auf die Vereinigung mit dem/der Geliebten im Tod zielt. Und vor diesem Hintergrund kann die letzte Episode des Textes, der Selbstmord des kleinen Mädchens, als radikale Realisierung dieser extrem eskapistischen Liebesfigur gelesen werden.

Als der von ferne Angebetete eines Tages nicht wie üblich in die Badeanstalt kommt, riskiert das kleine Mädchen, ihre Bewegungslosigkeit aufzugeben, und besucht ihn in seiner Pension. Aufgrund der apokalyptischen Überlegung, daß sie ihn möglicherweise heute zum letzten Mal sieht – die Welt könnte ja »mit der Sonne zusammenstoßen und alles explodiert und geht auf in einem riesigen Feuer« (198), oder einer von ihnen könnte unerwartet sterben –, bittet sie ihn um »ein einziges Haar« und eine Fotografie. Diese für sie magischen Symbole seiner Präsenz geben ihr das Gefühl, stark genug zu sein, ihn nie wiederzusehen, und als sie wieder zu Hause ist, vereinigt sie sich mit dem Geliebten. Sie steckt »die Fotografie in den Mund, zerkaut sie sorgfältig und schluckt sie hinunter. Sie hat sich mit ihm vereinigt. Das erinnert sie an eine Zeremonie, die der Blutsbrüderschaft gleichkommt« (199).

Als die Mutter ihr verbietet, weiter in die Badeanstalt zu gehen, und sie ihn nicht mehr sehen kann, bekommt das Leben des kleinen Mädchens mit einem Male die imaginierte Brisanz der 'tragischen', unmöglichen Liebesgeschichte. Der Schmerz, den dieses Verbot in ihr auslöst, weitet sich schnell zur selbstmitleidigen Larmoyanz, die in der Vorstellung gipfelt:

> Sie ist von Feinden umgeben. Nichts als Zäune und Hindernisse. Sie blickt aus dem Fenster und denkt an ihren nahen Tod. Sie hat beschlossen, sich aus dem Fenster zu stürzen. Wenn sie einen weiten Sprung macht, wenn sie ihrem Körper einen großen Schwung geben könnte, dann würde sie auf fremder Erde sterben. (200)

Nicht nur die Vorstellung vom Tod »auf fremder Erde« ist Teil des ästhetischen Diskurses über das Heldentum, auch die übrigen in der Endpassage des Textes zitierten Vorstellungsbilder vom 'schönen toten Kind', dem »schmalen, harten Sarg« und dem schönen »Pyjama voll Blut und Erde« streifen ästhetische Klischees vom heroischen Tod. Die Identifikation des Mädchens mit dem sterbenden, doch starken Mann versucht einerseits, die reale Hilflosigkeit und Abhängigkeit des Kindes imaginär zu überspielen, und als solche ist sie kompensatorischer Widerstand gegenüber den Reglementierungen der Erwachsenen. Andererseits unterstreicht der tatsächliche Sturz aus dem Fenster die Annullierung des weiblichen Begehrens, sobald es gesellschaftlich festgelegte Regeln ignoriert (in diesem Fall dargestellt durch die unangemessene Wahl des Liebesobjektes). Als Absage an die reale Liebesbegegnung vollzieht der Tod des kleinen Mädchens gleichzeitig das Gebot eines von Zürn eigenwillig entworfenen Begehrens, das sich durch »Keuschheit, Trennung sowie Leidens- und Todessehnsucht«[205] erfüllt.

Dabei evoziert das Bild »des schönen toten Kindes« die in Kunst und Wissenschaft immer wieder erkennbare Furcht vor der lebendigen und begehrenden Frau, der Hans Bellmer durch seine Puppenkonstruktionen Herr zu werden versuchte. Der tote Mädchenkörper symbolisiert Disziplinierungsmaßnahmen, die am Körper und an der Psyche der Frau vorgenommen werden, um sich die Gefährdungen, die vom 'liebenden Geschlecht' vermeintlicherweise ausgehen, vom Leibe zu halten. Noch unlängst wurde der Körper einer auf andere Weise unmäßig begehrenden Frau wieder diszipliniert: In dem Film *Fatal Attraction* (1987) dramatisiert das blutige Ende der Protagonistin die sich offensichtlich als kulturelle Konstante erhaltende Furcht des Mannes vor dem weiblichen Begehren.

Es stellt sich hier die Frage, warum Zürn bis zur letzten Konsequenz auf einem Liebesmodell beharrt, das stark regressive Züge hat. Will Zürn wie Bachmann »die Liebe davor retten ... Institution zu werden, da dies für sie einer Vernichtung bzw. Verflüchtigung der Liebe gleichkäme«[206], und hält sie deswegen an der Unmöglichkeit der Liebe im letzten Bild des Textes fest, um sie so ausschließlich im Imaginären zu verankern?

Einerseits, so scheint mir, versucht der Text die Intensität des Liebesbegehrens tatsächlich vor den institutionalisierten, bürgerlichen Liebesformen zu retten, indem er es als Widerstand gegenüber der Banalität des Alltags und als Sieg des Imaginären bis zur letzten Konsequenz ernstnimmt. Im Gegensatz aber zu dem in der *Geschichte der O* inszenierten Begehren nach Anerkennung durch einen anderen, das sich in der Kette von Unterwerfungsakten endlos perpetuiert, impliziert das Begehren des kleinen Mädchens das unumstößliche Wissen, daß die Vereinigung mit dem Geliebten nur als imaginäre Erfüllung der Enttäuschung durch die Realität entkommen kann. Nur »die Liebe in der Distanz ermöglicht die Erregung in der Erwartung, den Zustand *vor* der Enttäuschung«[207].

Andererseits reflektiert die extreme und radikale Entkörperlichung der Liebe die durchaus reale Enttäuschung im Verhältnis der Geschlechter, die in den siebziger Jahren Hauptgegenstand von Frauenprotokollen und Autobiographien ist. Für die Frau, so heißt es in Schwarzers Protokoll-Buch, bedeuten der Körper und die Sexualität »den Ort ihrer größten Niederlage«.[208] Die Frauenprotokolle beschreiben fast alle das Ausmaß und die negativen Konsequenzen der sexuellen und emotionalen Unterwerfung der Frau. Diese Orientierung am Mann gleicht häufig einer weiblichen Selbstauslieferung und führt zu dem Slogan »Abstand halten in Ermangelung eines neuen Mannes«. Das ändert sich erst in den achtziger Jahren, als Sinnlichkeit und Emotionen wieder hoch im Kurs stehen. Noch vor der neuen 'Körperkultur' hält Unica Zürn an der Intensität des weiblichen Liebesbegehrens fest, indem sie Einspruch gegen die zunehmende Analyse, Entzauberung und Banalisierung von Liebesverhältnissen einlegt. Im Gegensatz jedoch zum 'Carmen-Rausch', der eine Dekade später auch viele Frauen erfaßt, kaschiert die Autorin dabei weder eskapistisch noch 'naturtümelnd' die Differenz zwischen Liebes-Mythen und den herrschenden Geschlechterverhältnissen. Sie weiß um die oft tödlichen Konsequenzen, die die 'unmäßig' liebende Frau noch bis heute zu spüren bekommt.

Viertes Kapitel: Der Körper der Liebe

Zu Anne Dudens »Der Auftrag die Liebe«

> Ein großes Zeichen erschien am Himmel: eine Frau mit der Sonne umkleidet, der Mond unter ihren Füßen und auf dem Haupt ein Kranz von zwölf Sternen. Sie war gesegneten Leibes und schrie in Wehen und Schmerzen des Gebärens. Und ein anderes Zeichen erschien am Himmel: Siehe ein Drache, feurig und gewaltig groß, mit sieben Köpfen und zehn Hörnern und sieben Diademen auf seinen Köpfen. Sein Schwanz fegte den dritten Teil der Sterne des Himmels hinweg und warf sie auf die Erde ...
>
> Da erhob sich ein Kampf im Himmel: Michael und seine Engel kämpften mit dem Drachen, und auch der Drache und seine Engel kämpften. Doch sie richteten nichts aus, und es blieb kein Platz mehr für sie im Himmel. Gestürzt wurde der große Drache, die alte Schlange, die den Namen Teufel und Satan trägt, der den ganzen Erdkreis verführt; er wurde hinabgestürzt auf die Erde, und seine Engel wurden mit ihm gestürzt.
>
> Offenbarung 12,1-9

> »I'll be back.« Terminator I

Die Macht der Gefühle und die neue weibliche Grammatik

> Jeder kennt Gefühle, keiner überblickt sie. Wer die Gefühle beherrscht, verarmt. Wer von ihnen beherrscht wird, muß bald sein Testament machen. Das Verhältnis von Gefühl und Macht ist das stürmischste und zugleich störendste, das ich kenne. Was sind überhaupt Gefühle?[209]

Das schreibt Alexander Kluge 1983 in der dem Thema *Gefühle* gewidmeten Doppelnummer der Zeitschrift *Ästhetik und Kommunikation* als begleitenden und nachdenklichen Kommentar zu seinem Film *Die Macht der Gefühle.* Dieses öffentliche Nachdenken über Gefühle ist symptomatisch für den Paradigmenwechsel, der gegen Ende der siebziger Jahre einsetzt. Nach einer Dekade, in der man sich von Sinnlichkeit und Emotionen eher analytisch distanzierte, erfahren die Themen Gefühl, Liebe und Leidenschaft in den achtziger Jahren eine zunehmende Aufwertung. In diesen Zusammenhang gehört u.a. der unerwartete Erfolg von zwei französischen Texten in der Bundesrepublik: Benoîte Groults Roman *Salz auf unserer Haut* (1983, deutsch 1984) und Marguerite Duras' Text *Der Liebhaber* (1986, deutsch 1987), beides Geschichten von Liebesbeziehungen, die soziale Unterschiede und Rassengrenzen überschreiten. In Ariane Barths *Spiegel*-Artikel vom 7. Januar 1991 »Schau mir in die Augen, Kleiner« wird Groults Roman als neuer Ausdruck des weiblichen Liebesbegehrens, als »Porno für die Masse« bezeichnet. Die Trivialmustern folgende Liebesgeschichte »rührt offenbar verdrängte Sehnsüchte an: Jeder könnte die Kraft des Faktischen überwinden und in seiner Erotik Höhepunkte des Lebens inszenieren, aber jeder arbeitet auch gegen die Erfüllung seiner geheimen Wünsche«[210]. Wie sehr verdrängte Sehnsüchte und geheime Wünsche an die Oberfläche dringen, läßt sich an der Tatsache ablesen, daß *Salz auf unserer Haut* zwei Jahre hintereinander an der Spitze der deutschen Bestsellerliste steht, in vierzehn Sprachen übersetzt und bis zum Januar 1991 eine halbe Million Mal verkauft wurde.

Symbolfigur dieser gefühlsaufgeladenen Zeit wird die Carmen-Figur, neu entdeckte Protagonistin des gleichnamigen Tanzfilms von Carlos Saura, der 1983 in deutschen Kinos zu sehen ist. Unter der Überschrift »Die neue Carmen. Rückkehr zur Erotik« widmet der *Spiegel* dem Film vom »Traum der absoluten Liebe« im September 1983 einen Leitartikel, der die Abwendung vom beziehungstechnischen Diskurs der siebziger Jahre und die Hinwendung zur Leidenschaft zum Thema hat. Dort wird auch auf die ungeheure Popularität hingewiesen, die dieser Film in der Bundesrepublik hat: »*Carmen* ist, ob in Münchens Film-Casino, im Hamburger Holi oder in Frankfurts Eldorado, täglich ausverkauft. Vor den Kinos stehen (und standen selbst während der tropischen August-Tage) lange Schlangen. Rund 200000 Besucher haben Carmen beim Sterben verzückt zugeschaut; manche von ihnen, auf Nietzsches Spuren, fünf- bis sechsmal.«[211] Nicht nur Carlos Saura, auch Peter Brook und Jean-Luc Godard bearbeiten den Carmen-Stoff in den achtziger Jahren neu; und es ist wohl kein Zufall, daß die Domina-Figur in einem anderen populären Film der Dekade, Robert van Ackerens *Die flambierte Frau* (1986), ebenfalls Carmen heißt. Carmen »überspült wie eine Gefühlswoge die Gemüter der Zeitgenossen, badet sie in Stimmungen, die Leidenschaften als Ausschaltung der Vernunft feiern und Erotik und Gefahr stimulierend koppeln: nix da mit

'Beziehungskiste', 'Partnerschaft', 'Ausdiskutieren', 'Versorgungsanspruch'«[212]. Diese neue Lust auf Sinnlichkeit könne, so spekuliert Jula Dech in ihren Überlegungen zum Carmen-Phänomen, als eine Art »Waffenruhe« im Krieg der Geschlechter betrachtet werden. »Die von Studenten- und Frauenbewegung inspirierten Dauerdebatten um die gesellschaftlichen bzw. naturhaft bedingten Verhaltensmuster von Frauen und Männern stagnieren.«[213] In der Vielfalt der neuen Beziehungskonzepte und -ideologien und trotz der von Frauen entdeckten und entschlossen propagierten Befreiungsbewegung lassen die zahlreich abgedruckten Heiratswünsche und 'Kontaktanzeigen' »tief in die nur oberflächlich kaschierte Welt fast unerschütterter Sentiments, Illusionen, Obsessionen und Sehnsüchte schauen«[214].

Das, was sich in diesen Annoncen an Gefühlen und Begehren äußert, ist als historisch sich wandelnder Code, »als literarisch vorgeschriebenes Gefühl«, »als eigene Semantik« Gegenstand von Niklas Luhmanns systemtheoretischer Untersuchung *Liebe als Passion. Zur Codierung von Intimität* (1982). Interessanterweise liegt der Schwerpunkt dieser Untersuchung auf dem 17., 18. und 19. Jahrhundert; die Gegenwart kommt nur in Form einer Frage in den Blick: »Was nun? Probleme und Alternativen«. Beantwortet wird sie u.a. mit der Beobachtung, daß die Beziehungen der Geschlechter gegenwärtig – und hier bezieht sich der Autor noch auf die siebziger Jahre – vom therapeutischen Diskurs beherrscht seien. Therapeuten »setzen die labile Gesundheit, die heilungsbedürftige Verfassung des anderen an die Stelle der Liebe und entwickeln für Liebe dann nur noch die Vorstellung einer wechselseitigen Dauertherapierung auf der Basis einer unaufrichtigen Verständigung über Aufrichtigkeit«[215].

In ihrer durch Foucault, Cixous und Irigaray informierten Studie über die patriarchale Liebesordnung mit dem programmatischen Titel *Die neue Liebesunordnung* (1977, deutsch 1979) stellen Alain Finkielkraut und Pascal Bruckner Ende der siebziger Jahre fest, daß uns das Herz fehlt, über Liebe zu sprechen:

> Die Rede von der sexuellen Befreiung hat die Liebe als erlebte Erfahrung unter Anklage gestellt und als Gegenstand der literarischen Darstellung aus der Mode gebracht. Wenn es heute überhaupt noch Romantik gibt, so ist sie libidinös, nicht empfindsam. Statt der Leidenschaft das Verlangen; statt des Herzens das Geschlecht.[216]

Wie Finkielkraut und Bruckner reagiert Roland Barthes mit dem im selben Jahr veröffentlichten Buch *Fragmente einer Sprache der Liebe* (1977, deutsch 1984) bereits in den siebziger Jahren auf die Verdrängung der Gefühlssprache durch den therapeutischen Diskurs.

Es läßt sich hier eine Ungleichzeitigkeit in der Diskussion über die Liebe feststellen. Während in Frankreich bereits Mitte der siebziger Jahre eine Rehabilitation dieser »auf Außerordentlichkeit« (Barthes, Kristeva) drängenden Emotion gesucht wird und die »männliche Arithmetik der Lust« (Finkielkraut, Bruckner) in Frage gestellt wird, kreist die Diskussion in der Bundesrepublik noch weiter um die psychosexuellen und technischen Aspekte von Liebe, um die Struktur und Pathologie von »Beziehungskisten«. In Hinblick auf diese und ähnliche Reden über die Liebe stellt Barthes fest, »daß der Diskurs der Liebe heute von extremer Einsamkeit ist«, zwar oft geführt werde,

> aber von niemandem verteidigt ... abgeschnitten nicht nur von der Macht, sondern auch von ihren Mechanismen ... Wenn ein Diskurs, durch seine eigene Kraft, derart in die Abdrift des Unzeitgemäßen gerät, bleibt ihm nichts anderes mehr, als der wenn auch winzige Raum einer Bejahung zu sein.[217]

Diese »Unzeitgemäßheit« reflektiert ein Charakteristikum der siebziger Jahre: »Historische Umkehrung: nicht mehr das Sexuelle ist unschicklich, sondern das *Empfindsame*«[218]. Ein weiteres Beispiel für das Interesse am Sexuellen in den siebziger Jahren ist Michel Foucaults Diskursanalyse *Sexualität und Wahrheit. Der Wille zum Wissen* (1976). Foucault will hier allerdings keine Neuauflage der traditionellen Sittengeschichte der »abendländischen Gesellschaften schreiben, sondern eine viel nüchternere Frage behandeln: wie sind diese Verhaltensweisen zu Wissensobjekten geworden?«[219] Er versucht in seiner Analyse die »Beziehungen zwischen der Macht, dem Wissen und dem Sex«[220] zu entschlüsseln.

Obwohl auch Barthes wie Foucault einer Diskursordnung auf der Spur ist, folgt seine Darstellung im Gegensatz zu *Sexualität und Wahrheit* keinem explizit analytischen Erkenntnisinteresse, sondern will Affirmation des Gefühls, Affirmation des gesellschaftlich zwar Relevanten, aber offiziell Ausgeschlossenen sein. Dementsprechend vermeiden seine Fragmente, die Liebe erneut zum Objekt zu machen, und bringen sie statt dessen als Subjekt selbst zum Sprechen. Er verzichtet auf eine Metasprache – die so monströse Termini wie »zwischenmenschliche Interpenetration« (Luhmann) hervorbringt – und dramatisiert statt dessen den Diskurs und die Figuren der Liebe, »und zwar so, daß eine Ausdrucksweise inszeniert wurde, keine Analyse«[221].

Barthes versucht, den Diskurs der Liebe von »innen« zu durchqueren. Er verweigert den analytischen, gewissermaßen 'horizontalen Diskurs', bei dem sich das sprechende Subjekt unverletzt hinter dem

Gesagten aufhält, und konstruiert seine *Fragmente der Liebe* als das Zu-Gehör-Bringen der Stimme »ein[es] Liebende[n]«, wobei er die Nachträglichkeit des Liebesdiskurses konstatiert:

Als Erzählung (Roman, Leidenschaft) ist die Liebe eine Geschichte, die im geistigen Sinne in Erfüllung geht: sie ist ein Programm, das durchlaufen werden muß. Für mich dagegen hat diese Geschichte bereits stattgefunden; denn was daran Ereignis ist, ist allein die Hingerissenheit, deren Opfer ich gewesen bin und deren Nachträglichkeit ich wiederhole (und verfehle)... Die Hingerissenheit aus Liebe findet vor dem Diskurs und hinter dem Proszenium des Bewußtsein statt...[222]

Das heißt, das liebende Subjekt verspürt erst wieder festen (Sprach-) Boden unter sich, wenn das Drama der Leidenschaft vorüber ist. Der Raum, aus dem und in den hinein das »Ich liebe dich« gesprochen wird, ist der Raum der Sprachgrenze; der Liebesschwur »hat keinen anderen Referenten als seine Aussprache: ... ist ein Performativ«[223]. Die Erfahrung und die Rede der Liebe sind gekennzeichnet durch eine »Verausgabung«, bei der das sprechende Subjekt »an der äußersten Grenze der Sprache steht, da wo Sprache selbst... erkennt, daß sie ohne Garantie, ohne Netz arbeitet«[224]. Kommunikation findet nur dann statt, wenn diese Verausgabung sich erschöpft hat: »das Ich hält seine Diskurse nur im Stande der Verletzung«[225]. Zum einen behauptet Barthes also das 'Opfersein' des Liebenden, desjenigen, der, von der Liebe »hingerissen«, sich in Rhythmen und Klängen »verausgabt« und nur sich selbst und das eigene Sehnen zum Ausdruck bringt; zum anderen behauptet er, daß die Liebeslust erst dann wieder zur mitteilenden Sprachlust wird, wenn das Ich als »verwundetes« allein steht. Der Liebende figuriert also, während er liebt, als »Opfer« und, während er über die Liebe spricht, als »Verwundeter«. Sowohl der durch die Liebe geschaffene Opferstatus als auch die unumgängliche »Verwundung« werden – den von Barthes zitierten Fragmenten zufolge – vom eigenen Begehren mitgetragen und mitproduziert, und nur von diesem Begehren aus wird die Position des Opfers erträglich und kann im nachhinein als Grenzüberschreitung, als maßlose Ökonomie, als Taumel in der Sprache fruchtbar gemacht werden.

Wer aber ist dieser Liebende, dessen Rede Barthes dem Leser vorstellt? Aus welcher Position werden das Sehnen und Hoffen, die Verzweiflung und die Euphorie zum Ausdruck gebracht? Wird die Lust an der »Verausgabung«, an der »Verwundung«, an der »Hingerissenheit« von beiden Geschlechtern gleichermaßen geteilt? Oder gilt nicht auch hier die bereits am Undine-Text festgestellte Differenz, daß die Grenzüberschreitung der Liebe, der leidenschaftliche Taumel nur für denjenigen anziehend bzw. überhaupt nur für denjenigen erfahrbar ist, der eine feste Position in der sozialen bzw. symbolischen Ordnung hat, von der aus die Grenze als Verlockung, als Reiz des ganz Anderen, als zeitweilige Verausgabung des Eigenen erscheint? Der Liebende, der in Barthes Text zu Wort kommt – in Fragmenten, die bezeichnenderweise bis auf ein Sappho-Zitat alle von männlichen Autoren stammen –, scheint männlich. Dem Mann, und zwar dem, wie es an einer Stelle heißt, durch die Liebe feminisierten Mann gilt das Versprechen der Liebe:

Ein Mann ist nicht deshalb feminisiert, weil er invertiert ist, sondern weil er liebt. (Mythos und Utopie: der Ursprung war, die Zukunft wird den Subjekten zu eigen sein, *die Weibliches in sich bergen*.)[226]

Für den Mann ist die Liebe, als Erfahrung des 'anderen Zustands', ein Außer-sich-Sein, das Weiblichkeit in sich birgt und als Feminisierung gedeutet wird. Nur von der sozial abgesicherten männlichen Position aus kann der zeitweilige Verlust von Autonomie in den Figuren von Überwältigung und Verausgabung als lustvoll erlebt werden, insofern auf die Verausgabung und Verwundung immer wieder eine Stabilisierung des Eigenen erfolgt, die Rückgewinnung der ursprünglichen Position, die den bewegten Diskurs des Danach ermöglicht.

Was aber ist mit dem Subjekt, das in Mythen, Legenden, Literatur und darstellender Kunst traditionellerweise die Grenze, die hier als leidenschaftlicher Überschritt zelebriert wird, verkörpert? Mit dem Subjekt, dessen Körper die Substanz der Metapher selber ist? Mit dem Subjekt, dessen Tod nicht diskursiv aufgefangen, sondern in Mythen, Legenden, Geschichten und Bildern der Liebe realisiert wird? Was ist mit dem Subjekt, von dessen Position aus sich die Geschlechterbeziehung als »Trauerbogen«, als »der ewige Krieg« (Bachmann) gestaltet? Wie die Analyse von weiblichen Texten über die Liebe gezeigt hat, hat das weibliche Subjekt enorme Schwierigkeiten, das Bedrohliche der Passion in die Sprache hinauszuzögern und derart die Fast-Präsenz des Todes im emphatischen Spiel der lyrischen und romanesken Metaphern und Metynomien fruchtbar zu machen. Die in der Literatur von Frauen beschriebene Aufspaltung der Frau in einen männlichen und einen weiblichen Teil (Bachmann) bzw. die oft fatalen Konsequenzen des weiblichen Begehrens (Zürn) dokumentieren die andere Position der Frau im Drama der Liebe. Gerade letzteres wird deutlich in Sauras *Carmen*-Film, in dem die letzte Kameraeinstellung den Mord an der (in diesem Fall zuviel(e) begehrenden) Frau festhält, der tödlich verwundete weibliche Körper bleibt dabei bezeichnenderweise im *off*, die Kamera konzentriert sich ganz auf den von eifersüchtigen Emotionen überwältigten Körper des Mannes und macht somit den Mord an der Frau unsichtbar.

Hier kommt man an Fragen, die ein grundsätzliches Dilemma zum Ausdruck bringen, mit dem sich Autorinnen konfrontiert sehen: Wie läßt sich über die Liebe schreiben, ohne einerseits die Realität der Gewaltverhältnisse und andererseits das Glücksversprechen der Liebe und ihre utopische Kraft auszublenden?[227] Wie läßt sich die Diskrepanz zwischen dem positiv konnotierten Bild der männlichen Leidenschaft und dem negativ konnotierten Bild des weiblichen Begehrens aus weiblicher Sicht beschreiben? Wenn sich Frauen aus ihrer Perspektive um die ästhetische Neuformulierung eines so traditionsbeladenen Topos bemühen, dann kommen neue Gesichtspunkte in den Blick: Die für Frauen schmerzhaft erfahrbare Differenz zwischen ästhetischen Liebesmythen und herrschender sozialer Praxis ist einer, der Konflikt zwischen Liebesbegehren und Autonomiestreben ein anderer. In den Texten Bachmanns habe ich sowohl auf die Differenz zwischen Mythos und sozialer Praxis (»Undine geht«) als auch auf den Konflikt zwischen Liebesbegehren und Autonomiestreben aufmerksam gemacht (*Malina*); in Unica Zürns Text wird auf die aporetische Struktur des Liebesbegehrens verwiesen und die Radikalität dieses Begehrens mit dem Körper der Frau selbst eliminiert. Vor allem aber machen die Texte dieser Autorinnen darauf aufmerksam, daß häufig

> die Opferung des Liebesbegehrens mit der Opferung der Frau verbunden [ist]. Indem die Frau in unserer Kultur die Liebe verkörpert, werden Maßnahmen gegen die Gefährdung, die von der Liebe auszugehen scheint, an ihrem Körper und Bild vollzogen, als Domestizierung und als Ausgrenzung.[228]

So hieß es in dem Kommentar zum *Carmen*-Film, daß dort »Erotik und Gefahr stimulierend« gekoppelt würden: wobei Erotik und Gefahr hier von Körper und Begehren der Frau ausgehen und folgerichtig durch die Gewalthandlung an der Frau, ihren Tod reguliert werden.

Diese Ambivalenz dem weiblichen Körper und der Liebe gegenüber ist als Schreibweise in die Texte Anne Dudens übersetzt. In *Übergang* (1982)[229], einer Sammlung von Erzählungen, durchquert die Autorin radikal die Abfallprodukte und Rückseiten des in den achtziger Jahren so populär werdenden Körper- und Gefühlskultes, indem sie äußere Vorgänge im Medium innerer Vorgänge beschreibt und dabei die für die westliche Logik konstitutiven binären Oppositionen (Subjekt/Objekt, Körper/Geist, innen/außen) durchkreuzt.

Dem Erzählband sind kurze, vom übrigen Text kursiv abgesetzte Passagen voran- und nachgestellt, die präzise den Bewegungsmodus, die Perspektive, den Raum, den physischen und psychischen Zustand und den Wahrnehmungsort des in den Texten zu Gehör kommenden Subjekts umreißen. Ablesen lassen sich daran Aspekte einer Ästhetik, die eine spezifisch weibliche Subjekt-Position zum Ausdruck bringen und die den Körper in einen Sprach- und Erkenntnisprozeß einlassen, der der Euphorie neuer Sinnlichkeit widerspricht.

Der erste Satz beschreibt ein Subjekt-in-Bewegung (Kristeva), ein Subjekt auf der Flucht »vor anderen Menschen«, da diese »nur eins im Sinn [haben]: mich auszubeuten oder umzubringen« (7). Die existentielle Gefahr, der sich die Sprecherin ausgeliefert weiß, wird stets eingeleitet durch eine perspektivische Blendung: »Erst reißen sie mir die Augen aus und befestigen sie an sich selbst, damit sie anzusehen ich von nun an gezwungen bin« (7). Dieses Bild von der gewaltsam gelenkten und damit für bestimmte Blickwinkel blind gemachten Perspektive rekurriert auf das mittlerweile differenziert diskutierte Problem der männlichen Usurpation des Blicks[230] und die daraus resultierende »Skotomisierung des weiblichen Blicks«. Diese Blick(zu)richtung ist u.a. von Gisela Schneider und Klaus Laermann in einem grundlegenden *Kursbuch*-Artikel beschrieben worden. Ausgehend von der alltäglichen Ikonographie in Werbung und Kunst stellen die AutorInnen fest, daß »der Blick aus dem Bild dem Mann vorbehalten« ist, während es der Frau in diesen Darstellungen nur zukommt, »ihren Blick auf den Mann zu richten«[231]. Der direkte, womöglich provokative Blick aus dem Bild auf den Betrachter ist ihr in den meisten Fällen nicht erlaubt. Diese Blickkonstellation wird als Indiz dafür gewertet, daß die Frau die Realitätskontrolle an den Mann delegiert hat.

> Damit bleibt sie immer außer sich; sie ist imaginär dezentriert in einer Bilderwelt, die ihr die Realität verstellt. Sich selbst kann sie in ihr nicht sehen, wohl aber kann sie von außerhalb gesehen werden.[232]

Die Ich-Figur in Dudens Text erkennt diese Fesselung des weiblichen Blicks durch ein 'drittes Auge', von dem die anderen nichts wissen, und »das nun allerdings ohne die beiden anderen sieht wie eine Axt: spaltend und unerbittlich« (7). Die Perspektive, aus der heraus hier geschrieben wird, führt zu der emotionslosen Beobachtung des Vorhandenen. Als scharfes Instrument kann dieser Blick Zusammenhänge sowohl offenlegen als auch zerschneiden. Diese ästhetische Strategie erinnert an Bachmanns Postulat, »daß man enttäuscht, und das heißt, ohne Täuschungen zu leben vermag«[233], an den emotionslosen Blick, mit dem die Malina-Figur die konvulsiven Bewegungen des weiblichen Subjekts analysiert, begleitet und umlenkt, damit sie sich aus der Liebe befreien kann.

Der Blick aus dem Auge, das die Erzählerin »zu viel hat«, erkennt die Annäherungsweisen der anderen, deren »Dankbarkeit, die sich als Zuneigung ausgibt«, als Teil eines übergreifenden »Drainage-System[s]« für die eigenen Hoffnungen und Ängste. In diesem System, selbst wiederum Abfallprodukt der »Todesangst«, auf dem die Verdrängungs- und Beherrschungsgeschichte der Zivilisation beruht, ist das sprechende Subjekt verschüttet. Umschrieben wird hier der Effekt von Gefühlen bzw. Weiblichkeit in der Kulturgeschichte, der gewalttätige Sublimierungsprozeß, der die Formierung des »Selbst, des zweckgerichteten, männlichen Charakters des Menschen« (Horkheimer/Adorno) vorantreibt.

Dem geheimen und überzähligen Auge entspricht ein »verborgener Raum«, »in den nichts eindringen kann ... eine Art manchmal schwimmender, manchmal schwebender Krypta, ein Unterdauerungsraum«, in dem sich die Erzählerin meistens aufhält, aus dem heraus sie also spricht. Dieser flottierende Rückzugsraum – der Unterwasserwelt Undines verwandt – ist keine idyllische Gegenwelt. Er ist weder bukolische Natur, noch heile Innenwelt, sondern ein *Kultur*raum, der wie der Freudsche 'Wunderblock' »nicht nur eine immer von neuem verwendbare Aufnahmefläche wie die Schiefertafel, sondern auch Dauerspuren der Aufschreibung wie der gewöhnliche Papierblock liefert«[234].

In diesem Raum hält sich die Erzählerin auf eine spezifische Weise auf: »Manchmal liege ich, wegen der Schwere, auch aufgebahrt. Aber nicht als Schneewittchen oder Lazarus oder anderweitig schöne Seele, sondern als Versteinerung mit vielen geronnenen Spuren« (7f.). Mit allen genannten Figuren verbindet sich eine Erlösungs- bzw. Auferstehungserwartung: Schneewittchen wird durch den Prinzen erlöst und zum Leben erweckt, die schöne Seele verspricht dem männlichen Subjekt Erlösung aus bürgerlichen Zwangszusammenhängen, die Auferstehung des Lazarus illustriert die Reichweite göttlicher Erlösungsmacht. Indem diese Imaginationen zurückgewiesen werden, wird der Erwartung einer von außen kommenden Erlösung widersprochen. Obgleich bzw. weil das weibliche Subjekt als ein »imaginär dezentriertes« in die Kulturgeschichte eingelassen ist, muß sowohl die Vorstellung eines erlösenden und zugleich konstruierenden Blicks, der über Leben und Tod des Subjekts entscheidet, aufgegeben werden als auch die weibliche Identifizierung mit der Opferrolle. Die 'andere', hier angewandte Perspektive aktualisiert sich im Bild der versteinerten Gestalt, einer Figuration, deren Ablagerungen einer Vielzahl von Konstellationen gedenken, ohne in einer völlig aufzugehen. Der abschließende Satz der Textpassage weist euphorische und larmoyante Stimmlagen zurück und setzt statt dessen einen Ton der Gleichmütigkeit, ohne dabei jedoch erfahrene Verletzungen zu beschwichtigen: »Insgesamt geht es mir aber schon viel besser, und ich glaube nicht, daß ich mehr Grund zum Klagen oder zur Freude habe als die anderen auch« (8).

Hier wie in der gesamten Passage verweigert der Text eine eindeutige Geschlechtsmarkierung: Die Geschlechtsidentität des sprechenden Subjekts stellt sich erst im Lese- und Deutungsprozeß als weiblich her. Diese Schreibstrategie imitiert zum einen einen kulturellen Entwicklungs- und Bedeutungsprozeß, in dessen Verlauf sich Weiblichkeit als ein Effekt des geltenden Systems herausbildet, und weist dabei auf die relationale Position des sprechenden Subjekts. Befindlichkeit, Perspektive und Raum dieses Subjekts lassen andererseits erkennen, daß diese Position auf eine Gewalttat, auf eine kontinuierliche Ausgrenzung und Verstümmelung zurückführt, die als Medium von Erkenntnis radikal in Anspruch genommen werden soll.

Wahrnehmungs- und Aufbewahrungsort für die aus dieser Perspektive gewonnenen Erkenntnisse ist der Körper. Die mit der Anfangspassage korrespondierende Schlußpassage setzt mit der Behauptung ein: »Mein Gedächtnis ist mein Körper. Mein Körper ist löchrig. Das Einzige, was nicht durch seine Maschen fällt, ist Liebe und Qual« (141).[235] Dieser Körper wird zum Sprechen gebracht und produziert eine Rede, auf die Hélène Cixous' ambivalent zu bewertende Beschreibung des weiblichen Wortergreifens zutrifft:

> In gewissem Sinne klingt im weiblichen Schreiben unaufhörlich der Schmerz wieder [sic], den das mündliche Wortergreifen in der Frau auslöst – 'Ergreifen', das vielmehr einem Entreißen gleicht, einem schwindelnden Aufschwung, sich Hinwegschleudern, Eintauchen. Hör eine Frau in einer Versammlung (wenn ihr nicht schmerzlich der Atem ausgegangen ist): sie 'spricht' nicht, sie schleudert ihren bebenden Körper empor, läßt sich fallen, ganz und gar geht sie in Stimme über, mit ihrem gesamten Körper unterstützt sie lebhaft die 'Logik' ihrer Rede: ihr Fleisch redet wahr. Sie setzt sich aus.[236]

Cixous beschreibt den dramatischen Effekt der weiblichen (Sprach-) Präsenz in der patriarchalischen Ordnung durch eine metaphorische Aussageweise, die die Eindeutigkeit des wissenschaftlichen Diskurses untergraben will. Dabei werden männliche Projektionen von

Weiblichkeit nicht analytisch aufgezeigt, sondern mimetisch verwendet, verkehrt und mit subversiver Bedeutung aufgeladen. Im Gegensatz zur ästhetischen Fiktion fehlt dabei jedoch ein narrativer Kontext, der die übersetzte Realität in Figuren- und Metaphernkonstellationen, in eine ästhetisch konstruierte Textgestalt und damit in einen ausdeutbaren Zusammenhang überführt. Die Gefahr von Cixous' eigenwilliger Theoriebildung besteht darin, daß »ausgehend von einem Gegensatz von männlicher und weiblicher Ökonomie, unabhängig vom biologischen Geschlecht des Autors eine weibliche Schreibweise [entworfen wird]. Daraus entsteht dann ein positiver Normenkatalog weiblicher Schreibweise«[237].

Im Gegensatz zu Cixous' Beschreibung und Verwendung der weiblichen Stimme entwirft Duden einen ästhetischen Kontext, in dem das 'unwillkürliche Körperpathos' der Frau, ihr Schmerz und ihre Leidenschaft nicht als ontologisches Axiom oder Normenkatalog, sondern als komplexe Ausgrenzungsgeschichte des Weiblichen lesbar wird. Aber wie Cixous macht auch Duden darauf aufmerksam, daß ein solches Körpergedächtnis mit den geltenden Konventionen kollidiert und deshalb oft mit großer, wenn auch unmerklicher Anstrengung unterdrückt wird. So heißt es in Dudens Text weiter:

> Als ich jünger war, habe ich oft gegen beide [Liebe und Qual] so gut gekämpft, daß man sie mir nicht anmerkte. Das gilt besonders für die Qual. Ich betrachtete sie als Müll ... Sie ... verschwand aber in Wirklichkeit nie, sondern hielt inwendig nur ganz still wie eine zerstückelte Scheintote. Nachts hatte sie Auferstehung in neuzusammengesetzter Form. (141)

Der Körper wird buchstäblich zum Wahr-Nehmungsort, da hier tiefsitzende Lebensspuren ablesbar werden, die die Existenz des weiblichen Subjekts durchgreifend bestimmen. Denn, wie Elisabeth Lenk in ersten Überlegungen zur weiblichen Ästhetik anmerkt: »Der Körper der Frau ist sozusagen kein unbeschriebenes Blatt, sondern ein beschriebenes Blatt, das obendrein lesen kann.«[238] Im Gegensatz zum männlichen Subjekt ist die Frau in der Kultur- und Bildgeschichte a priori durch ihren Körper bestimmt. Die Deformierungen durch Schönheitsideale, die die Linie des realen weiblichen Körpers bestimmen, einschnüren und in Extremfällen sogar verstümmeln, werden deshalb nicht als solche wahrgenommen, da in ihnen reale Frau und das Fetischobjekt Frau zusammenfallen. Die dem Schönheitsideal entsprechende Frau wird für die ihr verordnete Schönheit mit männlicher Aufmerksamkeit belohnt. Wichtiger noch sind aber die psychischen Zurichtungen, die sich im Symptom des hysterischen Körpers äußern und so protokolliert und kontrolliert werden.

Dieser prekären Position des realen weiblichen Subjekts bzw. diesem Effekt von Weiblichkeit in der (Kultur-)Geschichte (nicht nur der Liebe) wird auf unterschiedliche Weise, oft aber mittels einer anderen Schreibweise oder Perspektive in den Texten von Frauen Ausdruck verliehen.

Dudens Schreibweise reflektiert zum einen die Brisanz, die der Körper in den achtziger Jahren erhält, und zum anderen Aspekte einer Ästhetik, die als *écriture féminine* seit Mitte der siebziger Jahre von französischen Theoretikerinnen entwickelt und diskutiert wurde.

Waren die Forderungen der Neuen Frauenbewegung zunächst auf den Gegenentwurf eines autonomen weiblichen Subjekts konzentriert (weshalb Marlies Gerhard dem *Malina*-Roman vorwirft, es nicht zu wagen, »die Autonomie, das Atemholen, das Leben ohne einen männlichen Messias«[239] zu denken), wird die Vorstellung eines identischen und autonomen Subjekts bald zunehmend selbst fragwürdig und ersetzt durch das Postulat, die Rede von der Frau als der »Anderen« radikal ins Spiel der Theorien und Texte zu bringen. Die Vorstellung einer widerständigen weiblichen Subjektivität, die sich jenseits der Systeme und Diskurse ein subversives Potential bewahren konnte, bestimmt die feministische Auseinandersetzung mit der theoretischen und literarischen Tradition.[240]

Der für die siebziger Jahren und den Anfang der Neuen Frauenbewegung exemplarische Text *Häutungen* (1975) von Verena Stefan versucht, die Befangenheit der Frau in gängigen Beziehungsmustern zu formulieren. Dabei versperrten der Autorin vor allem ein denunzierendes Verständnis von Körperlichkeit und eine 'frauenverachtende' Sprache den Zugang zur Liebesgeschichte.

> Als ich über empfindungen, erlebnisse, erotik unter frauen schreiben wollte, wurde ich vollends sprachlos. deshalb entfernte ich mich zunächst so weit wie möglich von der alltagssprache und versuchte, über lyrik neue wege zu finden.[241]

Die vorgestellten Beziehungen zwischen der Erzählerin und Männern dokumentieren immer nur tiefere »risse unter der haut«, eine andauernde »plünderung« des anderen Geschlechts durch das Eine, Risse, die durch die weibliche Sucht, Teil eines Paares zu sein, so schwer zu beseitigen sind:

> Das paargerüst erwies sich als ungeheuer, als stabiles widerstandsfähiges ungeheuer. ich wollte die sucht, teil eines paares zu sein, ausmerzen. das hiess über den eigenen schatten springen, in eine andere haut schlüpfen, sich erst von der alten haut trennen, von allein löst sie sich nicht.[242]

Als Konsequenz aus dieser Erkenntnis beginnt die Suche nach einer autonomen weiblichen Identität, die nicht von der Bestätigung durch

Männer abhängig ist und die sich in zaghaften Schritten auf eine andere Sexualität und Zärtlichkeit zubewegt. In Cloe, der »Kürbisfrau« – einem utopischen Weiblichkeitsmodell, mit dem der Text abschließt –, deutet sich ein neues Selbstverständnis an, das vor allem durch fließende Körperkonturen bestimmt ist. Wie später auch Duden gebraucht Stefan den Körper als Ausgangspunkt und Wahrnehmungsort für soziale und kulturelle Deformationen und Veränderungen. Er wird zur zentralen Metapher und zum zentralen Material für weibliches Schreiben und das Ringen um ein weibliches Selbst(-verständnis):

im wechsel von licht und schatten schillern hier und da die hautverschiedenheiten auf. die sanfte kompromißbereite haut, die sei-doch-nicht-so-mimosenhaft-haut, die ich-strahle-ruhe-aus-haut, die sinnliche neugierige haut, die alles-erkennen-wollen-haut.
Wer kann bunte haut lesen?
Cloe bewegt die lippen. der mensch meines lebens bin ich.[243]

Parallel zu diesen ästhetischen Selbstanalysen beginnen französische Analytikerinnen Ende der siebziger Jahre – also zu dem Zeitpunkt, an dem Barthes das Pathos und die Figuren des Liebesdiskurses mimetisch abbildet –, literarische und theoretische Konstruktionen des Patriarchats radikal neu zu lesen. Dabei geht es nicht darum, »eine neue Theorie auszuarbeiten, deren *Subjekt* oder *Objekt* die Frau wäre«, sondern die Ökonomie des Logos durch den »verrückende[n] Exzeß«, für den Weiblichkeit in der kulturellen Textur einsteht, selbst in Frage zu stellen.[244] Größte Aufmerksamkeit in diesem neuen von Frauen geführten Diskurs gilt den ideologischen Konstruktionen des Geschlechts, die neu gelesen, akzentuiert und verschoben werden. 1976 veröffentlicht die Zeitschrift *Alternative* unter dem bezeichnenden Titel *Das Lächeln der Medusa* wichtige Diskussionsbeiträge von verschiedenen französischen Theoretikerinnen über die Schreibweisen der Frau. Vor allen Dingen der weibliche Körper und das weibliche Begehren geraten dabei in den Vordergrund, und zwar nicht als Rückgriff auf die Vorstellung von Frau und Körper als Hort der Natur, sondern als Wahrnehmungsort, an dem sich die Verdrängungen der Kulturgeschichte äußern und ablesen lassen.

Parallel dazu entwickelt Julia Kristeva in *Die Revolution in der poetischen Sprache* (1974) eine Sprach- und Subjekttheorie, die auf Verdrängungen im *Körper des Subjekts* und am *Sprachkörper* aufmerksam macht. Dem »transzendentalen Ego«, »dem das Recht zukommt, die die Bedeutung (Zeichen/Satz) einführende *thesis* zu repräsentieren«[245], stellt sie ein »Subjekt-im-Prozeß« gegenüber, dem eine »semiotische« Textpraxis entspricht, eine

> unbegrenzte und nie abgeschlossene Erzeugung, jenes unaufhaltbare Funktionieren der Triebe auf die Sprache zu, in ihr und durch sie hindurch, auf den Austausch und seine Protagonisten, das heißt auf das Subjekt und seine Institutionen zu, in ihnen und durch sie hindurch. Dieser heterogene Prozeß ist weder anarchische Zerstückelung noch schizophrene Blockierung, sondern eine *Praxis* des Strukturierens und Destruierens, er ist Vorstoß hin zu den subjektiven und gesellschaftlichen *Grenzen*.[246]

Obwohl Kristeva hier keine explizit weibliche Äußerungsweise beschreibt, sondern sich auf die Textpraxis der Avantgarde bezieht, die »die begriffliche Einheit in Rhythmus, logische Verkehrung (Lautréamont), Paragramme und syntaktische Neuschöpfungen (Mallarmé) auf[löst]«[247], überschneiden sich wesentliche Aspekte ihrer Sprach- und Subjekttheorie mit der von Luce Irigaray und Hélène Cixous geforderten *écriture féminine*. Beiden Schreibweisen wird ein subversives Potential zugesprochen, das sich der binären Onto-Theo-Logik (Cixous) widersetzt und auf gewalttätige Verkürzungsmechanismen in der symbolischen und sozialen Ordnung aufmerksam machen kann.[248] Vor allem Cixous rekurriert dabei auf den weiblichen Körper als Bedeutungs- und Erkenntnismedium:

> Im Fleisch materialisiert sie [die Frau], was sie denkt, sie bedeutet es mit ihrem Körper. In ihren Körper ist eingeschrieben, was sie sagt, denn sie verweigert dem Trieb nicht seinen unbezähmbaren und leidenschaftlichen Anteil an der Rede.[249]

Diese Vorstellung korrespondiert mit Kristevas Konzept eines Textes und einer Sinnkonstitution, die den Einbruch der Triebe, des Semiotischen in die symbolische Ordnung nicht abwehren. In diesem Sinne wird nicht *über* den Körper geschrieben, sondern es geht um eine Schreibweise, »die eine andere Beziehung zwischen Sprache und menschlichem Körper begründet als die der Benennung, indem etwa Sprach-Körper und Körper-Sprache sich berühren«[250], eine Schreibweise, die sowohl in Stefans Text *Häutungen* als auch in Dudens Erzählsammlung *Übergang* angestrebt wird.

In ihrem Artikel »Writing the Body« begegnet Ann Rosalind Jones diesem Schreibkonzept mit dem kritischen Einwand, ob der sozial und kulturell überkodifizierte Körper überhaupt Quelle von Selbsterkenntnis sein kann, ob weibliche Sexualität oder weibliches Begehren vor oder trotz der Zurichtungsprozesse Wahrheit äußern können und ob nicht vielmehr sexuelle Identität immer schon eine sozial (de-)formierte ist.[251] Obwohl man den rhetorischen Einwänden in dieser Formulierung zustimmen muß, scheint mir Jones doch den Hauptansatzpunkt der französischen Theoretikerinnen zu übersehen:

Es ist ja nicht der 'ganze', 'idyllisch' in Anspruch genommene Körper, der hier zum Sprechen gebracht werden soll, sondern gerade der dezentrierte und ausgegrenzte Körper. Das unterdrückte Begehren und die sozial zugerichtete sexuelle Identität der Frau können – von der Linearität des Systems zugleich produziert und ausgeschlossen – eine andere Perspektive auf die Beziehung zwischen Signifikant und Signifikat, Subjekt und Objekt, Körper und Geist bieten. Es geht nicht um den realen weiblichen Körper, sondern um die ideologische Ausrichtung von Körper*bildern*. Daß eine solche Schreibweise sich bemühen muß, der komplexen Wechselbeziehung zwischen biologischem Geschlecht (*sex*) und der kulturell kodierten Bedeutung von Geschlechtlichkeit (*gender*) Ausdruck zu geben, wird offensichtlich, wenn sich z.B. Kristeva auf Texte von männlichen Autoren als Beispiele für eine 'andere' Schreibweise beruft und damit das biologische Geschlecht in Richtung auf kulturelle Geschlechtskonstruktionen überspringt.[252]

Die *écriture féminine* fordert implizit, eine dezentrierte Subjektivität auszuhalten und auszuschreiben, die am Körper-Bild der Frau vorgenommenen Beschädigungen und Schmerzen literarisch und theoretisch zu durchqueren. Die aus dieser Perspektive geschriebene Geschichte der Liebe deflektiert den weiblichen Körper, insofern er als männliches Wunschobjekt in den traditionellen Liebesdiskurs eingeschrieben ist, und reflektiert gleichzeitig den kollektiven Ausschluß des lebendigen weiblichen (Trieb-)Körpers. Vor diesem Hintergrund sind die eingangs zitierten Bemerkungen Alexander Kluges impliziter Hinweis auf die unterschiedlichen Positionen der Geschlechter in der Kulturgeschichte: Dem männlichen Subjekt gilt die Warnung »Wer die Gefühle beherrscht, verarmt«, während das weibliche Subjekt in Literatur und Film immer wieder erfährt, daß, »wer von ihnen beherrscht wird ... bald sein Testament machen«[253] muß.

Dudens Erzählungen setzen diese Erkenntnis um, indem sie körperliche und psychische Beschädigungen, Auflösungs- und Ausgrenzungsprozesse schildern, die die Sprachlosigkeit des weiblichen Subjekts begründen, ohne es dabei stumm zu machen. Im Gegenteil: Die wörtliche Durchquerung der erlittenen Beschädigungen wird zu einer radikalen Syntax, die den Zusammenhang von Sprache, Macht und Geschlecht offenlegt. Weigel bezeichnet diese Syntax als Beispiel »für eine Schreibweise radikaler Subjektivität, die zu einer Dezentrierung des Subjekts auf dem Wege der Durchquerung seiner Beschädigungen und Schmerzen führt.«[254]

»Wie einen Wurm zertreten«: Der (fast unmögliche) Tod der Liebe

> ... ich will nicht, daß jemand mich berührt, weil ich nicht in Stücke zerspringen will. Der Arzt sagt, ich selber hätte mir das angetan, und nur ich selber könnte es wieder ändern. Das kann ich nicht verstehen. Warum hätte ich mir das antun sollen? Aber wenn er recht hat, muß ich wohl warten, bis es dem seltsamen Wesen in mir gefällt, wieder hören zu wollen. Ich kann jedenfalls nichts erzwingen; dieses Wesen läßt sich nicht zwingen. Ich muß Geduld haben.
>
> Marlen Haushofer, *Die Mansarde*

> Kultur ist Erinnerung, Gedächtnis im doppelten Wortsinn: die immer wieder erzählte Geschichte des Einstmals. Sie hat die Aufgabe und den Effekt, die Identität des Menschen in all ihren geschichtlichen Beziehungen herzustellen. Aus dem Vergangenen wird die Ausrichtung auf das Künftige erkennbar und fortgeschrieben. In den Kulten und Riten werden die Übereinkünfte dargestellt und in Szene gesetzt: Die Gemeinschaft zelebriert ihr Einverständnis mit dem, was sie als Geschichte anerkennt, was ihre Identität ausmacht und worin sie sich spiegelt, sie billigt die Wertsetzungen und Ordnungen, die sie sich gegeben hat.
>
> Gisela Breitling, *Geschlechtsapartheid – die Kultur des Patriarchats*

Die Frau, so behaupten Gisela Schneider und Klaus Laermann, »ist immer außer sich; sie ist imaginär dezentriert in einer Bilderwelt, die ihr die Realität verstellt«[255]. Wie der Text »Der Auftrag die Liebe« auf ungewöhnliche und eindringliche Weise illustriert, sind es besonders die imaginären Schnittpunkte von Weiblichkeit und Liebe, die der Frau die Realität verstellen. Emotionale weibliche Befangenheit wird in diesem Text im Bild der Auseinandersetzung zwischen einem namenlosen weiblichen Subjekt und der Liebe, die als eigenständige Figur der Erzähler-Figur »im Nacken« sitzt, entfaltet. Im Gegensatz zur traditionellen Liebesgeschichte ist die Schwierigkeit der Frau, Liebesbeziehungen zu beenden und die Liebe in sich zu *töten*, Thema der Erzählung. Dies wird ausgeweitet zu Fragen der Geschlechterkonstellation in der Zivilisationsgeschichte und in der Geschichte der Liebe bzw. des Leibes. Die Liebe

Piero della Francesca, *Sankt Michael*, London, National Gallery
aus: Alessandro Angelini, *Piero della Francesca*, Florence: Conti Tipocolor 1989, S.62

kommt einerseits in den Blick als unmittelbare und gewalttätige Kraft, die die Gegenwart und den Körper der Ich-Figur »besetzt hält«, und andererseits als Spur einer kulturellen Ikonographie, wie durch Piero della Francescas Gemälde *St. Michael* repräsentiert wird. Aspekte der Bild- und Textgeschichte durchkreuzen den Körper der Ich-Figur als ein Bedeutungsfeld, auf dem der Krieg der Geschlechter nach wie vor ausgetragen wird, ein Bedeutungsfeld, das jeweils unterschiedliche Prämissen und Konsequenzen für die Formierung von weiblicher bzw. männlicher Subjektivität hat.

Durch die montierende Schreibweise und den oft nicht markierten Gebrauch von Personalpronomina für die Ich-Erzählerin, die Liebe (die Frau) und den Geliebten, Michael (den Mann) werden Zusammenhänge aufgedeckt, die in der traditionellen Liebegeschichte verdeckt werden. So setzt der Text unvermittelt mit einer von dem Erzengel vorgetragenen Behauptung ein, deren Bedeutung erst nachträglich im Verlauf des Leseprozesses deutlich wird:

> Es ist alles in Ordnung. Ich habe ihr soeben den Kopf abgeschlagen. Sie blutete kaum. Was soll ich als nächstes erledigen. (117)

Hier spricht der Erzengel Michael seinen Sieg über den Drachen und seine Bereitschaft für neue Kämpfe aus. Ausgesagt wird dabei auch die Position des Mannes in der Geschichte der Leidenschaft sowie das männliche Verhältnis zu Sinnlichkeit und Natur. Ich lese diese vier knappen Sätze als eine kulturelle Prämisse, die durch die folgenden narrativen Fragmente über das Ende von Liebesbeziehungen sowie durch Reflexionen über Francescas Renaissancegemälde eingeholt wird.

Die sich an die Worte Michaels unmittelbar anschließende Beschreibung der weiblichen Ich-Figur widerspricht der ruhigen und selbstsicheren Stimmlage, mit der der Erzengel seiner fragwürdigen Zukunft entgegenblickt, und markiert damit von Anfang an die unterschiedlichen und durch kulturelle Imaginationen vorbelasteten Positionen von Mann und Frau der Liebe gegenüber. Die Ich-Figur beschreibt ihren momentanen Zustand und deren Ursachen, dabei – wie schon in der Vorrede – die Identifizierung mit dem Opfer zurückweisend, und das, obwohl der Text mit einer eindeutigen Opfer-Täter-Konstellation eingeleitet wird. »Daß ich ein Opfer bin, kann ich nicht behaupten, und auch die Schuldfrage führt zu nichts. Es ist die Liebe natürlich, etwas anderes wäre auch gar nicht mehr in Frage gekommen« (117). Diese Rhetorik erinnert an den sachlichen Diskurs über das Geschlechterverhältnis der siebziger Jahre, der zunächst »gar nicht neutral und sachlich genug sein« kann.[256] Dudens Schreibweise vermeidet jedoch die ebenso sachlichen wie ideologischen Verzerrungen, die zur Reduzierung der Geschlechterbeziehung auf Opfer und Täter führt, und fragt statt dessen wie Ingeborg Bachmann in »Undine geht« nach dem Effekt von Weiblichkeit in der kulturellen Textur.

Mit Hilfe des überzähligen Auges, d.h. mittels einer sowohl zurückgenommenen wie involvierten Perspektive, blickt die Erzählerin »spaltend und unerbittlich« auf ihren Bezug und ihr Verhältnis zur Liebe. Die Liebe hat das Ich besetzt, d.h. die Ich-Figur ist nicht ihrem Geliebten unterworfen, sondern der Liebe selbst. Dieses Herrschafts- und Besatzungsverhältnis wird folgendermaßen formuliert:

> Sie [die Liebe] ist verantwortlich dafür, daß ich lebe und nicht sterbe, sterbe und nicht lebe. Sie achtet genau darauf, daß ich bleibe, als ihr Anhängsel. Sie gibt nicht nach. Sie ist in allen Körper- und Nichtkörperteilen zugleich. Sie hält mich besetzt. Ihretwegen kann ich keinem Beruf nachgehen. Sie läßt Vergessen nicht zu. (117)

Der Körper und die Psyche des weiblichen Subjekts sind der Schauplatz und die Arena für den Kampf mit der Liebe. Die Liebe ist für den lädierten und derangierten Zustand der Ich-Figur verantwortlich und gleichzeitig Erinnerung an eine kollektive Struktur, die ausgedeutet werden soll. »Liebesanfälle«, in Bildern von physischen Übergriffen beschrieben, beherrschen die Sprecherin, ein Szenario, dessen weitreichende Konsequenzen in skizzenhaft angedeuteten Abschiedsszenen von zwei Geliebten weiter entfaltet werden. Grund für diese Abschiede ist der bereits von Bachmann formulierte traumatische Gegensatz von Leben und Liebe, Handlungsfähigkeit und Emotionalität.[257] Dabei wird ein innerer Vorgang nach außen entfaltet. Die Autorin benutzt eine Grammatik und Syntax, die, da sie oft surreal, befremdend und verzerrend wirkt, auf reale Entfremdungen und Verzerrungen aufmerksam macht. Weibliche Leidenschaft kommt nicht in den Blick als utopisches Versprechen der Befreiung aus rationalen Zwängen, sondern – im Gegenteil – als Kampf um Selbstbeherrschung angesichts einer übermächtigen, insistenten und mörderischen Gefühlsmacht.

In intensiven Metaphern von Krankheit und Angriff beschreibt der Text, daß und in welchem Ausmaß die Handlungs- und Überlebensfähigkeit des weiblichen Subjekts durch das »Anhängsel« Liebe – also durch einen von außen an die Frau herangetragenen »Auftrag« – gefährdet wird. Die Allusion auf die geistesgeschichtliche Tradition, die Verstand und Gefühl, Geist und Natur als unversöhnlichen

Gegensatz denkt und diesen oft vereinfacht in den Gegensatz von männlich bzw. weiblich übersetzt hat, ist deutlich. Die in dieser Dichotomie angelegte Spannung auszuhalten, eine Spannung, deren destruktive Konsequenzen Adorno und Horkheimer in der *Dialektik der Aufklärung* pointiert beschreiben, ist in Dudens Text der »Auftrag« der Ich-Figur. Der Konflikt zwischen Rationalität und Gefühl bestimmt einerseits den psychisch-physichen Existenzmodus der Ich-Figur und wird andererseits – in der Auseinandersetzung mit Francescas Gemälde – als Problemstellung auf das männliche Subjekt bezogen.

An einer Stelle spekuliert die Erzählerin darüber, wie ein Leben ohne diesen durch die Liebe verursachten Konflikt aussähe:

> Heimlich dachte ich, wie gut ich ohne sie [die Liebe] auskommen würde, welche Entfaltungsmöglichkeiten ich ohne sie hätte. Ich würde mich wieder in den unterschiedlichsten Bereichen nützlich machen können, z.B. in einem Büro. Ich würde mich einer Bewegung oder Initiative anschließen können und überhaupt sehr aktiv sein. (122)

An dieser distanziert-ironischen Passage läßt sich indirekt der historische Ort des Textes und damit implizit der zeitgenössische Stand des Diskurses über Liebe und Gefühle ablesen. Abgesehen von der 'Arbeitskraft', die ohne die Präokkupation durch die Liebe frei würde, böte ein emotionsloses Leben die Möglichkeit, sich öffentlichen zu engagieren und sich einer »Bewegung oder Initiative« anzuschließen. Es liegt nahe, hier an ein Engagement in der Frauenbewegung zu denken, womit die feministische Diskussion über Liebe in den Blick gerät.

Aufgrund ihrer ideologie- und vernunftkritischen Absicht kann sich die Frauenbewegung emotional besetzte Teilnehmerinnen nicht leisten und ist deshalb gezwungen, die Auseinandersetzung mit den für Frauen so brisanten Themen wie Liebe und Gefühl mit dem Begriffsinstrumentarium und nach den Kriterien der aufgeklärten Vernunft zu führen. Damit wird aber die als 'weiblich' diffamierte Sinnlichkeit weder in das kollektive noch in das individuelle 'feministische' Bewußtsein einbezogen, sondern erneut verdrängt.

Symptomatisch für die Schwierigkeiten von Frauen, jenseits der Weiblichkeitsstilisierungen ein Verhältnis zu ihren Emotionen zu finden, ist die lebhaft geführte Diskussion über den *Carmen*-Film. Auf den ausführlichen *Spiegel*-Artikel »Die neue Carmen. Rückkehr zur Erotik« wurde bereits eingangs verwiesen. Der Carmen-Kult beschäftigt feministische Kritikerinnen insbesondere deswegen, weil der Film auf ungeheure positive Resonanz gerade bei weiblichen

Kinogängerinnen traf und damit einem von der Frauenbewegung weitgehend kritisch beurteilten Bedürfnis nach positiven weiblichen Identifikationsfiguren Ausdruck zu geben scheint. An diesem Punkt setzt Jutta Brückners Kritik dieses Films ein. Haben Frauen, so fragt sie,

sich nicht seit 68 heiser argumentiert, daß sie alles das nicht sind, was männliche Phantasie aus ihnen gemacht hat... Sollen alle diese mühsamen Aufklärungsversuche vergessen sein, nur weil Laura del Sol als Urbild Konventionen hinwegfegender Natur über den Bretterboden stampft und damit ja nicht nur Männer einfängt... sondern vor allen in den Frauen selbst einen verdrängten Raum ihrer eigenen Person aufweckt?[258]

Die Autorin beantwortet diese Fragen zunächst mit der Feststellung, der Diskurs der Frauenbewegung habe Sinnlich- und Körperlichkeit bloß verdrängt und sei jetzt mit der Wiederauferstehung des Verdrängten konfrontiert. Vor der Sehnsucht nach entfesselter Leidenschaft sei die feministische Emanzipationsbewegung vor allem deshalb zurückgeschreckt, »weil sie alles, die Gesellschaft, die Frauen selbst, im Lichte der Vernunft baden mußte«[259]. Brückner bricht die Richtung ihres vernunftkritischen Arguments, »daß die Neue Frauenbewegung als Erbe der bürgerlichen Aufklärung sich auch mit der eigenen Dialektik der Aufklärung auseinandersetzen muß«[260], aber ironischerweise selbst, indem sie Sauras Film als eine »Befreiungsphantasie« liest, die »unsere gesamtgesellschaftlich-emanzipatorischen Defizite« reflektiere. Dabei übersieht sie zuletzt den projektiv-ideologischen Charakter der aktuellen, durch Carmen verkörperten Sinnlichkeit, auf den sie in ihrer Prämisse hinweist – die Tatsache nämlich, daß der im Tanz des Körpers behauptete Wahrheitsgehalt immer auch Konstruktion des sich entfremdeten, aufgeklärten männlichen Subjekts ist, eine Projektion, die seit jeher die Sprengkraft weiblicher Sinnlichkeit für 'utopische Zwecke' vereinnahmt hat.

Olav Münzberg begegnet in seiner Kritik an Brückners Artikel den von Brückner kritisch konstatierten zeitgenössischen »Rezeptionswollüsten«, der »Sehnsucht nach dem anti-psychologischen direkten, nicht mehr ableitbaren, sprengenden, unbedingten Gefühl, nach Selbstaffirmation, nach einem Körper, von dem die Leidenschaft Besitz ergriffen hat, nach der Welt, in der alles konkret ist«[261] mit der Feststellung, daß

die legitime Ablehnung falscher Forderungen nach Legitimation eigener körperlicher Entfaltungswünsche... zu schnell in die Auslieferung an eine durch den Einzelnen in sich in Bewegung gebrachte Naturkraft [umkippt], die die Rückkehr in einen Rationalisierungszusammenhang, der gerade Körperlichkeit miteinschließt, eher unmöglich macht oder überflüssig sie erschwert.[262]

Dem vernunftkritischen Diskurs gegenüber kommen in Dudens Text die Begriffs- und Bedeutungsfelder »Liebe«, »Natur« und »Weiblichkeit« in Form einer innersubjektiven Auseinandersetzung ins Spiel. Der Utopie einer zu sich selbst befreiten Sinnlichkeit, die durch den Carmen-Kult aktualisiert wurde und die durchaus ein Ungenügen an der zweckrationalen Wirklichkeit der modernen Industriegesellschaft impliziert, hält die Autorin eine im wahrsten Sinne des Wortes durch die Leiden-Schaft immobilisierte weibliche Subjektivität entgegen. Sie fragt nach dem kulturgeschichtlich vorgegebenen Verhältnis von Sinnlichkeit und Verstand und damit implizit nach der Art und Weise, wie Mann und Frau dieses Verhältnis leben. Die Umschreibung der Liebe als ein »Anhängsel« der Frau macht darauf aufmerksam, daß der Zusammenschluß von Frau und Liebe kein 'natürlicher' Wesensbestandteil des weiblichen Subjekts ist, sondern eine auf die Frau projizierte übermächtige kulturelle Konstruktion, wie sie schon durch die Undine-Figur repräsentiert wird. Duden stellt den Rationalisierungszusammenhang, in den Münzberg die im Subjekt »in Bewegung gebrachte Naturkraft« wieder überführt sehen möchte, selbst in Frage, insofern ihr Text Ausgrenzungs- und Projektionsmechanismen hervorhebt, auf denen jeder Rationalisierungsvorgang unweigerlich beruht. In seiner scharfen Reaktion auf Brückners Artikel weist auch Kluge auf eben diesen Punkt, indem er zu Recht feststellt: »Don José ersticht Carmen, und wie er selbst sagt (in der Oper), tötet er das Liebste, das er auf der Welt hat, er tötet also auch etwas in sich.«[263] Das, was das männliche Subjekt hier als seinen Auftrag erfolgreich ausführt, die Abtötung der Liebe in sich, stellt jedoch für die Ich-Figur in Dudens Text eine schier unüberwindliche Schwierigkeit dar.

Als Text, der den Abschied bzw. die Schwierigkeiten des Abschieds von der Liebe zur Sprache bringt, partizipiert Dudens Erzählung an einem seit Ende der siebziger Jahre in der Literatur von Frauen geführten Diskurs der Desillusionierung, der auf dem schärfer werdenden Konflikt zwischen dem Wunsch nach Autonomie und der Sehnsucht nach Liebe beruht.[264] Auch in der Abschiedsszene – dem narrativen Ausgangspunkt der Erzählung – wird in gewisser Weise ein weibliches Ringen um Autonomie thematisiert, allerdings mit einer wichtigen Akzentverschiebung. Autonomie gerät hier nicht – wie noch in der Dokumentationsliteratur der siebziger Jahre – in den Blick als Unabhängigkeit vom Mann, sondern als Unabhängigkeit von der Liebe, als Ringen um Fassung angesichts der »unheilbare[n] Krankheit« Liebe, die, wie es im Text heißt, vor allem das weibliche Hirn erfaßt. Der Text bezieht sich weniger auf den von der Frauenbewegung eingeklagten Autonomiebegriff, sondern auf die für *beide* Geschlechter vorhandene Schwierigkeit, mit der Liebe als dem 'Anderen' des handlungsfähigen und reibungslos funktionierenden Subjekts fertig zu werden.

Ort des Abschieds, eines Abschieds, der nur in Ansätzen und nur von männlicher Seite durch den pragmatischen Hinweis, »du mußt die Dinge nicht so ernst nehmen« (117), kommentiert wird, ist zunächst eine Schafweide und dann ein Restaurant. In Travestie zum Topos des idyllischen Ausflugs in frühlingshafte Natur, passiert das Paar »military camps«, deren Abgrenzungen »den vertrautesten Rahmen bildeten«, während die Landschaft selbst nur in Form von »ausgeweidete[n] Rumpfknochen von Ulmen« und als »Grasnarbe« präsentiert wird. Auch das potentiell bukolische Szenario von grasenden Schafen wird durch die knappe, präzise und sachliche Darstellung gebrochen und auf ein ironisches Spiel mit der rhetorischen und literarischen Tradition reduziert.

Dahinter grasten zwei Schafmütter mit ihren drei Lämmern. Wir setzten uns und ließen etwa einen Meter Grasnarbe zwischen uns. Eines der Lämmer versuchte zu trinken, knickte zusammen, blieb am Boden liegen. (118)

Die emotionale Färbung der Landschaftsdarstellung, Reflexion der subjektiven Befindlichkeit der Figur – eine ästhetische Stilfigur, die auf die Tradition des Sturm und Drang und der Romantik zurückgeht –, wird radikalisiert, indem der Körper der Ich-Figur Ort und Gegenstand der katastrophalen Handlungsentwicklung wird.

Für den Mannskopf im Profil, den geliebten neben mir, gab es nichts mehr zu ändern. Alles und nichts traf zu auf ihn. Außer der Liebe, die aber von mir inzwischen vollständig Besitz ergriffen hatte. Ich sah mit ihren Augen, dachte mit ihrem Hirn, hungerte mit ihrem Magen, zog den Rotz hoch durch ihre Nase, sammelte Tränen in ihren Drüsen. Ihr Herz schlug mir bis in die Haarwurzeln. Der Atem, der hastig bei mir ein und ausging, viel zu schnell, als daß ich mich an ihm hätte festhalten können, war ihr Atem. (118)

Dieses Tableau beschreibt die Situation der Ich-Figur angesichts des Abschieds, der »Endrunde«, die Vernunft und Pragmatik das »k.o.« verpaßt und der Liebe das Feld überläßt. Der Text bringt die Unmittelbarkeit und Intensität des Verlustes als körperliche Inbesitznahme zum Ausdruck, als Niederlage der Vernunft vor dem irrationalen Anderen, und beschreibt dabei einen fast schizophrenen Zustand. Es ist die Liebe, die sagt: »Ich glaube, ich bin unheilbar krank« (118), und die Ich-Figur, die zusammenzuckt, weil »der Mannskopf im Profil« dies nicht hören soll, »es ging ja um Unerklärliches« (119). Es folgt der hilflose Versuch, »nicht aus der Form zu gehen«, hoffnungslos gegenüber der Intensität und Macht, mit der die Liebe ihre Gegenwart spürbar macht.

Meine Liebe. Sie saugte mich im Nu vollständig auf. Mörderisch war gar kein Ausdruck. Es ging kannibalisch zu. Am verlockendsten war ihr offenbar das Hirn. (119)

Die Liebe wird ausgeschrieben als 'tobende', 'wilde', 'tolle' Gestalt, die das Herz der Ich-Figur ausbuchtet, 'mit bloßen Händen in ihren Eingeweiden herumwühlt', »häßlich, heruntergekommen und kaputt« (120) ist. Diese Metaphorik referiert sinnfällig auf die Rede von der Liebe als dem Anderen der Vernunft, auf die Vorstellung vom Anderen der rationalen Ordnung und damit auf vorzivilisatorische und unterdrückte Aspekte des Subjekts.

Dudens Schreibweise durchquert die problematische Gleichsetzung von Frau und Liebe, die sich als Erbe der Romantik bis in die Gegenwart erhalten hat. So findet man – um nur ein historisches Beispiel zu nennen – im Brockhaus von 1830 unter dem Stichwort »Frauen« die folgende Zeile: »Die Frauen ... sind Repräsentanten der Liebe, wie die Männer des Rechts im allgemeinsten Sinne ... man hat sie bald Engel bald Teufel genannt.«[265] Frauen und Liebe werden im Gegensatz und in Konkurrenz zum Recht, d.h. zur vernünftigen Mäßigung definiert. In Bachmanns Undine-Text war die Ausgrenzung bzw. Domestizierung der Liebe als Aufspaltung des weiblichen Subjekts in Undine und Menschenfrau bzw. in Geliebte und Ehefrau formuliert worden, während im Malina-Roman wie auch in Dudens Erzählung der gleiche Sachverhalt als pathologische, fast schizophrene Spaltung in der Psyche bzw. am Körper der Frau notiert wird. Sowohl Bachmann wie Duden wiederholen durch ihre Schreibweisen kulturgeschichtlich vorgeschriebene Konstruktionen von Weiblichkeit und Liebe, und zwar weder im Modus der Identifikation noch mit dem Gestus der kritischen Ablehnung, sondern als dramatisierte innersubjektive Auseinandersetzung.

Die kritische Aufarbeitung des Zusammenhangs von Frau und Liebe gestaltet sich schon allein deswegen schwierig, da die Frau Liebe verkörpert, sich also – wie die Undine – »entleiben« müßte, um vernünftigen Abstand zu gewinnen. Darauf rekurriert Dudens Text, wenn es über die Liebe heißt: »Entleiben würde sie sich nicht, das überließ sie mir« (121). Wenn die Ich-Figur dennoch ständig versucht, sich aus der monströsen Macht der Liebe zu befreien, dann kann das als eine Strategie gelesen werden, kulturelle Deformationen aufzuzeichnen, auszuhalten und auf den ihnen immanenten

Erkenntniswert hin zu befragen. Mit Hilfe des Auges, das die Erzählerin zu viel hat, tritt sie »einige Augenschritte zurück« und sieht, »daß alle Zwischenschichten abgetragen waren«, so daß sie sich »ungehindert zwischen Spiegelung und Gespiegeltem bewegen« kann und sich »fast frei [fühlt], zumindest weit entfernt von jener Liebe, die ihren Körper, ihre Krankheit, ihr lebendes oder totes Gegenüber braucht« (119). Dies erinnert an Lenks Bemerkungen zur weiblichen Subjektivität und zum neuen Verhältnis der Frau zu sich selbst:

Im neuen Verhältnis der Frau zu sich selbst ist sie Viele, oder vielmehr: sie löst sich augenblicksweise auf in reine Bewegung ...

Das Verhältnis der Frau zu sich läßt sich zeigen am Spiegel. Der Spiegel, das sind die vorweggenommenen Blicke der Anderen.[266]

Die Erkenntnis von der Verzahnung der verschiedenen Konstruktionselemente von Weiblichkeit, der »Spiegelungen«, realisiert sich durch die Perspektive des »Gespiegelten«, der Ich-Figur, in Form einer Distanznahme, die zu einem In-Bewegung-Bringen der weiblichen Verhaltensweisen führt. Der Text nennt hier u.a. »die Luxusgüter Charme, Interesse, Offenheit« und »die Kunst des Lebens«. Die intensive Macht sozialer Muster, wie die »Kunst des Lebens« und die Liebe wird dadurch zum Ausdruck gebracht, daß beide als eigenständige Figur gestaltet sind, die mit der Erzählerin »am runden Tisch« sitzen. Das beschwichtigende Regulativ der »Kunst des Lebens« hat jedoch angesichts der dominanten Liebe keine Wirkung mehr: »Durch eine hohe, aber durchsichtige Mauer war ich von der Kunst des Lebens, die mit uns am runden Tisch saß, luftdicht getrennt« (120). In diesem Spannungsfeld von affektivem Terror und ziviler Mäßigung verliert die Erzählerin immer mehr an geistesgegenwärtiger Präsenz und Kontrolle: »Es war völlig klar, daß ich kein Recht mehr hatte, dazusein« (120).

Auf der Ebene der psychischen Figuration beschreibt der Text die totale Dezentrierung des weiblichen Subjekts, indem er »die Zerstörung einer imaginären Identität vollzieht«[267]. Die beschriebene Zerstückelung und Auflösung der Ich-Figur kann, wie Weigel überzeugend darstellt, im Zusammenhang mit Lacans 'Spiegelstadium' gelesen werden. In diesem Sinne macht die Zersplitterung der Ich-Figur einerseits auf die grundsätzlich imaginäre Kohärenz des Ichs aufmerksam und durchquert andererseits die fragwürdige Annahme von Freud und der Psychoanalyse, daß der Frau 'die Versammlung der Partialtriebe' unter ein 'vereinheitlichtes Ich' nur ungenügend gelingt. Dudens ästhetische Radikalisierung dieser These läßt den

Schluß zu, »daß die Frau als hervorragende Kritikerin jener Verkennung geeignet scheint, die der Ich-Bildung zugrundeliegt. Bei Duden wird der 'Schnitt', der das Äußere vom Inneren trennt, das Chaos von der Ordnung, das imaginäre Subjekt von seinem Körper, quasi in umgekehrter Richtung wiederholt.«[268]

Der Text akzentuiert damit auch zivilisatorische Zurichtungsprozesse, die dem Netz von Affekten und Trieben bestimmte Kontrollmechanismen entgegenstellen. Mit Bezug auf die moderne Gesellschaft bezeichnet Norbert Elias die Möglichkeit, »daß jemand ... seine Selbstkontrolle verliert«, als »Hauptgefahr, die der Mensch für den Menschen bedeutet«[269]. Ganz besonders die moderne Vorstellung von der leidenschaftlichen Liebe, die sich als privater Einspruch an den kollektiven Zwängen des pragmatischen Alltags gebildet und erhalten hat, fordert und feiert aber gerade den Verlust der Selbstkontrolle, die Entfesselung der Triebe, den Taumel der Affekte. Jedoch nicht – und darauf verweist Dudens Text – ohne dabei gleichzeitig als potentiell asoziale Gefahr, die sich durch die Rede vom 'übermächtigen Triebcharakter' der Frau manifestiert, immer wieder abgewehrt zu werden. Über den Mann heißt es im Text: »Ganz so schamlos und hingebungsvoll hatte er sie [die Frau bzw. die Liebe] nun doch nicht gewollt« (120). Formuliert wird hier der weibliche Konflikt, einerseits die Utopie von der ungebrochenen Macht der Leidenschaft zu verkörpern und andererseits als asoziale Gefahr ausgegrenzt zu werden. Es ist kein Zufall, daß international erfolgreiche Filme wie *Carmen* (1983), *Fatal Attraction* (1987), *Gefährliche Liebschaften* (1988) und *Basic Instinct* (1992), die eben jene Projektionsmechanismen und Ausgrenzungsprozesse dramatisieren, in Zeiten der neokonservativen Wende so ungeheuer populär waren und sind. Leidenschaft, vor allen Dingen die weibliche Lust, wird cinematographisch und moritatenhaft zur Schau gestellt, damit sich die geltende Ordnung immer und immer wieder als deren Zügelung, d.h. Tötung etablieren kann. Dieser Zusammenhang, der Zusammenhang zwischen Macht, Gewalt, Liebe und Geschlecht wird im zweiten Teil von Dudens Erzählung aufgedeckt.

Nach dem Ende der Beziehung, deren Schmerz die Erzählerin kurzzeitig, aber vergeblich durch Beendigung ihres Lebens – sie hofft auf einen Unfall oder einen an ihr verübten Mordüberfall – zu überwinden sucht, wird das Ende einer zweiten Beziehung geschildert, diesmal allerdings mit umgekehrten Vorzeichen. Es ist die Erzählerin selbst, die diesen Abschied initiiert. Nach wie vor ist ihre Existenz durch die Präsenz der Liebe determiniert und behindert, es gelingt ihr nicht, einen handlungs- und überlebensfähigen Modus zu finden, d.h. die Liebe in sich zu töten. »Schon wieder konnte ich nicht in Eintracht leben mit dem, was war. Und«, wie die Liebe nicht vergißt hinzuzufügen, »sein wird« (121).

Die zweite Abschiedsszene ist wie die erste nicht Darstellung der Auseinandersetzung zwischen der Ich-Figur und ihrem Geliebten, sondern zwischen der Ich-Figur und ihrer Liebe. Als ihr Geliebter die Aufkündigung der Beziehung nicht ernst nimmt und lediglich »in einen tiefen Schlaf« fällt, beginnt die Liebe »zu heulen und zu schluchzen. Sie zitterte, sie bebte, sie war ein einziger Aufruhr. Aber es half alles nichts« (122). Diese heftige Reaktion macht den manipulativen Charakter der Liebe und damit implizit einen Aspekt des 'typisch weiblichen' Verhaltensmusters deutlich. Der Abschied vom Geliebten ist, wie die Ich-Figur in bezug auf Liebe erkennt, von der heimlichen Hoffnung getragen, bei ihm »Umkehr, Reue, Erkenntnis« auszulösen. Und damit geraten weibliche Handlungsstrategien in den Blick, denen als einziges Machtmittel die Drohung mit Liebesentzug zur Verfügung steht. Einerseits impliziert die uneingestandene Hoffnung auf »Umkehr, Reue, Erkenntnis« die oft vorhandene Unfähigkeit der Frau, mit der Drohung ernst zu machen, andererseits verbindet sich damit die illusionäre Vorstellung, dadurch die Kontrolle über das eigene Leben zurückzugewinnen. Die sich über die Liebe bzw. über den Liebesentzug herstellende Macht ist genauso illusionär wie die Undines bzw. der Geliebten über »Hans«, genauso illusionär wie die Carmens über Antonio, wie die der Alexis-Figur aus *Fatal Attraction* über ihren Liebhaber – und dies, weil den Geschlechtern unterschiedliche Positionen dem Gefühl und damit der Macht gegenüber zukommen. Diese Einsicht liefert in Dudens Erzählung den Anlaß für die Betrachtung und Auseinandersetzung mit der emotionalen Topographie der Geschlechter, in der das weibliche Ich das Schicksal der Liebe, »WIE EIN(EN) WURM« zertreten zu werden, an die Darstellung Michaels in Piero della Francescas Gemälde heranträgt und auf den dort abgebildeten Zusammenhang von Natur, Geschlecht und Gewalt reflektiert.

Der vergebliche Versuch der Abtötung der Liebe in sich bzw. das Verhältnis zwischen Liebe und Ich-Figur wird in folgender Passage beschrieben:

> Einige Sekunden später waren wir wieder auf der Straße, sie und ich. Verglichen mit ihr kam ich mir geradezu gelassen vor. Ein Blick in die Schaufensterscheibe zeigte mir, daß ich manierlich aussah, durchaus in Ordnung. Sie stieß und zuckte weiter, krümmte und reckte sich im Wechsel. WIE EINEN WURM ZERTRETEN. (122)

Obgleich die Trennung vom Geliebten eine vernünftige Zukunft zu versprechen scheint, ist die Auseinandersetzung mit der Liebe dadurch nicht beendet. Im Gegenteil, als Wurmfortsatz des Unterdrückten, als »Auftrag« lebt sie in der weiblichen Figur weiter, womit die Erzählung einen Bogen zurück zum Anfang und zur Tat des Erzengels Michael beschreibt. Dessen Worte »Ich habe ihr soeben den Kopf abgeschlagen. Sie blutete kaum« hatten den Text eingeleitet. Über ihn heißt es jetzt, genauso unvermittelt wie am Anfang: »Er wartet, er harrt aus. Der nächste Auftrag wird kommen. Es gibt genug Köpfe auf Leibern« (124). Die sich daran anschließende Beschreibung des Gemäldes ist keine distanzierte Analyse eines kunstgeschichtlichen Dokuments, sondern direkte Auseinandersetzung mit der Figur des Erzengels, dem Repräsentanten einer Ordnung, dem das gelingt, wonach die Ich-Figur vergeblich strebt: die Fassung zu bewahren, das Monster – die Liebe – zu töten und durch diese Gewalttat Macht zu demonstrieren und für lange Zeit zu etablieren.

Die Gewalttat des Erzengels ist Signum einer Ordnung, die, an sich unsichtbar und abstrakt, in Legenden und Mythen entfaltet wird und deren Prämissen das judeo-christliche Weltbild und damit die soziale Realität der Gegenwart nach wie vor bestimmen. Einer dieser Legenden zufolge ist der Erzengel Michael Exekutivorgan ihrer höchsten Instanz: »Gott Vater Herrscher Auftraggeber« (124). Das Szenario, das diese Ordnung in nucleo als Sieg des Erzengels über Satan zusammenfaßt, wird in Dudens Text als Hierarchie zwischen oben und unten, einem Sieger und einer Besiegten, einem lebenden und einem toten Körper beschrieben:

> Zwei Körper. Der eine lebt, der andere ist tot. Der lebende steht auf dem toten, den er gerade erst getötet hat. Der tote Körper weich, nachgiebig, gewunden und gekrümmt. Sein Ende ragt dünn in die Luft, ein nutzlos aufbegehrendes Ende. Neben den stämmigen Beinen des Lebenden. WIE EINEN WURM ZERTRETEN. (124)

In seiner zivilisationstheoretischen Untersuchung stellt Horst Kurnitzky grundsätzlich fest, daß die rituelle und wiederholte Tötung eines Fabelwesens, »phantastische Schlangen- und Drachenkämpfe ... vermutlich so alt [sind] wie die menschliche Gesellschaft«[270]. Nur ein Beispiel unter vielen ist der von Piero della Francesca dargestellte Kampf Michaels mit dem durch eine Schlange verkörperten Prinzip des Bösen. Er geht auf die biblische Erzählung zurück, derzufolge »ein Drache, feurig und gewaltig groß, mit sieben Köpfen und zehn Hörnern und sieben Diademen auf seinen Köpfen« (Offenbarung 12, 3) die Erde bedrohte. »Gestürzt wurde der große Drache, die alte Schlange, die den Namen Teufel und Satan trägt, der den ganzen Erdkreis verführt; er wurde hinabgestürzt auf die Erde.« (Offenbarung 12, 9) Was Kurnitzky für einen altbabylonischen Mythos feststellt, gilt auch für Michaels Kampf mit der Schlange:

> Die Ambivalenz jedoch, die darin besteht, daß die Schlange Tiamat die Welt bedroht, die durch ihren Tod erst geschaffen wird, ist Ausdruck einer gesellschaftlichen Verfassung, in der die Gesellschaft in der Abwehr bedrohlicher Ungeheuer immer wieder konstituiert wird... Allein das Abschlachten ganzer Drachengeschlechter bleibt notwendig Heldenarbeit: Sie verkörpert eine Emanzipation des Menschen von der wilden, gefährlichen, chaotischen Natur, durch die er allererst zum Menschen wird.[271]

Dieser Mensch jedoch ist männlich, ist in seiner Tendenz bereits das vernunftpragmatische Subjekt der Aufklärung, während das getötete (Natur-)Objekt weiblich konnotiert ist. Es handelt sich hier um einen Aspekt der Zivilisationsgeschichte, der deutlich macht, daß das menschliche Subjekt seine Fassung der »Introversion des Opfers« verdankt, wie Dietmar Kamper es in seinem Essay über »Das Phantasma vom ganzen und vom zerstückelten Körper« ausdrückt.[272] Und Kamper fügt an späterer Stelle eine geschlechtsspezifische Differenzierung hinzu: »Selbsterhaltung durch Selbstvernichtung, im Schattenwurf allerdings einer kaum noch begreifbaren Schuld, die das männliche Selbst gegenüber einer als mütterlich aufgefaßten Natur durch Leiden zu erstatten wähnte.«[273] Und um diesen 'Schattenwurf' geht es der Erzählerin in Dudens Text, wenn sie auf den Erzengel zugeht und damit die Komplexität der Bedeutungsfelder 'Krieger, Mann, Geliebter und Drachen/Schlange, Liebe, Frau' als kulturgeschichtliche Spuren ins Spiel geraten läßt:

> Heute ging ich auf ihn zu und er sah mich an. Er ließ mich ruhig und unverwandt kommen. Aug in Auge. Die letzten zwei oder drei Schritte vor ihm erkannte ich ihn schließlich. Er sah, wie gewohnt, über mich hinweg (mit dem linken Auge) und durch mich hindurch (mit dem rechten Auge)...
>
> Ich trat einige Schritte zurück und setzte mich. Endlich blickte ich auf ihn, aus paralysierten Augen und aus dem Jenseits des Fadenkreuzes. Ich wollte ihm sagen: Krieger, die Ströme treffen nicht aufeinander, sie laufen ins Leere. Statt Liebe Mechanik. Da ich wußte, daß es nicht ankommen würde, nahm ich Worte und Gedanken ungebraucht wieder mit. (124)

Biblischer Sprachduktus »Aug in Auge« und zeitgenössische Realität »jenseits des Fadenkreuzes« durchdringen sich, eine Grammatik, die die ungebrochene Präsenz einer unsichtbaren Gewaltgeschichte notiert, auf der die Liebesgeschichte hinterrücks beruht. Die Reflexion über die Selbstsicherheit des Erzengels, dessen Körper »durch

Berufskleidung hieb- und stichfest abgedeckt« ist, verweist darauf, daß Kraft und Stärke zur Semantik einer auch heute noch bzw. einer heute *wieder* aktuellen maskulinen Körperästhetik geronnen ist, zum »Schaufenster für festes Fleisch und Muskelkraft«, die der Maxime folgt: »das Faßbare unfaßbar machen« (126).

So populäre Hollywood-Mythen wie *Terminator I* und *II* (1984, 1991), *Rambo* (1985) und *Total Recall* (1990) wiederholen das hier beschriebene Bild von Männlichkeit, die Sage männlicher Unverwundbarkeit und Stärke. Sie setzen unermüdlich das unsichtbare Gesetz der männlichen Vorherrschaft im Bild des unangreifbaren männlichen Körpers in Szene. Die Filmoberfläche ist dabei mittlerweile leicht angekratzt vom Feminismus – der besseren Verkaufszahlen wegen, versteht sich. In *Terminator II* dokumentiert sich Emanzipation durch den im Bodybuilding-Studio gestraf(f)ten weiblichen Körper und Geist von Schwarzeneggers Co-Darstellerin. Die moralische Glättung der fortwährenden Blutbäder ist einem Kind zugewiesen, das der guten männlichen Kampfmaschine das emotionale Alphabet, die sozialen Gebote der Gesellschaft vorbuchstabiert. Damit tötet der Terminator nicht mehr jenseits von Gut und Böse, sondern nur noch die Bösen – Gefühle hat er deswegen allerdings immer noch nicht.

Gegenüber diesen gestählten männlichen Körpern, die für Recht und Ordnung sorgen, funktioniert der weibliche Körper als Symbol für die teuflische, weil sinnliche Natur. In Dudens Text wird er als »geschlagene, unheilbare Wunde« bezeichnet, in dem populären Leinwanddrama *Basic Instinct* hingegen wird er zum schlagenden Instrument, das den Mann verwundet – wobei letzteres nur die andere Seite derselben Sache ist, d.h. der Ausgrenzung der verteufelten oder verteufelnden weiblichen Sinnlichkeit. Die Potenz des Mannes steht für ein 'immer wieder', dafür, »eine bestimmte Weise des Lebens durch einen Tod hindurch zu gewinnen, wobei das erhoffte Ergebnis nie für immer sich einstellt[e], sondern in latenter Gefährdung« verbleibt[274], eine Gefährdung, die auf die Frau projiziert wird. Der Druck dieser latenten Gefährdung ist, wie Dudens Text in Verschiebung auf die Ängste des modernen Kriegsveteranen deutlich macht, immer noch präsent:

> Er ist sich mit allen Schlachten selber ausgeliefert. Er sieht die verwüsteten und verseuchten Flächen und Tunnel und Schützengräben. Die zerschossenen Fassaden und zerbombten Transportwege. (126)

Das lediglich durch ein Personalpronomen benannte männliche Subjekt findet sich unversehens auch in der Position des Opfers, Opfer einer traditionsreichen Gewalt- und Herrschaftsgeschichte. Im Gegensatz zur Frau kann der Mann diesem Dilemma jedoch mit einer Erlösungsstrategie begegnen: »er bräuchte etwas, das ihn nachträglich und vorbeugend erlöst. Der liegende Körper«, den er mit seinem »aufrecht stehende[n]«, »gegen Verwundung und Tod gepanzerte[n] Körper erledigt hat« (126). Und damit ist man wieder beim »iterativen Wahnsinn, bei dem die Zerstückelung eines 'kleinen' einzelnen Körpers zur Wiederherstellung eines 'großen' allgemeinen Körpers führen sollte«[275].

Auf die Hierarchie zwischen Verstand und Sinnlichkeit und damit auf die Verdrängung der Liebe als einer das Zivilisationsprojekt gefährdenden Macht weist der Text hin, wenn es in Rückwendung auf das Gemälde heißt:

> Der geharnischte Unterleib vor allem gibt sich uneinnehmbar. Während der Astralleib blau ins Blaue ragt, weist ein Schriftband den Weg abwärts in den Unterstand – der Liebe einen Heldenkeller errichten –, als tiefblauer Rockbund läuft es von den Hüften, entlang den Leistenbeugen, zum Geschlecht: POTENTIA. Worte an strategisch wichtigen Punkten, eingesetzt als Wegweiser, die an Mauern führen.
>
> Davor, waagrecht gehalten: die Waffe, deren blauen Griff die rechte Hand fest umspannt. (126)

> Er hat seinen Auftrag soeben ausgeführt. POTENTIA oder der Liebe den Kopf abgetrennt. Standort ist der tote Leib. SIE BEFINDEN SICH HIER. (127)

Die Vieldeutigkeit des Begriffs 'Potentia' – er kann Gewalt, Herrschaft und männliche Sexualkraft bedeuten – wird hier in die Frage umgeleitet, ob der Mann überhaupt zur Liebe fähig ist. Im Zusammenhang mit dem »Standort« des Mannes, dem »tote[n] Leib« der Liebe, fragt der Text, ob der Mann nicht vielmehr eine symbolische Ordnung repräsentiert, die zwangsläufig in die Ausgrenzung der Natur/der Gefühle führt. Der »Auftrag« wäre dann der »Herrschaftsauftrag« über die Natur/Gefühle, die »durch das Instrument« zur »erledigte[n] Einheit« wurden.

Der Text beantwortet diese Frage nicht, sondern trägt sie als Vorgabe an die Begegnung von Mann und Frau. Im unvermittelten Wechsel von Michael zu dem Geliebten heißt es:

> Im Dunkeln legte er seine Lippen leicht geöffnet auf meine. Der Krieger versiegelt sein Schlachtfeld. Ich war unergiebig, erschöpft und ruhig und antwortete nicht... Ich liebe dich, sagte die Liebe. Sie war mit uns in der Dunkelheit eingeschlossen. Ich lauschte ihrem lang auslaufenden Seufzer hinterher, der von irgendeiner Höhe langsam herabglitt und anschließend in dem Meer von Vergeßlichkeit, Schlaf, Sinnzertrümmerung versank. Wir aber lagen begraben unter einer seltenen Harmonie, die eintritt, wenn keiner mehr siegen kann. (128)

Dies ist keine Utopie einer zu sich selbst befreiten Liebesbeziehung, sondern der vorsichtige Versuch, sich einer Geschichte zu stellen, der das Paradigma von Sieg und Niederlage, Opfer und Täter, Glorifizierung und Erniedrigung immer noch eingeschrieben ist. In Parallele zu *Malina* und im Gegensatz zum *Carmen*-Film enthält sich die Autorin der Heroisierung der Sinnlichkeit und der damit einhergehenden Abwertung der Vernunft und fordert statt dessen zur Auseinandersetzung mit dem Körperbild und der Opfergeschichte der Liebe auf.

Fünftes Kapitel: Die wa(h)re Liebe

Zu Elfriede Jelineks *Lust*

> Wo nu eyns sich sperret und nicht wil, da nympt und raubet er seynen leyb, den es geben hatt dem anderen, das ist denn eygentlich widder die ehe unnd die ehe zuryssen. Darumb muß hie welltliche ubirkeyt das weyb zwingen oder umb bringen. Wo sie das nicht thutt, muß der man dencken, seyn weyb sey yhm genommen von reubern und umb bracht und nach eyner andern trachten.
>
> Martin Luther, »Vom ehelichen Leben«

Keine Lust mehr: Sexualdebakel und Pornographiedebatte

Ein kurzer Blick in *Spiegel*-Ausgaben der späten achtziger Jahre könnte den Eindruck erwecken, um die 'Frauensache' sei es zunehmend gut bestellt. Das aufmerksame Lesepublikum erfährt, daß Frauen immer häufiger und selbstbewußter die für ihr Geschlecht gesetzten Tabugrenzen durchbrechen. So wird z.B. in einem *Spiegel*-Artikel von Reisebüros berichtet, die sich auf die Organisation von Frauen-Reisen spezialisiert haben und damit voll im Trend lägen, weil das Interesse der Frauen am Urlaub ohne männliche Begleitung stetig wachse. Diese Art der Reise sei jedoch weder von den Veranstalterinnen noch von den Teilnehmerinnen als feministischer Selbsterfahrungstrip geplant, sondern lediglich ein Angebot, unterschiedliche Kulturen zu erfahren, ohne dabei als weibliche Alleinreisende von aufdringlichen Männern belästigt oder von hochnäsigen Kellnern ignoriert zu werden.[276] Das Tabu, das hier überschritten wird, ist die Maßgabe, nach der Frauen sich nicht ohne männliche Begleitung und Schutz frei in der ganzen Welt bewegen können. Wenn sie dieses Tabu ignorieren, laufen sie Gefahr, entweder als sexuelles »Freiwild« betrachtet oder aber als Hotelgast oder Restaurantbesucherin nicht ernst genommen zu werden. Dieser Diskriminierung liegt das ungeschriebene patriarchale Gesetz zugrunde, demzufolge die Frau als Besitz des Mannes im gezähmten Innenraum (Stadt, Haus) zu verbleiben hat.[277] In einem anderen *Spiegel*-Artikel aus dem Jahr 1989 wird festgestellt, daß es Frauen zunehmend wagen, sich einen jüngeren Freund oder Mann zu nehmen. »In 17 Prozent aller bundesdeutschen Ehen ist die Frau älter als der Mann, vor zehn Jahren waren es 13 Prozent. Bei den Verbindungen ohne Trauschein liegt die Zahl sogar deutlich höher.«[278] Als Beweis für die Aktualität dieses Phänomens wird Ursula Richters Studie *Einen jüngeren Mann lieben. Neue Beziehungschancen für Frauen*[279] angeführt. Richter weist darauf hin, daß die Verbindung zwischen einer älteren Frau und einem jüngeren Mann nach wie vor einen Verstoß gegen gesellschaftliche Normen bedeutet: »Die Frau bringt in die Partnerschaft ein, was der Mann als der Ältere seit jeher als Ausgleich für Jugend bietet: Wissen und Macht. Dafür wird sie geächtet.« Obwohl der Artikel mit einem optimistischen Ausblick endet, speist sich dieser Optimismus aus einer psychologisierenden Argumentation, die der zuvor dargestellten Problematik, nämlich der Inversion von Jugend, Macht und Potenz, die gesellschaftspolitische Brisanz nimmt. Die Motivation der Frauen, sich auf einen gesellschaftlichen Spießrutenlauf einzulassen, weil sie einen jüngeren, sprich offeneren Partner suchen, gerät in den Hintergrund. Diese Beziehungen halten nicht etwa, weil einige Frauen fest entschlossen sind, sich nicht mehr von dominanten älteren Ehemännern das Wort und das Recht auf Eigenständigkeit stehlen zu lassen, sondern weil die Konfliktbewältigung in solch provokativen Beziehungen schneller und intensiver als in der traditionellen Paarkonstellation auf die Probe gestellt wird. Federführungen wie diese sind ein ironischer Verweis auf die regulierende und beschwichtigende Funktion der 'liberalen' deutschen Presse.

Sowohl die Lust, allein zu reisen, als auch die hier beschriebene kontroverse Paarkonstellation weisen auf Verschiebungen im Verhältnis der Geschlechter, Verschiebungen, wie sie u.a. in dem ungemein populären Film *Männer* (1986) der Filmemacherin Doris Dörrie in Szene gesetzt wurden. Im Unterschied zu *Carmen*, dem Kinohit der frühen achtziger Jahre, der einen neuen Weiblichkeitsmythos installiert, bemüht sich *Männer* darum, geltende Männlichkeitsmythen abzubauen bzw. durch einen humorvoll gebrochenen Blick aufzuweichen. In *Männer* spielt das Begehren einer Frau einen Mann gegen einen anderen aus. Als der (Klischee-)Yuppie-Ehemann herausfindet, daß seine Frau ein Verhältnis mit einem (Klischee-) Studenten hat, zieht er incognito in dessen WG ein und 'entschärft' seinen nichtsahnenden Gegner, indem er ihn schlichterhand in eine Version seiner selbst umstylt. Das hat den gewünschten Erfolg: Seine Frau wendet sich von dem nun nicht mehr reizvollen, weil ihrem Mann zum Verwechseln ähnlichen Liebhaber ab und ihm wieder zu. Dörries Film ist hier vor allem deshalb erwähnenswert, weil seine überraschende Popularität (5 Millionen ZuschauerInnen haben *Männer* gesehen, soviel wie sonst nur »Otto« zu verzeichnen hatte) etwas über die neue weibliche Rede- und Blickfreiheit aussagt. Nicht nur werden dem weiblichen Begehren und Blick *vor* der Kamera Konsequenzen zugestanden – schließlich beginnt der Mann zaghaft als Objekt des weiblichen Blicks in Bewegung zu geraten –, der weibliche Regie-Blick *hinter* der Kamera erlaubt sich auch gleichzeitig eine entspanntere Perspektive auf die Mann-Frau-Beziehung, als das noch in den siebziger Jahren der Fall sein konnte. So wird die Generation, der Doris Dörrie angehört, in einer *Spiegel*-Titelstory aus dem Jahre 1986 als »postfeministisch« bezeichnet: »Das heißt, sie füllen ganz selbstverständlich jene wenigen Lücken, die der Feminismus in die Männerwelt geschlagen hat, und nutzen [sic] ohne auch nur ein Achselzucken darauf zu verwenden, die Vorteile, die schlechtes Gewissen und Courtoisie der Pascha-Gesellschaft des Kulturbetriebs energischen Frauen bieten.«[280] Abgesehen von der (unabsichtlich?) kastrierenden Sprache des Spiegelautors Karasek und der Anmaßung, die Leistung der Filmemacherin »Doris Dörrie, 31, mit sehr kurzen Haaren und sehr langen Beinen« (!) zum großen Teil der vermeintlichen Courtoisie der Männergesellschaft zuzuschreiben, wird das ökonomische Potential der Regisseurin durchaus ernstgenommen. Und was sonst zählt?

Der arbiträre Blick in die *Spiegel*-Ausgaben Mitte bis Ende der achtziger Jahre hat also gezeigt, daß einige patriarchale Tabus langsam angetastet werden: Frauen nehmen sich zunehmend das Recht heraus, ohne männliche Begleitung zu reisen, mit jüngeren Partnern zu leben und auf der Leinwand das männliche Konkurrenz- und Balzverhalten humorvoll zu inszenieren. Heißt das, daß es aufwärts geht in der Beziehung der Geschlechter?

Ein ebenso arbiträrer Blick in den Ende der achtziger Jahre mit viel Medienspektakel veröffentlichten Roman *Lust* von Elfriede Jelinek verneint diese Frage emphatisch und läßt die bisher angeführten sozialen Phänomene eher als harmlose Randerscheinungen einer nach wie vor ungleichen und brutalen Paarkonstellation erscheinen. Das in *Lust* beschriebene Verhältnis der Geschlechter repräsentiert eine strenge ökonomische und sexuelle Hierarchie. Immer wenn der Mann – »heiliger Vater« für Frau, Kind und alle Angestellten seiner Papierfabrik – nach Hause kommt, hat er Lust, Lust auf eine Frau, und wegen der »drohende[n] Krankheit« ist das immer seine Frau Gerti. Erst noch »spricht [er] ruhig von der Fut, die er gleich auseinanderreißen wird« (16)[281], um sich dann zielbewußt ans Werk zu begeben:

Der schwere Schädel des Direktors wühlt sich beißend in ihr Schamhaar, allzeit bereit ist sein Verlangen, etwas von ihr zu verlangen. Er neigt sein Haupt ins Freie und drückt statt dessen das ihrige an seinen Flaschenhals, wo es ihr schmecken soll. Ihre Beine sind gefesselt, sie selbst wird befühlt. Er spaltet ihr den Schädel über seinem Schwanz, verschwindet in ihr und zwickt sie als Hilfslieferung noch fest in den Hintern. Er drückt ihre Stirn nach hinten, daß ihr Genick ungeschickt knackt, und schlürft an ihren Schamlippen, alles zusammengenommen und gebündelt ... (17)

Ohne hier im Detail auf diese Passage eingehen zu wollen, läßt sich doch schnell feststellen, daß die von Jelinek nachgezeichnete Beziehung der Geschlechter sich weder durch Humor noch durch gegenseitigen Respekt, noch durch (sexuelle) Gleichstellung auszeichnet. Man kann eigentlich kaum von einer Verbindung sprechen, adäquater ist es, die Szene als brutale sexuelle Vereinnahmung und Ausbeutung der Frau durch den Mann zu bezeichnen.

Das, was Jelinek in *Lust* darstellt, ist ebenso provokativ wie destruktiv. Destruktiv nicht nur, weil eine Frau mit einer Textform spielt, die traditionellerweise von Männern für Männer gemacht wird, sondern weil der Text der Paarbeziehung Wahrheiten abspricht, die in sozialen und sexuellen Mythen immer wieder neu versprochen und verpackt werden. Zum Sprechen gebracht und den LeserInnen um die Ohren gehauen werden dabei »Klischees der Werbesprache der Medien, der Familienserien im Fernsehen ... sogenannte Sprichwörter oder Redewendungen des Volkes«, »in der Tiefkühltruhe des Fernsehers oder anderer Medien vorproportionierte, in Plastiktüten verpackte und eingefrorene Wirklichkeiten«[282]. So reagiert die Autorin auf die Frage, ob ihre Fiktion böse bzw. lediglich realistisch sei, mit der programmatischen Behauptung:

Was die Leute behaupten, ist Lüge, was ich schreibe die Wahrheit, die höhere Wahrheit in dem Sinn, daß die Sprache eben selbst spricht. Die Sprache ist der Inhalt, das ist das Entscheidende ... Ich suche nicht die essentielle Wahrheit, das wäre wieder eine Mythologisierung und auch eine Lüge, sondern ich versuche, die Sprache selber die Wahrheit sagen zu lassen ...[283]

Damit kein Mißverständnis aufkommt: Die Figuren Jelineks haben keine Sprache, wir hören kein Sterbenswort von ihnen; was spricht, sind die Verhältnisse selber, und die kulminieren in ihm, dem Mann und Direktor des ganzen Theaters: »Der Mann. Er ist ein ziemlich großer Raum, in dem Sprechen noch möglich ist.« (8) Der Verweis auf den männlichen Sprechraum deutet auf das 'Machtwort', das dem Mann und einzig und allein dem Mann zukommt. Das männliche Begehren kommt hier zur Sprache und wird den LeserInnen so eindringlich vorbuchstabiert, daß es nicht immer leicht ist, den Lettern zu folgen, und daß Mann und Frau wirklich erleichert der finalen Aufforderung nachkommen: »Aber nun rastet eine Weile!« (255)

Es geht Jelinek wie schon Bachmann um ein Entmythologisierungsprojekt. Aus ihrer marxistisch-sozialkritischen Perspektive radikalisiert Jelinek Bachmanns Überzeugung, daß »die Wahrheit dem Menschen zumutbar« ist, »daß man enttäuscht, und das heißt, ohne Täuschungen zu leben vermag«, insofern sie versucht, Schluß zu machen mit der Illusion, »man könne Dinge aus erster Hand beschreiben, sie individuell neu und ganz anders sehen«[284]. Zum Vor-Schein kommt der 'ganz normale Wahnsinn' zwischen Mann und Frau, die »brutale Wiederspiegelung [sic] der Machtverhältnisse im privatesten und verletzlichsten Bereich der Natur des Menschen«[285]. Als scharfe Kritikerin der bürgerlichen (Liebes-)Ideologien ist die österreichische Schriftstellerin von Anfang an nicht immer angenehm aufgefallen. In *Die Liebhaberinnen* (1975) wird die Liebe als massenweise verbreitete trivialmythische Verblendung geschildert, die den Haß der Geschlechter aufeinander nur mühsam bzw. gar nicht kaschiert. Liebe ist im Grunde nur als Simulation lebbar, die sich aus dem zynischen Wissen speist, daß Haben und Liebhaben zusammenfallen[286]. Die »gnadenlose Jagd« auf den Mann, den vermeintlichen Garanten für den sozialen Aufstieg, impliziert auch eine gnadenlose »Demarkationslinie« zwischen Frauen als Konkurrentinnen im Wettbewerb um den Mann. Schon in *Die Liebhaberinnen* widerspricht Jelinek entschieden dem Mythos von Liebe und weiblicher Solidarität, und in *Die Klavierspielerin* (1983) wird die in (Sado-)Masochismus und Voyeurismus erstarrte Liebesunfähigkeit der Protagonistin auf soziale und psychische Torturen zurückgeführt, die Mutter und Großmutter der Tochter zugefügt haben. Der Demarkationslinie zwischen Mann und Frau entspricht eine nicht minder destruktive Demarkationslinie zwischen Frau und Frau – Abgrenzungen, die sich stilistisch übersetzen in eine Demarkationslinie zwischen LeserIn und Text. Ihr desillusionierender Erzählstil, der vielzitierte 'böse Blick' auf ihr eigenes Geschlecht, hat der Autorin viel Kritik von seiten feministisch inspirierter Leserinnen eingebracht hat. »Daß die Autorin die realen bzw. sozialen Kehrseiten der Liebesmythen demonstriert, stimmt mit den Forderungen der Leserinnen aus der Frauenbewegung überein, nicht aber, daß sie mit ihrem 'bösen Blick' auch die Heldinnen ihre[r] Roman[e] trifft«[287] und so ein identifikationsgeleitetes Lesebegehren abweist. Der Titel von Christa Gürtlers Essay »Der böse Blick der Jelinek. Dürfen Frauen so schreiben« trifft pointiert das Unbehagen der (nicht nur feministischen) Öffentlichkeit angesichts der provokativen Schreibweise der Autorin. Auffällig ist der Widerstand zwischen LeserIn und Text, ein Widerstand, der nicht zuletzt damit zu tun hat, daß die Texte der Autorin sich äußerst eigensinnig dem Wunsch nach Empathie und Identifikation widersetzen. Das ist insofern nicht überraschend, als Jelineks »ideologische wie ästhetische Position ... vom Geist der sechziger Jahre, vom Marxismus, von der kritischen Theorie der Frankfurter Schule, insbesondere Th.W. Adornos, und vom frühen Roland Barthes« geprägt ist.[288] Ihre Schreibweise, gleichzeitig Hommage an die Wiener Gruppe und die literaturexperimentelle Tradition der Moderne, und ihr gesellschaftskritisches Engagement verbieten ihr den identifikatorischen Blick auf die Figuren und Verhältnisse. Da die psychologisierenden und einfühlsamen Zeige- und Leseverfahren – jene *bêtes noires* des Marxismus (Tania Modleski) in den »großen Erzählungen«, den *grands récits* der Moderne (Lyotard) – der Perpetuierung bürgerlicher Ideologie und Mythologie dienten, weist die Autorin diese Tradition grundsätzlich ab.

Hier sei noch einmal an die schon oft erwähnte problematische Situation erinnert, der sich Schriftstellerinnen ausgesetzt sehen, wollen sie über Liebe schreiben, ohne einerseits die Realität der Gewaltverhältnisse und andererseits das Glücksversprechen der Liebe auszublenden. So bemüht sich die Ich-Figur in Bachmanns *Malina*-Roman anfangs noch verzweifelt darum, einen »schönen« Liebes-Text zu schreiben, ein Bemühen, das in einem 'Katastrophen-Text' enden muß, insofern die Verletzungen der Frau durch die Gewalt der patriarchalischen Verhältnisse sich nicht mehr verschweigen lassen. Jetzt, Ende der achtziger Jahre, zeigt uns Jelinek schonungslos die Gewalt der Verhältnisse; das Glücksversprechen und die Utopie der Liebe werden allenfalls als Gewalt der Illusion beschrieben. Jelineks Schreibweise berührt dabei sowohl Bachmanns Forderung nach radikaler Wahrheitsaufdeckung, wie auch den Erzählgestus, den Duden in ihrem Erzählband *Übergang* anwendet. Auch Jelineks Erzählperspektive kann vorgestellt werden als ein Auge, das sieht »wie eine Axt: spaltend und unerbittlich«; auch sie schlägt »sozusagen mit der Axt drein«[289]. Doch während Bachmann und Duden die Liebesgeschichte als die Geschichte der bzw. des Anderen der Vernunft zum Thema machen, beschreibt Jelinek die Liebes- und Eheideologie als das 'sehr Eigene' der bürgerlichen Gesellschaft. Dabei wird die Liebesgeschichte zum narrativen Vehikel, soziale Reduktionen und Verstümmelungen zu zeigen. In *Lust* wird der durch sentimentale Mythen verschleierte Zusammenhang zwischen Geschlecht und Macht bzw. Gewalt und Sexualität zum Gegenstand der Darstellung.

Jelineks sozial- und sexualkritische Beschreibung der Ehebeziehung kreist um die Bedeutungsweise und den Effekt von Geschlechtlichkeit. In der Paarbeziehung vermitteln sich soziale, psychische und ökonomische Diskurse. Das heißt konkret auf *Lust* bezogen: Die Frau bezahlt für das soziale und ökonomische Prestige ihrer Ehe in körperlicher Münze, sprich Sex. Sie erkauft sich Prestige, er erkauft sich Sex; die betonte, geradezu penetrante Funktionalisierung des Geschlechts ist offenbar. So verkündet die lakonische Erzählstimme den LeserInnen: »Wie gern wohnt das Eigentum bei uns. Es kann sich auf keinen besseren Platz setzen als unter unsere Geschlechtsteile, die darüber klaffen wie Klippen über dem Strom.« (32) Später werden wir darüber belehrt, daß »das Geschlecht... zwar unbestritten unser Zentrum [ist], aber wir wohnen dort nicht« (110). Damit lokalisiert der Text Sexualität als einen akuten Brennpunkt sozialer und ökonomischer Praxis, der das Begehren und den Wunsch strukturiert. Schon früh lernen die kleinen Mädchen, daß sie nur über die Beziehung zum Mann teilhaben können an gesellschaftlicher Macht; schon früh lernen die kleinen Jungen, die 'richtige' Frau zu begehren, wollen sie ihre gesellschaftliche Vormachtstellung nicht riskieren.

Die Bedeutung der Sexualität hat Catherine MacKinnon 1973 in einem grundlegenden Thesenpapier dargelegt:

> Sexualität bedeutet für den Feminismus, was Arbeit für den Marxismus ist: dasjenige, was am meisten teil an der eigenen Identität hat und einem doch am häufigsten genommen wird ... Arbeit ist der gesellschaftliche Prozeß der Formung und Veränderung der materiellen und sozialen Welt... [Parallel dazu teilen] die Form, die Zielrichtung und die Art, wie sich Sexualität äußert... die Gesellschaft in zwei Geschlechter – Männer und Frauen; eine Teilung, die der Gesamtheit gesellschaftlicher Beziehungen zugrundeliegt. Sexualität ist derjenige soziale Prozeß, welcher das Begehren bzw. den Wunsch hervorbringt, organisiert, ausdrückt und steuert ...[290]

Sehr pointiert illustriert Jelinek den gesellschaftlich-sexuellen Zurichtungsprozeß, der die Frau vom Mann abhängig macht und sie gleichzeitig von ihm entfremdet. Die Geschlechter gebrauchen und verfehlen einander ständig – eine brutale Wahrheit und eine soziale

Unbarmherzigkeit, die durch eine ebenso brutale und unbarmherzige Wortführung ausgesagt wird.

Im wahrsten Sinne entdeckt werden in Jelineks 'Szenen einer Ehe' Bedeutungs- und Wirkzusammenhänge, die die bürgerliche Liebes- und Eheideologie fein säuberlich verdeckt hält. Zusammengeballte Bedeutungsknoten (und befremdete Reaktionen von LeserInnen) ergeben sich immer dann, wenn Mann und Frau miteinander verkehren (und das tun sie häufig). Gerade der Geschlechtsakt wird zur metaphorischen Hydra, deren Köpfe das nackte Antlitz der patriarchalischen Besitz-, Gewalt- und Machtverhältnisse zeigen. Jelineks Text durchquert die Diskurse, die Männlichkeit und Weiblichkeit mit Bedeutung aufladen, dabei kommen semantische Platitüden ebenso ans Tageslicht wie subtile Nuancen und pornographische Verstümmelungen. Entlarvend zitiert wird zum Beispiel die Reduzierung der Frau auf ihre »Natur«, ihre Geschlechtlichkeit, wobei gleichzeitig mit der Vorstellung von der vagina dentata die Angst des Mannes vor der übermächtigen Mutter aufgegriffen wird: »Die Frau geht immer der Erde nach, mit der sie oft verglichen wird, damit sie sich öffnet und das Glied des Mannes verschlingt.« (73) Als Teil eines natürlichen Terrains und als Teil der zu unterwerfenden Natur wird die Frau von ihrem Herrn/Schöpfer unentwegt begangen, besprungen, benutzt:

> Ihre Berge und Täler samt Gezweig sind zwar reichliche Entwürfe, doch es fehlt durch Entwürdigung der letzte Schliff daran. Der Mann erschafft, vom Wind emporgeweht, die Frau, er zieht ihr den Scheitel und wirft ihre Beine auseinander wie welke Knochen. Er... klettert in seinen Hausbergen herum auf sicherem gewohntem Steig, er kennt jeden Tritt, den er austeilt. (24)

Bei anderer Gelegenheit legt der Ehemann grob »unter dem Tischtuch Hand an, bebaut ihre Furche« (68), oder sie versucht, »seinem krachend ins Unterholz ihrer Hose einbrechenden Schwanz zu entgehen« (58). Immer wieder im Vordergrund dieses metaphorischen Feuers stehen die Redeweisen und Vorstellungen des Pornographiediskurses.

> Der Mann ergreift seinen ruhigen *Binkel* mit der Hand und drängt damit an die erstaunten *Hintertüren* seiner Frau. Die hört seinen *Lendenwagen* schon von fern kommen. Sie beginnt, kein Gefühl in sich wohnen zu lassen, aber wir haben ja noch einen *Kofferraum*! (32, Hervorhebungen S.B.)

Die Analogie zwischen Geschlechtsteil und Autoteil zitiert die pornographische Vorstellung von der Körpermaschine, d.h. die prinzipielle und unendliche Austauschbarkeit der Sexpartner. Auf ihre sexuelle Funktion reduziert, sind Mann und Frau Teile in einer

Maschinerie, die bei Defekt bzw. bei Nicht-Gefallen ersetzt werden können, wobei es allerdings eindeutig der Mann ist, der ersetzt, und die Frau, die ersetzt wird. Er kann jederzeit »seinen Ford Imperium gegen ein neues, kräftigeres Modell eintauschen. Wenn nur nicht die Angst vor der Krankheit wäre, die Werkstatt des Herrn würde nimmermehr schweigen« (19). Nur aufgrund der Aids-Epidemie bleibt der Ehemann monogam und benutzt ausschließlich seine Frau. Dieser sexuelle Nutznießervertrag der Eheleute, der die Frau zum legitimen Gebrauchsgegenstand ihres Mannes macht, begründet sich durch die ökonomische Machtverteilung in der Ehe: »Sie muß sich ihren Lebensunterhalt nicht verdienen, sie wird von ihrem Mann unterhalten.« (64) Wie erniedrigend diese Machtverteilung ist, offenbart die drastische Sprache des Textes den LeserInnen immer wieder aufs neue:

Der Mann benutzt und beschmiert die Frau wie das Papier, das er herstellt. Er sorgt für das Wohl und das Wehe in seinem Haus, reißt seinen Schwanz gierig aus der Tüte, noch ehe er die Tür zugeworfen hat. Stopft ihn der Frau noch warm vom Fleischer in den Mund, daß ihr Gebiß knirscht. (68)

Die Position des Ernährers und Beschützers gibt dem Mann das Recht, »in die Taschen dieses Körpers, der ihm gehört«, zu greifen, doch wie die glättende Ironie den Satz zu Ende führt: »beisammen sind die Geliebten, nichts fehlt« (37). Die scharfe Analyse dieser scheinbar trauten und gesellschaftlich institutionalisierten Zweisamkeit kulminiert in Beschreibungen wie dieser:

So steht die Frau still wie eine Klomuschel, damit der Mann sein Geschäft in sie hineinmachen kann. Er drückt ihr den Kopf in die Badewanne und droht, die Hand in ihr Haar gekrallt, daß wie man sich bettet so liebt man. Nein, weint die Frau, an ihr hängt keine Liebe ... Die Frau muß husten, während ihr die Flanken geweitet werden. Der Büchsenöffner wird aus der grauenhaften Flanellhose gezogen, und eine milchige Flüssigkeit erscheint, nachdem der Mann etwa eine Weile, die ein Fettfleck braucht, eingewirkt hat und liebend sich in einer stacheligen Haarwolke ertönen hat lassen. (38f.)

Brutale (und nicht immer leicht genießbare) Beschreibungen wie diese haben der Autorin den Ruf eingebracht, mit ihrem bösen Blick die Realität maßlos, sprich: pornographisch zu verzerren; und natürlich tut sie das auch, nur nicht maßlos, sondern sehr kalkuliert, sehr maßvoll, sehr satirisch und in kritisch-politischer Absicht. Der pornographische Sprachgestus reflektiert dabei sehr präzise die Mitte der achtziger Jahre zunehmende Politisierung und Brisanz von Sexualität. Bereits Anfang der siebziger Jahre hatte die amerikanische Juristin und feministische Aktivistin Catherine A. MacKinnon, den zentralen Stellenwert der Sexualität aus Problemen wie

»häusliche Mißhandlung, Vergewaltigung, Inzest, lesbische Aktivitäten, sexuelle Belästigungen, Prostitution, weibliche sexuelle Versklavung und Pornographie«[291] abgeleitet. Zwei Dekaden später beschreibt Tania Modleski Pornographie als *das* postfeministische Thema schlechthin (*the quintessential postfeminist issue*), insofern Feministinnen die Frage der sexuellen Repräsentationen sowohl theoretisiert als auch politisiert haben und dabei Männern eine Perspektive an die Hand gegeben hätten, durch die diese ihr Interesse an Pornographie bestätigt sähen.[292] Jelinek ist sich dieser Diskussionslage sehr bewußt und hält den (zumeist männlichen) Konsumenten der pornographischen Lust einen gnadenlosen Spiegel vor. Sie kommentiert die explizit 'drastischen Stellen' ihrer Prosa in ihrem Aufsatz »Der Sinn des Obszönen« folgendermaßen:

Die sind politisch. Sie haben nicht die Unschuldigkeit des Daseins und den Zweck des Aufgeilens. Sie sollen den Dingen, der Sexualität, ihre Geschichte wiedergeben, sie nicht in ihrer scheinbaren Unschuld lassen, sondern die Schuldigen benennen. Die nennen, die sich Sexualität aneignen und das Herr/Knecht-Verhältnis zwischen Männern und Frauen produzieren. Im Patriarchat ist es auch heute noch so, daß nicht Männer und Frauen gleichermaßen genießen, wie sie genießen wollen. Ich will dieses Machtverhältnis aufdecken.[293]

Indem die Autorin in *Lust* ebenso aktuelle wie kontroverse Diskurse ästhetisch aufarbeitet, verletzt sie gleich zwei Tabus, die tiefer greifen als die eingangs erwähnten, alleine zu reisen bzw. mit einem jüngeren Mann zu leben. *Lust* verletzt zum einen das Tabu, mit dem die Pornographie selbst belegt ist, und zum anderen das Tabu, als Frau einen pornographischen Blick auf die gegebenen Verhältnisse zu werfen[294]. Die Tabuverletzung, die sich Frauen, die sich mit Pornographie beschäftigen, zuschulden kommen lassen, besteht zum einen darin, die sexuelle Revolution, sprich die am männlichen Begehren orientierte Libertinage, in Frage zu stellen und damit an der bestehenden Geschlechterordnung zu rütteln (Kritik der Männer), und zum anderen darin, die dem weiblichen Geschlecht gesetzten Schamgrenzen zu überschreiten (Kritik der Frauen). In ihrer an Foucault und Barthes anknüpfenden Studie *Die neue Liebesunordnung* sprechen die Autoren Alain Finkielkraut und Pascal Bruckner von einer

Doppelfinte der Pornographie: erst gibt sie die Vermännlichung der Frau als natürlich aus, dann münzt sie die Ressentiments (die Impotenz und das Unbehagen), die durch die erotische Autonomie der Frau ausgelöst werden, in eine Forderung nach Befreiung um ... Sobald die Frauen von allen Fesseln befreit seien, sobald sie das ganze System der Verbote abgeschüttelt hätten, das ihr Verlangen einschüchtere, sobald man sie sich selbst überlasse, könnten sie die Ziele ihrer sexuellen Wünsche ohne Verstellung, ohne Zögern, ohne Aufschub wählen ... Die Pornographie ist ein

Zukunftsroman, eine Sex-Fiction, die mit den Worten beginnt: Eines Tages werden die Frauen sich aus unwiderstehlichem Drang – und nicht aus Gefügigkeit – auf unsere Schwänze stürzen.[295]

Im Gegensatz zu Kritikern, die pornographische Produkte lediglich analysieren, geht Jelinek jedoch noch einen Schritt weiter, wenn sie als Frau die pornographische Logik reproduziert und sich damit anmaßt, willkürlich über eine Sprach- und Bildordnung zu verfügen, die dem männlichen Blick und dem männlichen Begehren vorbehalten war. Wie sie feststellt, ist »es wichtig, den Blick auf den weiblichen Körper, auf das Obszöne nicht den Männern zu überlassen«[296].

Lust trifft einen diskursiven Knotenpunkt in der Rede über die Geschlechterbeziehung Ende der achtziger Jahre und zeigt den Beginn einer neue Phase der deutschen Frauenbewegung an. Der Text greift die von Feministinnen initiierte und dann in intellektuellen Kreisen intensiv diskutierte Debatte um die Pornographie auf. In seiner Studie über »Die neue Gefährlichkeit der Pornographie« merkt der Soziologe Rüdiger Lautmann einleitend an, daß die Pornographiedebatte mittlerweile »die Kraft einer sozialen Bewegung besitzt« und »Ende 1987 auch die Bundesrepublik beschäftigt: neue und heftige Verdikte gegen das Pornographische« sind die Folge.[297] Importiert wurde diese Bewegung aus den USA. In ihrer ebenso programmatischen wie militanten Buch-Aktion *Woman Hating* (1974) gab Andrea Dworkin bereits Mitte der siebziger Jahre ihrem revolutionären Ziel Ausdruck, die Gewalt der männlichen Vorherrschaft über die Frau, den gesellschaftlichen Sexismus, wie er sich in Märchen, literarischen Texten und kulturellen Praktiken äußert, bloßzulegen. Noch expliziter und einsinniger in ihrer Kampagne gegen Pornographie, die im Grunde eine Kampagne gegen den Unterdrücker Mann ist, wird die Autorin in ihrem Buch *Pornography* mit dem bezeichnenden Untertitel *Men Possessing Women* (1979; die deutsche Übersetzung 'mildert' den Untertitel zu »Männer beherrschen Frauen«[298]). In einer provokativen und problematischen Analogie zu den Opfern faschistischer Brutalitäten bezeichnet sie »die Frauen, die den Sadismus der Pornographie körperlich zu spüren bekommen haben – die Frauen in der pornographischen Darstellung und die Frauen, die pornographisch benutzt werden – auch als Überlebende«.[299] Dworkin stilisiert die pornographisch benutzten Frauen zu Überlebenden eines systematischen Genozids und bezeichnet damit indirekt alle Männer, die sich an pornographischen Akten beteiligen, als faschistische Gewalttäter, eine m.E. so nicht haltbare und vor allen Dingen nicht sehr produktive These.

Weit akademischer und gemäßigter argumentiert die amerikanische Kulturkritikerin Susan Sontag in ihrem grundlegenden Essay »The Pornographic Imagination« (1967), wenn sie den Kern der pornographischen Imagination als die Wahrheit poetischer Überschreitung *(poetry of transgression)* bezeichnet, die die Macht und die Ambivalenz der Sexualität selbst zum Thema macht. Als »dämonische Macht« stellt die Sexualität einen Bezug her zu Tabus und gefährlichen Begierden, angefangen von dem plötzlichen Impuls, eine andere Person zu verletzen, bis hin zu dem wollüstigen Verlangen, das eigene Bewußtsein auslöschen zu wollen. Wenn Sontag den (vernunft-)kritischen Erkenntnisgehalt sogenannter pornographischer Werke (die Texte de Sades sind Standard-Illustrationsobjekte) hervorhebt, dann erinnert das an die Argumentation Adornos und Horkheimers in der *Dialektik der Aufklärung*. Silvia Bovenschen schlägt in die gleiche Kerbe, wenn sie anmerkt, daß de Sade für feministische Aktivistinnen mittlerweile zum »Prüfstein für Gesinnungstreue« geworden sei und oft pauschal abgelehnt werde. Dabei werde im Eifer des Gefechts schnell übersehen, daß es bei einer Beschäftigung mit seinen Schriften keineswegs um die »Verharmlosung der darin enthaltenen Grausamkeiten« gehe, sondern »daß es in der Regel die vernunft- und erkenntniskritischen Aspekte sind, die interessieren«.[300]

Bovenschens Kritik indiziert die Kollision zwischen der akademischen und der politisch-aktivistischen Lesart pornographischer Repräsentationen, die Mitte der achtziger Jahre mit der sogenannten *Emma*-Initiative an Schärfe gewinnt. Alice Schwarzers Kampagne, die laut *Spiegel* viele BefürworterInnen findet, von Elfriede Jelinek bis zu Hildegard Hamm-Brücher[301], dringt auf eine Neuregelung der Pornographiegesetzgebung. Ausgelöst wurde diese Initiative nicht zuletzt durch die immer offensichtlicher werdende Differenz zwischen Theorie und Praxis der Pornographie bzw. der Sexualität. Anstatt Zeugnis abzulegen von einer zu sich selbst befreiten Sexualität, legen die aktuellen Statistiken Zeugnis ab von einer zu sich selbst befreiten Sexualgewalt. Die Zahl der Sexualdelikte nimmt ständig zu und nicht ab, »Sex und Gewalt sind heute in den Phantasien und Bedürfnissen von uns allen nur schwer lösbar miteinander verbunden... Und die Pornographie festigt erneut und schürt verstärkt diese unselige Verknüpfung«[302]. Die PorNO-Kampagne bringt sehr deutlich die berechtigte Frustration und Wut angesichts der unzähligen an Frauen begangenen Sexualverbrechen bzw. angesichts der systematisch inszenierten und kommerziell einträglichen sexuellen

Ausbeutung und Erniedrigung von Frauen zum Ausdruck.[303] Inspiriert wurde diese Initiative zweifellos durch ähnliche Anstrengungen von Andrea Dworkin und Catherinne A. MacKinnon in den USA und in Kanada. In ihren von ihr selbst als Buch-Aktionen bezeichneten Schriften spricht sich Dworkin mit »nahezu biblischem Zorn« *(Spiegel)* über Sexualität und Männer aus und definiert Pornographie sehr plakativ als den:

sexuelle[n] Grundzug von männlicher Macht: von Haß, von Besitz, von Hierarchie, von Sadismus, von Herrschaft. Pornographie ist die inszenierte Zerstörung des weiblichen Körpers und der weiblichen Seele, belebt durch Vergewaltigung, körperliche Mißhandlung, Inzest und Prostitution, charakterisiert durch Entmenschlichung und Sadismus. Sie ist der Krieg gegen die Frau, Massenangriff auf ihre Würde, Identität und ihren menschlichen Wert. Sie ist Tyrannei.[304]

Obgleich die weibliche Wut angesichts der institutionalisierten und kommerzialisierten Erniedrigung von Frauen verständlich ist, schadet dieser plakative und laut-provokative Ton der Sache eher, als daß er sie befördert. So merkt Bovenschen an, daß hier »ein allumfassendes Welterklärungsmodell auf schlichten Grund« gesetzt und ein »schlechtes Entweder-Oder« nach dem Motto »'Wer nicht für uns ist, der ist für Vergewaltigung'« produziert werde. An keiner Stelle werde gefragt, »ob nicht in einer Zeit medialer Weltsimulationen der (Vor-)Macht der Bilder vor aller Erfahrung eine ganz neu zu bestimmende Bedeutung zukommt«[305]. *Lust* entdeckt jene Vormacht der Bilder unter der Verkleidung von alltäglichen psychisch-ökonomischen Verbindungen, welche in der Verdichtung von kollektiven Herrschafts- und Unterwerfungsphantasien im pornographischen Diskurs nur offensiver ausgeschrieben werden. Die Denkbilder, die diesen Konstellationen von Herrschaft und Unterwerfung zugrundeliegen, werden von Jelinek durch Sprachbilder aufgedeckt, die immer mit aussprechen, wie sich patriarchalische Macht speist und erhält. Wie die folgende Textanalyse zeigen wird, erhält sich die Vorherrschaft der Männer durch die Auslöschung bzw. (was das gleiche ist) die Manipulation des weiblichen Begehrens; der unterjochte weibliche Körper fungiert als Garant für die Verabredungen des Männerbundes.

Immer nur das/der Eine: Noch eine Geschichte des weiblichen Begehrens

In mimetischer Travestie durchquert *Lust* den Eheallltag als eine Reihung pornographischer Szenarios und Gesten. Wie ein pornographischer Videoclip organisiert, stellt der Text uns nur affektlose Typen vor, die durch eine konstante sexuelle Begierde aufeinander zu getrieben werden. Die Körper haben die Funktion und Rhythmik der Maschine; der eigentliche Agent der Handlung ist der (fast) immer erigierte Penis/Phallus. Der Text ist kritisch, insofern nur allzu deutlich wird, daß es immer nur *ein*, nämlich das männliche Begehren gibt, insofern Sexualität zur Metapher für den totalen Konsum wird, eine Ökonomie, die nur *einen* Konsumenten, den Mann, und nur *ein* Konsumgut, die Frau, kennt. Was gänzlich fehlt, ist der stimulierende, was oft schockiert, ist der analytisch-leidenschaftslose Ton. So sind die Bezeichnungen des männlichen Geschlechtsteils so vielfältig wie innovativ, nie aber stimulierend. Da ist die Rede vom »Fleischpflanzerl«, vom »Vollhumon-Dünger«, vom »entschlossenen Fleischklotz«, vom »Geschlechtshaufen«, vom »kompakten Brennstoff«, von der »Geschlechtswurst«. Die Aggressivität dieses Körperteils (und dies ist durchaus Bestandteil des pornographischen Diskurses) wird hingegen unmißverständlich zitiert in Begriffen wie »Waffe«, »Stachel«, »Geschoss«, »Bohrer«, »Riemen«, »Knüppel«, »geschwollener Sprengkopf«.

Dieses metonymische Spiel imitiert die Bedeutungsprivilegierung des männlichen Geschlechtsorgans, die sonst nur der metaphorischen Aufladung von Weiblichkeit im ästhetischen und kulturellen Diskurs zukommt. Doch im Gegensatz zum traditionsreichen Spiel der Bedeutungseffekte, das Weiblichkeit letztlich als pure Metapher ohne Realitätsgehalt ausscheidet (man denke etwa an die literarische Umsetzung der Rede vom 'Rätsel' Frau, vom 'Geheimnis' der Weiblichkeit), setzt Jelineks metonymisches Spiel mit dem männlichen Geschlechtsorgan Männlichkeit gerade als Maßstab für die Realität (nicht nur) von Weiblichkeit.

Der Text macht diesen Sachverhalt an mehreren Stellen explizit: »Er zieht das Geschlecht seiner Frau auseinander, ob er auch dort eingeschrieben ist.« (32) – »Die Frau stirbt nicht, sie entsteht ja gerade erst aus dem Geschlecht des Mannes.« (30) Die Nichtigkeit der Frau an sich, d.h. ihre Wertlosigkeit jenseits ihrer Funktion als Sexualobjekt, wird ebenso deutlich ausgesagt: »Die Frau ist dem Nichts entwendet worden und wird mit dem Stempel des Mannes jeden Tag aufs neue entwertet.« (19) – »Die Frau ist weniger als überhaupt nichts mehr.« (133)

Die analytische Erzählstimme, die den LeserInnen diese Einsichten präsentiert, schießt ebenfalls über die Immanenz der 'traditionellen' pornographischen Phantasie hinaus. Anstatt den Leser sexuell zu stimulieren, distanziert sie ihn von der erzählten Handlung, indem sie ihn paradoxerweise hineinzieht. So wird der Leser direkt angesprochen in Passagen wie: »Die meisten Männer kennen die Biographie ihres Autos besser als die Autobiographie ihrer Frauen. Was, bei Ihnen ist das umgekehrt?« Einerseits verdoppelt der pornographische Blick auf das (Ehe-)Paar den männlichen Herrschaftsblick, der die Frau auf das Objekt männlichen Begehrens reduziert, andererseits konterkariert die ironisch-auktoriale Erzählstimme das autistische Zirkulieren dieses Begehrens. Sontag behauptet zurecht, daß Pornographie als Form sich grundsätzlich nicht parodieren kann, daß selbst die pornographische Parodie zuallererst Pornographie ist. Obwohl diese Behauptung nicht explizit begründet wird, scheint mir hier darauf angespielt zu werden, daß selbst eine parodierte Unterwerfung und Aneignung immer noch Unterwerfung und Aneignung bleibt. Interessanterweise war die pornographische Schreibweise u.a. ein beliebtes Vehikel für Gesellschaftskritik. In ihrer Einleitung zu dem Band *The Invention of Pornography* merkt Lynn Hunt an, daß Pornographie zwischen 1500 und 1800 zumeist die Schockwirkung der Sexualität einsetzte, um religiöse und kirchliche Institutionen zu kritisieren. Ursprünglich war Pornographie der Text von Freidenkern und Häretikern, welche die Seite der kritischen Wissenschaft und der Naturphilosophie vertraten und sich scharf gegen absolutistische Politik und Autorität richteten. Und obwohl der pornographische Text kulturell und geschichtlich jeweils anderes bedeutete, blieb sein diskursiver Standort doch immer konstant. Walter Kendrick zufolge bezeichnete er zu allen Zeiten die Umrisse und Ausmaße akuter sozialer Auseinandersetzungen; Pornographie bezeichnet in erster Linie einen Disput, keine Sache.[306]

In gewisser Weise ist die Erzählstimme in *Lust* Hommage an diese kulturkritische Tradition, eine Tradition, die durch den Pornographiekommerz weitgehend verschüttet wurde. Die sorgfältige Erzählkonstruktion in *Lust* nutzt den kritischen Zeigegestus dieser Form, um die in der Pornoindustrie drastisch zum Ausdruck gebrachten Herrschaftsverhältnisse satirisch zu exponieren. Diese Doppelbödigkeit läßt sich u.a. festmachen an dem hintergründigen Spiel des Erzählers/der Erzählerin mit den LeserInnen, mit ihren Erwartungen,

Reaktionen und Befangen- und Betroffenheiten. Angefangen mit dem Topos der Hilflosigkeit und der Suche nach dem treffenden Ausdruck (»Ich möchte das jetzt an dieser Stelle neu in Worte kleiden!«, 20), über die Beteuerung, die Wahrheit zu sprechen (»das schwöre ich Ihnen«, 12) zu der schulterklopfenden Verbrüderung mit den LeserInnen (»Wie Vieh hält man uns, und da machen wir uns noch Sorgen ums Fortkommen«, 13 – »Ja, wir!«, 209), zu ironischen Appellen (»Ich fordere Sie ernstlich auf: Luft und Lust für alle!«, 105), ironischen Entschuldigungen (»Vielen Dank, daß Sie meinen Beleidigungen zugehört haben«, 144), generellen und manchmal didaktischen Leseanweisungen (»Niemand lernt schließlich zu lesen, ohne zu leiden«, 150 – »Hören Sie halt derweil mir zu«, 79 – »Jetzt schlafen wir«, 130 – »Kommen Sie etwas näher«, 182) und einem gutmütigen Schlußwort (»Aber nun rastet eine Weile!«, 255) – immer schiebt sich diese Stimme zwischen LeserInnen und Text und erzwingt so ein kritisches Leseverhalten.

Über die Zitate barocker Erzähltechnik und brechtscher Verfremdungstechnik hinaus geht der Text, wenn er das Geschlecht der Erzählstimme nicht eindeutig feststellt. Die naive Annahme, die Erzählstimme sei weiblich, bestätigt sich in Wendungen wie: »wie wir Frauen es gern und ergebnislos versuchen« (68), »es geht uns nicht gut, wenn wir Frauen« (146), »wir Damen müssen« (184), dann aber liest man erstaunt: »von der Hüfte abwärts gehören wir Männer eben zusammen« (244). Dieser Perspektivwechsel brüskiert diejenigen, die sich auf die weibliche Erzählperspektive verlassen hatten. Im Grunde beginnt das Spiel mit der geschlechtsspezifischen Perspektive schon in der Spannung zwischen dem »männlichen« Blick auf das weibliche Körperobjekt und der »weiblichen« Erzählerkommentierung dieses Blicks. Diese Spannung zwischen Erzählgegenstand, -perspektive und ErzählerInnenkommentar macht auf allgemein verbreitete Voreingenommenheiten und stillschweigende Annahmen aufmerksam, mithin auf den Prozeß der textuellen und rezeptiven Konstruktion von Geschlechtlichkeit und die Implikationen dieses Prozesses. Selbst die typisch 'auktoriale' Neutralität, die sich äußert in so generellen Weisheiten wie: »Und die Frau gehört der Liebe« (116) – »Ein Mann kann wenigstens an sich halten« (137) wird durch die fluktuierende Perspektive fragwürdig. Wer urteilt hier über 'die Frau' und 'den Mann' oder gar über 'uns'?

Jelinek porträtiert die Konsequenzen der männlichen Sexual-Hegemonie, indem sie zeigt, daß nur *eine* Form der Lust, nämlich die männliche, zugelassen ist und daß das weibliche Begehren dementsprechend keinen Raum und keine Erwiderung findet. Die Autorin hat mehrfach in Interviews bemerkt, »daß Frauen genausoviel oder sogar mehr Lust als Männer empfinden können, nur sind sie nicht das Subjekt ihrer Lust«[307]. Obwohl es gefährlich ist, der Autorinnenstimme im Meer der textuellen Stimmenvielfalt Priorität zu geben, scheint mir dieser Kommentar doch das Zentrum der satirischen Sexual-Parabel zu treffen. Müßte man eine Überschrift für den Parabelgehalt des Textes finden, so böte sich an: 'Von einer, die auszog, begehrt zu werden'. Insofern man überhaupt davon sprechen kann, liegt das narrative Zentrum von *Lust* in dem vergeblichen Versuch der Frau, ihre Lust zu erleben. Als Gerti »die Deckung ihrer Verhältnisse« in Schlafrock und Hausschuhen – also mit den Insignien ihrer häuslichen (Schlafzimmer) Existenz bekleidet – verläßt, begleitet die Narration ihre holperigen und hilflosen Schritte mit Beschreibungen des natürlichen und sozialen Umfelds. In gewisser Weise öffnet Gertis Fluchtbewegung den Text, indem sie den Blick auf gesellschaftliche Details freigibt, die in der Beschränkung auf das private »Gehäuse« der Eheleute nicht in den Blick kommen konnten. Mit anderen Worten: Die Frau wird jetzt kurzzeitig aus der Beziehung zu ihrem Mann entlassen und in Beziehung gesetzt zu einem sozialen Außen.

Zunehmend verirrt sich die ziellos umherwandernde Frau im »Eiskanal« der Natur. Die Metapher der Kälte, die im Zusammenhang mit der weiblichen Weltbegegnung immer wieder neu ins Spiel gebracht wird – Gerti stapft durch das »Eis der Welt«, in ihre Füße »ist die Kälte gekrochen«, hilflos steht sie »auf einer Eisplatte«, der Mann fährt »über den gefrorenen Boden dicht an der Frau vorbei« (89) –, charakterisiert das psychisch-soziale Klima. In seiner Untersuchung zu *Die Liebhaberinnen* weist Alexander von Bormann auf die geistesgeschichtliche Tradition und ideologiekritische Funktion der Kältemetapher hin. Bormann zitiert Helmut Lethen mit der Behauptung, daß nach dem Vorbild Nietzsches die Kältemetapher die Aufgabe hat, »die Wärmeisolierungen der moralischen Fiktionen, die das Leben der Menschen umhüllen, zu entfernen«. Als Absage an ältere Formen der Sensibilität ist »der kalte Blick« ursprünglich Signal für das Einverständnis mit der Modernisierung; laut Lethen erlebt die »kalte Zustimmung zur Modernisierung im Faschismus« ihren Höhepunkt. Elfriede Jelinek nun »macht Wärme und Kälte zum Thema, aber von einem Bewußtseinsstand aus, der diese Erfahrungen sehr wohl berücksichtigt«[308]. Formal signalisiert der Gebrauch der Kälte-Metapher in *Lust* die Absage an sentimentale

Sozial- und Liebesmythen und markiert eine satirisch-scharfe Stimmlage, die inhaltlich die latente Gewalttätigkeit in den Köpfen der herrschenden Männer und die fatalistische Hoffnungslosigkeit in den Herzen der beherrschten Frauen bzw. den unüberbrückbaren Graben zwischen den Geschlechtern und den sozialen Klassen behauptet.

Im Zusammenhang mit Gertis Odyssee akzentuiert diese Metapher aber auch den Kontrast zwischen der 'warmen' weiblichen Sehnsucht nach der romantischen Begegnung und dem 'kalten' männlichem Sexualtrieb. Während ihre Gefühle sie ganz ausfüllen, »fickt der Student die Frau rasch durch« (113). Hier macht der Text auf eine grundsätzliche Diskrepanz aufmerksam. Die männlichen Figuren betrachten die Frau, d.h. den weiblichen Körper als 'Fertiggericht', sofort verfüg- und konsumierbares Sexualobjekt: Die »Frau ist zum Anbeißen und Abbeißen da«. Die weibliche Figur hingegen produziert eine Flut von sehnsüchtigen Worten, die den Gegenstand ihrer Sehnsucht nach dem Muster des (trivial-)mythischen romantischen Codes zugleich erschaffen und auf Distanz halten will.[309] *Lust* porträtiert diese Diskurspolitik als eine weibliche Gefühlsdramatisierung, die, angetrieben durch eine extensive Trivialliteraturindustrie, die Begegnung zwischen den Geschlechtern ebenso verhindert wie die von männlicher Seite betriebene Reduzierung der Frau auf ein Sexualobjekt. So heißt es kritisch über die Gefühlsinszenierungen Gertis: »Sie hängt abgöttisch an sich und macht als Pauschaltouristin all ihre Reisen ins Umsichtige der Leidenschaften gern mit.« (97) Und noch schneidender: »Die Sehnsucht ist ein Stückel Holz, das diese Frau sich selbst apportiert hat.« (136)

Es ist dieser kritische Blick auf weibliche Verhaltensmuster, der der Autorin den Zorn der feministischen Kritik eingebracht hat, und dennoch trifft *Lust* meiner Meinung nach hier durchaus sehr genau die unterschiedlichen Codes und Realitäten des Liebes- und Sexualverhaltens. Gerti, d.h. jede Frau, verliebt sich – wenn dieser Ausdruck in diesem textuellen Szenario überhaupt statthaft ist – weniger in die reale Person, als in das trivialmythische Bild von Männlichkeit, das Michael verkörpert. Im Grunde ist sie verliebt in den romantischen Mythos, durch den sie als schöne Statistin an der patriarchalen Macht teilhat:

> Dieser Michael, wenn die Zeichen, die er uns gibt und die er von diversen Illustrierten erhalten hat, nicht trügen, ist er ein blondes Bild auf einer Kinoleinwand, auf dem er aussieht, als hätte er lang mit Gel im Haar in der Sonne gelegen, nur um unsre Finger sacht an unser eignes Geschlecht zu führen, da wir kein besseres haben. Er ist und bleibt uns gleich fern, auch aus der Nähe. (117)

Hatten die vorgängigen Sexualakte das selbstbezogene Verhalten des Mannes aufs schärfste bloßgestellt, so behauptet diese Passage, daß die Frau nicht minder selbstbezogen autoerotisch auf massenhaft produzierte Bilder von Männlichkeit reagiert. Während für den Mann die Realität der Frau sich in ihrem *Körper* beruhigt, beruhigt sich die Realität des Mannes für die Frau in seinem *Bild*, eine Erkenntnis, die ständig in dem Spiel zwischen *wörtlicher* und *übertragener* Bedeutungsebene zum Ausdruck kommt: »Gerti wird der Stoff, aus dem ihre Träume waren, von den Schultern gerissen.« (102) – »Jedes Bild ruht besser im Gedächtnis als das Leben.« (118f.) Beobachtungen wie diese berühren sich mit Ann Snitows These, daß die romantische Trivialliteratur im Grunde die Pornographie für Frauen ist. Auch hier wird Allmachtsphantasie verarbeitet, die Phantasie nämlich, das Bild von einem Mann durch die eigene Schönheit zu überwältigen. Allerdings verwandelt sich in diesen Texten »brutale männliche Sexualität... wie durch Zauberei in romantische Liebe«[310]. Zugrunde liegt diesen Texten eine männliche Projektion von Weiblichkeit, die Fortsetzung der Rede von der schönen weiblichen Seele, die den häßlichen männlichen Trieb-Körper salon-, mithin gesellschaftsfähig macht. Wie *Lust* in den Sexszenen zwischen Gerti und Michael deutlich macht, schreibt dieses traditionsreiche Bild der Zähmung/Zivilisierung des Mannes durch die Frau seit jeher die Illusion von der weiblichen Macht fort, um damit die weiblichen Widerstände gegen die brutale körperliche Vereinnahmung stillzustellen. Gerti glaubt sich verehrt und begehrt und läßt deswegen alles – und sei es noch so grob und schmerzhaft – mit sich geschehen. Vermeintlicherweise 'erlöst' ihre Gegenwart/Begegnung den jungen Mann ja zu sich selbst.[311] Das sieht dann konkret so aus: »Er kippt jetzt der Frau den Schlafrock über den Kopf« (107), »zieht der Frau die Beine wie zwei Oberleitungsbügel über sich drüber« (108), »wühlt in ihrem schlummrigen Geschlecht, dreht es zu einer Tüte zusammen und läßt es jäh wieder zurückschnalzen« (113) etc., etc. (Weitere Details dieser 'romantischen' Begegnung zu finden überlasse ich der individuellen Lektüre.)[312]

Die formale und semantische Gelenkstelle des Romans, die zufällige Begegnung zwischen Gerti und Michael im Eis der Natur, dient der endgültigen Aufklärung der LeserInnen über die Tatsache, daß nur ein Geschlecht regiert und d.h. existiert. Kreiste das ironische Spiel mit den Sprach- und Zeigegesten der traditionellen pornographischen Narration bis dahin vorwiegend um die Dominanz der männlichen Sexualität, so wird mit der Michael-Episode die Konsequenz dieser Dominanz, d.h. die Annullierung des weiblichen Begehrens zum Gegenstand der Darstellung. Das männliche Begehren löscht das weibliche Begehren aus, indem es die Frau den Gesetzen und Lustzonen des männlichen Körpers unterwirft. Da eine aktiv begehrende Frau die geltenden Subjekt- und Objektpositionen in der Sexualordnung in Frage stellt, erlöscht das männliche Begehren der sexuell fordernden Frau gegenüber. Das heißt der nicht erigierte Penis dokumentiert den Effekt, den die unmännliche Rolle des Sexobjekts auf den Mann hat. Einerseits fühlt sich der Mann entmachtet: er kann nicht; andererseits entmachtet er dabei aber auch das Begehren der Frau: sie kommt auch nicht zu ihrer Lust. Der Mann wehrt das weibliche Begehren schlicht und effektiv dadurch ab, daß sein Geschlecht »sich nicht recht erhebt«; hier signalisiert Impotenz die männliche Weigerung bzw. Angst, als Objekt der weiblichen Lust zu fungieren, durch eine aktiv begehrende Frau (heraus)gefordert zu werden. Formuliert als Niederlage der Frau, zeigt Michael Gerti immer wieder, »wie wenig erigiert sein Glied noch ist« (196), das »allgemein gültige Organ«, auf dessen Mitarbeit die Frau angewiesen ist, »erhebt sich nicht recht«, Michaels Schwanz bleibt »ein rechter Flachmann«. Dem zugrunde liegt der archetypische männliche Alptraum von der unersättlichen Frau, deren unbegrenzte Fähigkeit zur Lust den Mann zu verschlingen droht.[313]

Die Darstellung dieser nachhaltigen Vernichtung des sexuellen und emotionalen Begehrens der Frau kulminiert in der kommunalen Vergewaltigungsepisode am Schihang. Die zweite Begegnung zwischen Gerti und Michael wird zu einem sprechenden Beispiel für die Regeln der Sexualität: eine weitere Form des Fremdenverkehrs. Die alternde und alkoholisierte Frau wird zum Freiwild für alle und zur Zielscheibe der allgemeinen Verachtung. Der Text zitiert dabei ein vielschichtiges Spektrum von Diskursen über die weibliche Sexualität. Zum einen wird Freuds Diktum von der »Anatomie als Schicksal«, d.h. die Minderwertigkeit des weiblichen Lustorgans zitiert. Dahinter steht die Beschränkung der Lust auf den Blick. Wie Irigaray in ihrer Kritik an Freuds Denkmodell anmerkt, ist »in dieser Logik ... besonders der Vorrang des Blickes und der Absonderung der Form ... einer weiblichen Erotik fremd. [Ihr Geschlecht repräsentiert] den Schrecken davor, nichts zu sehen«[314]. Jelinek beschreibt die Lust als ein visuelles Imperium: Wenn man Lust nicht sehen kann, existiert sie nicht. Die kommunale Vergewaltigung und Demütigung Gertis organisiert sich über den Versuch in sie hineinzusehen, ohne etwas zu finden, außer der »Dunkelheit«. Der männliche Blick auf die Frau stilisiert die Frau hier nicht zum »schönen Objekt«, sondern zu einem Nichts; der Blick auf die Frau entwertet sie:

> Wir können hier ja gar nichts hören von den dummen Mätzchen der Klitoris, die Gerti sich so gern ausreiben ließe... Die Buben halten ihr die lebendigen Hände über dem Kopf zusammen... Das Seidenkleid wird ihr bis zur Taille hinaufgeschoben und das Hoserl, mit dem sie zufrieden war, hinunter. Und jetzt kitzeln wir die Dunkelheit, bis sie krachend über uns zusammenbricht. Dafür sind uns Freunde ins Haus geschickt worden, daß sie immer als erstes die Schamlippen auseinanderzerren müssen... Jetzt werden also diese Fußlappen, diese Abtreter, die alle vier unser sind, auseinandergezogen, bis Gerti aufheult. Es wird ihr dann gewährt, daß man sie wieder zusammenfaltet wie einen Prospekt... Es ist unglaublich, was man mit den dehnbaren Schamlippen alles anfangen kann, um sie, als wär's ihr Schicksal, in der Form zu verzerren... Hinter diesen Bergen ist Gerti zusammengesunken, verspottet wie ihr ganzes Geschlecht, das den Strom von Haushaltswaren einschalten, aber seinen eigenen Körper nicht verwalten darf. (196ff.)

Die Satire dieser sexuellen Demütigung trifft ins Zentrum der Exterritorialisierung der Frau und ihrer Lust. Sie »darf ihren eigenen Körper nicht verwalten«, ihre Gefühle, ihr Körper und ihr Begehren werden der Lächerlichkeit preisgegeben, die 'Uneindeutigkeit' des weiblichen Lustzentrums, die Klitoris, wird verspottet.[315] Sexualität ist hier exponiert als exzessive Schaulust, als Skopophilie.

Interessanterweise ist die Schihang-Episode selbst als visuelles Spektakel, als ein privates Video organisiert. Selbstreflexive Hinweise wie: »niemand könnte in dieser Stellung seiner Familie über den Bildschirm hinweg zuwinken« (196), »warum treten sie dann nicht zurück und lassen auch mich einmal im Video zornig ihre Geschlechter aufplusternde Menschen anschauen?« (198) betonen eine männliche Schaulust, die die Frau letztlich nicht befriedigen kann. Auffällig ist der zeitweilige Perspektivwechsel: Der begehrte Hauptdarsteller führt nicht nur die Gruppe der jungen Sportler an, sondern die Gemeinschaft der LeserInnen/ZuschauerInnen selbst. Wir alle werden ungehemmt zu Triebtätern, »wir« kitzeln die Dunkelheit ihres Geschlechts, deren »Schamlappen« »unser sind«, wir 'zwicken sie und klopfen ihr Geschlecht aus'. Die Erzählstimme warnt an einer Stelle: »Gehen wir nicht so weit, daß wir, selber Knechte, mit Gewalt das unsre nehmen von der Gerti.« (198) Der Text reproduziert und imitiert hier sehr eindringlich die gesellschaftlich betriebene Verletzung des weiblichen Körpers und seines Begehrens, eine Verletzung, der auf der anderen Seite die Fetischisierung des weiblichen Körpers auf den Glanzseiten der Mode-Magazine entspricht. Indem sie gegen ein Körper-*Bild* gehalten wird, wird die *reale* Frau in beiden Fällen abgewehrt.

Die Narration beruhigt sich in der Schilderung des psychischen, sozialen und ökonomischen Männerbundes, der diese Ausgrenzung der weiblichen Lust perpetuiert und garantiert. Der Direktor folgt seiner Frau auf ihrer Flucht in die schon längst abgelebte Affäre. Vor dem Haus des Studenten markiert er sein Territorium, indem er noch im Auto und vor den Augen des an Gerti längst nicht mehr interessierten jungen Mannes die »Hinterbacken« seiner Gemahlin »bezwingt«:

> und jedesmal, wenn der Direktor seinen stämmigen Schwanz ein wenig herauszieht, wirft er einen kräftigen Blick auf seinen stillen Bewunderer im Fenster ... Vielleicht greift der junge Mann jetzt auch ins Volle! Mir scheint, er tut's wirklich. Von der Hüfte abwärts gehören wir Männer eben zusammen. (244)

Der Text hat damit folgende Bewegung vollzogen: von der Konstellation Ehemann – Gerti zu der Konstellation Michael – Gerti zu Michael – Ehemann, d.h. der Text läuft aus in eine Beziehung zwischen Männern. Die Blicke, die der Direktor Michael zuwirft, bekräftigen die Beziehung, die im Grunde den ganzen Text trägt: die Verabredung der Männer, ihre Machtstellung über den Körper der Frau durchzusetzen. Auf ein Tauschobjekt reduziert, fungiert die Frau lediglich als Statistin und als stummes Requisit in der Inszenierung männlichen Begehrens. Das weibliche Begehren bleibt ein mehr als klägliches Aufbegehren und scheitert an der Geschlossenheit der Verhältnisse, auch wenn Gerti es im textuellen Finale auf sich nimmt, wenigsten einen dieser Quälgeister, einen der zukünftigen Stützen des Systems, ihren eigenen Sohn nämlich, zu ermorden. Doch: »lang noch wird viel von ihm übrig sein, bei dieser Kälte« (255).

Sechstes Kapitel: Abschied von der Liebe?

Zu Ulla Hahns »Ein Mann im Haus«

Letzte Widerworte und Rückschläge

> Ein Mann erwartet ein Mädchen, das Zimmer ist voll zärtlicher Unruhe; letztes Licht vom Abend ist darin, erhöht die Spannung. Tritt jedoch die Erhoffte über die Schwelle und ist alles gut, alles da, so ist das Hoffen selbst nicht mehr da, dieses ist verschwunden. Es hat nichts mehr zu sagen und trug doch noch etwas mit sich, was in der seienden Freude nicht laut wird. Völlige Deckung ist selten, wahrscheinlich noch nie eingetreten. Im Traum von etwas, bevor das Herz sich labt, war's besser oder schien so.
>
> Ernst Bloch, »Prinzip Hoffnung«

> Der Liebesakt weist große Ähnlichkeiten mit der Folter oder einem chirurgischen Eingriff auf.
>
> Charles Baudelaire

1961 hatte Undines »Schmerzton« dem Abschied der Geliebten Ausdruck verliehen, das »Komm, nur einmal, komm«, mit dem sie sich verabschiedete, zeugte jedoch von dem Bewußtsein, daß sich der Reigen der leidenschaftlichen und oft außerehelichen Liebesbeziehungen weder leicht noch freudig unterbrechen läßt. Die Sehnsucht nach dem Taumel der Sinne und Gefühle, die Euphorie, die sich an einem idealisierten Anderen entzündet, ist zu schön, zu vielversprechend, um leichten Herzens aufgegeben zu werden – oder?

Zwanzig Jahre später veröffentlicht Ulla Hahn *Ein Mann im Haus* (1991)[316], einen Text, in dem die weibliche Abrechnung mit dem Geliebten »Hans« geschildert wird. Die Protagonistin Maria denkt sich »Todesarten« aus und lenkt sie in ein genüßlich inszeniertes Kidnapping und Demütigungsmanöver des verheirateten Geliebten um. Die für Hansegon, wie er unter Zusammenziehung seines Vor- und Nachnamens auch genannt wird, sicherlich nicht angenehme Prozedur verläuft jedoch nicht tödlich. Als der wohlangesehene Bürger und Küster einer mitteldeutschen Kleinstadt nach mehreren Tagen der unfreiwilligen Fesselung ans Bett der Geliebten auf einer Kölner Rheinwiese wieder ausgesetzt wird, ist er um die Einsicht in die langjährige Erniedrigung, die er Maria zugefügt hat, reicher – doch: »seither schweig(t) er« (187).

Zwar nicht leichten Herzen, aber doch entschieden durchquert Hahns Text noch einmal die konstanten Elemente der 'illegalen' Liebesaffäre und unterhält dabei einen heimlichen Diskurs mit der Stimme von Bachmanns Undine und der Stimme der Ich-Figuren aus *Malina* und »Der Auftrag die Liebe«: »Seit drei Jahren gab es nur noch eines. Hansegon war groß, schön und magerte sie mittels heimlicher Liebe ab bis auf die Knochen« (8). Wie der Hans von Undine, hatte sich auch dieser Hans nicht festlegen lassen wollen: »'Warte, bis die Kinder groß sind', hatte Hansegon gesagt. Nun waren die Kinder längst aus dem Haus, aber Hansegon immer noch drin« (8). Wie der Hans von Undine beteuerte auch dieser Hans, daß er nur bei seiner Geliebten ganz unverstellt er selbst sein kann: »'Bei dir hingegen', hatte er immer zu Maria gesagt, 'kann ich sein, wie ich bin'« (105). In den Momenten, in denen der Küster mit Maria auf Reisen war, »war er mit sich selbst im reinen gewesen« (44). Doch dann kommt es immer wieder zu dem 'kleinen Verrat': »'Ich muß gehen', sagte Hansegon mit einer Stimme, die hören ließ, daß er schon längst woanders war« (10). »An den Abenden mit Küsterbesuch kannte Maria, alldieweil sie die Leckerbissen vorbereitete, nur ein und dieselbe Musik: Exsultate, Jubilate« (128), eine Melodie, die schon der Ich-Figur in *Malina* nicht aus dem Sinn kam, deren Rhythmus sich jedoch zu keinem 'Roman' zusammenschließen ließ.

Nicht ohne Humor und satirischen Einschlag wird hier, Anfang der neunziger Jahre, noch einmal das gleiche Spiel durchgespielt: der Versuch, die Liebe in sich zu töten, der Versuch, sich aus der Rolle der idealisierten Geliebten zu befreien, der Versuch, die Kontrolle über einen blendenden Diskurs zu bekommen, der Versuch, die Komplizenschaft an einer Liebesordnung aufzukündigen, die den Mann zum Mittelpunkt der Aufmerksamkeit macht und damit seine soziale Machtposition bekräftigt. Die Erzählführung von »Undine geht«, *Malina* und »Der Auftrag die Liebe« fortsetzend, ist das weibliche Subjekt nicht mehr sprach- und tatenloses Opfer, sondern Täterin (allerdings keine Mittäterin): »Es war süß, auf der Seite der Täter zu sein« (90), heißt es an einer Stelle. Maria hat jedoch im Gegensatz zu Undine einen respektablen sozialen Ort, wenngleich dieser auch Mängel aufweist, denn – wie ihre Mutter und Mitbürgerinnen immer wieder bedauernd feststellen – sie hat ja keinen Mann, sie hat nur eine heimliche, uneheliche Affäre.

Das zentrale Textbild, die »Totenmaske« des Geliebten, in deren Mundöffnung Maria die psychisch-mentalen Voraussetzungen und Symbole ihrer Liebesbeziehung verschwinden läßt, wiederholt die weibliche Verweigerung gegenüber dem Muster und den Konsequenzen der geltenden Liebes- und Geschlechterordnung. Im Verbund mit anderen neueren Texten wie z.B. Elfriede Jelineks *Lust* (1989) und Doris Dörries *Der Mann meiner Träume* (1991) ist *Ein Mann im Haus* typisch für den jüngsten weiblichen Einspruch gegen die Legende und den Mythos der Liebe. Während die Liebesbeziehung auf der Leinwand immer brutalere Züge erhält und zum Sex- und Kriminalspektakel verkommt, nimmt sich Ulla Hahn auf eine humorvolle, sprachspielerische und leicht satirische Weise der 'alten Geschichte' an.

Der idealisierte und durch den Liebesblick gnädig verschönte Körper des Geliebten wird zunächst nüchtern und realistisch inspiziert:

Früher hätte sie es selbst gekränkt, wenn sie schlecht von Küstermann dachte. Ihn gar lächerlich zu machen, wäre einer Gotteslästerung gleichgekommen. Jetzt erprobte sie auch das und bemerkte verwundert, wie sehr sie Vorstellungen erheiterten, die durch ein geringes Verschieben bestimmter Küstermerkmale zustande kamen. (64)

Nachdem Maria sich eine Zeitlang dieser Abwendung und Umlenkung ihres 'Liebesblicks' gewidmet hat, beginnt sie mit der Hauptarbeit: dem Abschied von einer Beziehung, die tiefsitzende Spuren in ihr hinterlassen hat. Sie nimmt einen Abdruck von Hansegons Zügen und

vollendete in der Werkstatt den Gipskopf. Das Loch zwischen Nase und Kinn täuschte keinen geöffneten Mund vor, es klaffte als Verletzung, als Makel und dunkle Drohung. Von der Rückseite führte sie eine stabile transparente Plastiktüte bis kurz vor die vordere Öffnung und klebte sie dort fest. (79)

Der verklebte bzw. entstellte männliche Mund ist Metapher für einen Diskurs und eine Haltung, deren Gewalttätigkeit Maria ihrem Hans pars pro toto vorführt. Sie nimmt ihm die einstigen Liebes-, Treue- und Zärtlichkeitsversprechen nicht mehr ab.

Der verklebte Mund entstellte die Maske wie den lebendigen Kopf, doch ohnehin kam es ihr auf die Lippen, die sie, besonders wenn sie sich in Liebe mit dem Plasma der Jugend füllten, immer so sehr begehrt hatte, nicht mehr an. (77f.)

Wie schon bei Bachmann und Duden verschieben sich die Kategorien von Opfer und Täter. Dies geschieht auch mittels einer neuen ironischen und humorvollen Stimmlage, die schon in *Männer* (1986),

Doris Dörries Erfolgsfilm der achtziger Jahre, zu hören war. Die witzige Manipulation der Liebesphrasen und -floskeln überspielt allerdings nie den Ernst der Lage, sondern deckt ihn im Gegenteil auf. In dieser Hinsicht gibt es Parallelen zu Elfriede Jelinek, obgleich letztere noch ätzender und satirischer mit dem Sprachmaterial umgeht.

Während die ganze Stadt über das Gewalt- und möglicherweise sogar Triebverbrechen spekuliert, das man an dem Küster verübt haben mag, ist die wahre Gewalt von dem vermeintlichen Opfer ausgegangen, und die unerkannt bleibende Täterin ist das eigentliche Opfer. Zum Opfer wurde die Täterin durch die Gewalt der Schmeicheleien und Liebesversprechen, die einst dem Mund des Geliebten entwichen waren und die sie für lange Zeit immobil und tatenlos in der Warteposition und vor dem Telefon festhielten. Ein »langes Fleischmesser, das auch tiefgefrorene Ware mühelos zerstückeln konnte« (91), ein scharfes Instrument, das Maria der Maske von hinten durch den Mund schiebt, verbildlicht diese Gewalt und gleichzeitig das Durchschneiden derselben. Als Hansegon zu verstehen beginnt, worum es geht – »ein Mensch, dem in dieser Sekunde die unwiderruflichen Folgen seines Versäumnisses offenbar werden, das er niemals wiedergutmachen kann« (111)[317] –, unternimmt Maria zum letzten Mal den »Kreuzweg« ihrer Liebe. Die Stationen desselben bestehen in den Höhepunkten ihrer Beziehung zu Hans, eine Litanei von gemeinsamen Erlebnissen und Gesten, deren Reliquien und Memorabilia Maria ergreift und der Maske in den Rachen wirft. »Sie wählte das Kleid vom ersten Mal. Küstermanns Berührungen hatten es in dieser hehren Stunde zur Reliquie geweiht« (130). Während sie so zeremoniell und feierlich die Geschichte ihrer heimlichen Begegnungen beschwört, verschwindet die Vergangenheit in der Totenmaske des Geliebten: »Maria im Schnee«, eine Plastikkugel mit Barockkirche und Styroporschneeflocken gefüllt, unzählige Marienbildchen, die Hansegon für sie zusammengetragen hatte, seine Liebesverse, »Stadtführer, Konzertprogramme, alte Fahrscheine, einen Schweineschinken aus Marzipan, Zeitungsberichte über den Chor« (136), ihre Musik, Fotos, etc. Dieser Vorgang wird begleitet durch narrative Rückblenden auf die romantischen und – nüchtern betrachtet – auch abstrusen Momente ihrer Beziehung, durch eine Folge von Geschichten und Gegenständen, die immer mehr Plastiksäcke beanspruchen:

> Maria nestelte einen zweiten Sack in die Maske und hielt inne, bis sich die Gegenwart zurückzog, still stand, um Platz zu machen für mehr Vergangenheit. Erinnern, dachte Maria, ist wie Mutproben ablegen. Wer faßt die Brennessel an? Zaghafte Berührungen schmerzen lange, der schnelle Zugriff brennt scharf und kurz. (135)

Sehr anschaulich und sinnfällig wird hier eine Beziehungsordnung zurückgewiesen, deren romantische Rituale und Überhöhungen die ungleiche Position der Geschlechter verdecken. Vorgeführt wird dabei auch, wie die Geliebte Abstand zu nehmen beginnt, Abstand von der Sehnsucht, den Mann bedingungslos zu idealisieren, ihm ständig zu verzeihen, sich seinen Wünschen, koste es, was es wolle, zu beugen, Abstand von einer in Literatur und Kunst immer wieder gefeierten Sehnsucht nach Nähe und Begegnung. In ironischer Abwandlung einer alten Liebesballade zitiert Maria dem Geliebten jetzt: »Es war ein König in Thule ... Gar treu bis an das Grab. Dem sterbend seine Buhle einen goldenen Becher gab. Und hier mache ich dem Lied ein Ende, Hansegon. Der König stirbt, die Buhle lebt. Trink, Hansegon, trink« (153).

Der Titel *Ein Mann im Haus* spielt ironisch mit der gängigen Floskel, die die Herrscher- und Machtposition des Mannes umschreibt. In interessanter Parallele zur Handlungsführung von Stephen Kings Reißer *Misery* (1987), der kürzlich in eine erfolgreiche Hollywood-Produktion umgesetzt wurde (*Misery*, 1991), führt Hahns Text vor, wie eine Frau den von ihr angebeteten Mann als Geisel hält und verweist damit – im Gegensatz zu *Misery* – auch auf die Macht der Bilder, die die Frau als Geisel der Liebe gefangenhalten. Der Vergleich der Bilder von Mann und Frau in *Ein Mann im Haus* und *Misery* bringt jedoch einen scharfen Gegensatz zum Ausdruck. Während King seine Protagonistin Annie zu einer maliziösen und sadistischen Krankenschwester macht, die den von ihr hochverehrten Autor eines Fortsetzungsromans durch körperliche und psychische Folter dazu bringen will, den Text seines letzten Buches zu ändern, ist Maria weder sadistisch noch maliziös, sondern nur bemüht, dem Mann die an ihr verübte emotionale Ausbeutung drastisch vor Augen zu führen. In exakter Umkehrung zu Marias Versuch, das Schema und den Mythos der Liebesaffäre durchzustreichen, zwingt Annie den als Geisel gehaltenen Autor auf perfide Weise gerade dazu, den Groschenroman der Liebe weiterzuschreiben. Während die Perspektivführung von Hahns Text die LeserInnen für die 'Täterin Frau' und gegen das 'Opfer Mann' Partei ergreifen läßt, ist in *Misery* genau das Gegenteil der Fall. King inszeniert aus männlicher Perspektive die Leiden des 'unschuldigen' männlichen Opfers und den Sadismus des weiblichen Täters. Ironischerweise wird der Mann dabei im Grunde genommen zum Opfer seiner eigenen Liebesfiktion: Annie, sein – wie sie selbst immer wieder betont – größter Fan, insistiert mit großer Zähigkeit auf der Fortschreibung der von männlicher Seite produzierten Trivialfiktion der Liebe und ist eher bereit, den realen Mann zu töten, als sich mit dem Tod einer fiktiven Heldin abzufinden.[318]

Im Vergleich mit der radikalen Travestie des Mutter- und Krankenschwester-Klischees in Kings Roman wirkt Hahns Heldin harmlos und zivilisiert – doch die Verbindung von Frau und Gewalt, Kings Verteufelung des Weiblichen, ist durchaus symptomatisch für die Wende im gegenwärtigen Diskurs über Weiblichkeit. Der dominante weibliche Filmtyp der Gegenwart – u.a. in Hollywood-Filmen wie *Basic Instinct* (1992) und *Disclosure* (1994) präsentiert – wird in dem US-Frauenmagazin *Mirabella* (Juni 1992) als die »psychofemme« umschrieben, die außer Rand und Band geratene gewalttätige Frau, die Kinder und Männer zu Opfern ihres extremen Begehrens macht. 'Psychofemmes' agieren zur Zeit in Filmen, deren Handlung in Abwandlung der romantischen *punchline* im selben Magazin mit »Boy meets girl, girl kills boy« auf den Punkt gebracht wird. Der Reigen von todbringenden Leinwandheldinnen erinnert an die Rede von der »Sexbombe«, insofern wieder einmal die Sexualität der Frau als männergefährdende und -mordende Waffe eingesetzt wird: »Sex als Waffe. Sexuelle Begierde als todbringendes Laster. Die Vagina als Himmel und Hölle zugleich. Die Frau nicht nur als Priesterin der Lust, sondern auch des Verderbens«[319], wie im *Stern* zu lesen ist.

Wie Susan Faludi in ihrem US-Bestseller *Backlash* (1991)[320] feststellt, sind diese wieder aktuell gewordenen Imaginationen von Weiblichkeit nur der schlagende Beweis für die momentane »postfeministische Krise der Männer« (Zürcher *Weltwoche*). Die Titelstory des *Spiegels* vom 25. Mai 1992 lautet bezeichnenderweise: »Genervt vom Feminismus. Die Männer schlagen zurück«. Dort heißt es über *Backlash*:

> Mit manipulierten Zahlen und fragwürdigen Untersuchungen, fand Faludi, werde Frau und Mann die Botschaft eingebleut: 'Der Feminismus ist an allem schuld.' Ob Kriminalität oder Arbeitslosigkeit, Krankheit, Depression oder Unfruchtbarkeit – Schuld an allen Übeln der modernen Welt, so scheint Faludis Fazit, sei die Emanzipation der Frau. Wie in den USA, so in Europa. Unter Wissenschaftlern kursieren immer mehr Studien, die sich mit dem angeblichen Unglück der emanzipierten Frauen befassen. Tenor: Männer- und kinderlos lebt sie einem einsamen Alter entgegen – ein physisches und psychisches Wrack.[321]

Dieses statistisch geförderte Schreckensbild der emanzipierten Frau der Gegenwart ist auch an dem Erfolgsfilm der späten achtziger Jahre *Fatal Attraction* (1987) ablesbar, und zwar nicht nur an seiner

Protagonistin, sondern weit mehr noch an seiner Entstehungsgeschichte, auf die der Regisseur Adrian Lyne in einer erweiterten Videofassung eingeht. Ursprünglich als »feministischer Film« von der Paramount-Produzentin Sherry Lansing geplant, sollte – mit Sympathie für die Geliebte – vorgeführt werden, daß der Mann sich nicht der Verantwortung für seinen Seitensprung entziehen kann. Doch den Paramount-Bossen fehlte in dieser Geschichte der richtige und sympathische Held, und so wurde der Mann schlichterhand nach bekanntem Strickmuster reingewaschen und die Frau zur Hexe stilisiert. Die erste Fassung, die mit dem Selbstmord der Frau endete, war nicht zugkräftig und eindeutig genug, es mußte – als Ergebnis der *test-screenings* – ein dreifacher und sehr blutiger Exorzismus des bösen Geistes Frau sein.

Sehr deutlich wird hier wieder einmal der Effekt und die Funktion des Liebes- und Weiblichkeitsdiskurses, dessen regulative und kompensatorische Funktion innerhalb der sozialen Textur.[322] Weit mehr als nur unterhaltsamer Trivialmythos ist die Inszenierung der Begegnung der Geschlechter Reflexion gesellschaftlicher Utopien und Ängste. In ihrer Studie *Kunstwerk Frau. Repräsentationen von Weiblichkeit in der Moderne* untersucht Bettina Pohle Stilisierungen von Weiblichkeit um die Jahrhundertwende und macht dabei auf die unmittelbare Verbindung zwischen wirtschafts- und sozialpolitischen Entwicklungen und populärkulturellen Projektionen aufmerksam. Abschließend stellt sie für die achtziger und neunziger Jahre unseres Jahrhunderts fest, daß in Parallele zur Jahrhundertwende nicht nur die Ehe eine Art Renaissance erlebt, sondern auch die femme fatale und die Kindfrau ein Comeback feiern. Diese Bilderproduktion bzw. Bilder-Reproduktion und -Perpetuierung ist deshalb interessant, weil sie die verschiedenen, über Weiblichkeits- und Männlichkeitsimaginationen hinausgehenden Diskurse einer Zeit reflektiert. Mit anderen Worten: Die literarische, künstlerische und heutzutage in den Massenmedien sich dokumentierende Repräsentation von Weiblichkeit (und Männlichkeit) läßt Rückschlüsse auf gesellschaftspolitische Entwicklungen und Brüche zu, die den Rahmen des »Geschlechterkampfes« sprengen. Dabei schwingen gerade in den subtileren Formen stilisierter Weiblichkeit gesellschaftliche Konflikte und deren Bewältigungsstrategien mit.[323]

Die hier behandelten Texte von Frauen spielen sehr bewußt mit Weiblichkeits- bzw. Liebesprojektionen und machen derart auf gesellschaftspolitische Zäsuren, Brüche und Verschiebungen aufmerksam. Während sich zum Beispiel in Hahns Text eine Frau darum bemüht, ihrem Geliebten die nüchterne Realität der Liebesordnung leibhaftig vorzuführen, wird in der Unterhaltungsindustrie die Leibhaftigkeit der Geliebten gewaltsam ausgemerzt. Diese Ungleichzeitigkeit in der (unterhaltungs-)politischen, literarischen und feministischen Öffentlichkeit ist keinesfalls nur eine Erscheinug der Gegenwart, sondern kam in allen hier behandelten Liebestexten von Frauen zum Ausdruck. Bachmann hält der rigiden Ehe- und Erfolgsordnung der fünfziger und sechziger Jahre die Ausgrenzung des Weiblichen im System des 'Wirtschaftswunders' kritisch entgegen. In *Malina* deutet sie Strategien an, der weiblichen Mittäter- und Komplizenschaft, der psychisch und sozial verankerten weiblichen Opferhaltung ein Ende zu setzen, wobei ihr Roman diese Haltung als ein konstitutives, wenn auch verborgenes Element der öffentlich idealisierten Liebesrealität aufdeckt. Die von Zürn beschriebene Flucht in die Imagination notiert ebenfalls ein weibliches Kranken an der Liebe, eine soziale Pathologie, die durch die sexuelle Liberalisierungswelle nur verdeckt, aber nicht verarbeitet wird. Zehn Jahre später weist Duden die neue Sinnlichkeitswelle zurück, indem sie auf deren Rückseite, auf die Gewalt der Vernunftgeschichte rekurriert und zeigt, warum und in welcher Form Sinnlichkeit und Vernunft, Frau und Mann einander in einem gewalttätigen Zirkel gegenüberstehen. Vis-à-vis der Pornographiediskussion Ende der achtziger Jahre macht Jelinek auf die Diskrepanz zwischen dem pornographisch exponierten männlichen Begehren und der effektiven Annullierung weiblicher Lust in der Ehe- und Alltagsrealität aufmerksam. Und Hahn knüpft in gewisser Weise an alle diese Texte an, indem auch sie den Versuch unternimmt, destruktive Liebesmuster stillzustellen, während deren Brutalität gleichzeitig in anderen Medien reißerisch ausgeschlachtet wird. In den letzten Zeilen ihres Textes blitzt dabei – wie auch bei Bachmann und Duden – eine vorsichtig angedeutete Hoffnung auf den Stillstand des ewigen Zirkels von Täuschung und Enttäuschung auf: Die »Totenmaske« der beileibe nicht einzigartigen Affäre, »gehämmerte Masken mit weit geöffneten Mündern, aus Silber, aus Gold ... hingen unterm Tannenbaum an vielen Frauenhälsen, selbst Männer verschmähten sie nicht« (187).

Im Gegensatz zu der akuten Täter-Opfer-Konstellation im Film und in den Medien enthalten sich alle hier behandelten Texte eindeutigen Schuld- und Lösungszuschreibungen. Sie beschreiben statt dessen eher leise – manchmal analytisch-nüchtern, manchmal ironisch-satirisch – die Macht der Bilder, die Mann *und* Frau nach wie vor manipulieren, beherrschen und nicht zuletzt einander verfehlen lassen. Ich will damit keine einsinnige Verbindungslinie im ästhetischen Diskurs über die Liebe behaupten, sondern nur auf untergründige Bezüge und Dialoge aufmerksam machen, die mittlerweile in der Literatur von Frauen zu bemerken sind.

Der Liebesdiskurs kann seiner Natur gemäß genausowenig an ein Ende kommen wie die Litanei der Liebes-, Ehe- und Treueschwüre. An ein Ende kommen kann und muß jedoch das sich nach wie vor erhaltende Ungleichgewicht in der Liebesbeziehung, die ungleiche Verteilung und romantische Verbrämung von Macht- und Abhängigkeitspositionen in der Liebesrealität, die beklemmende Lebendigkeit der »einen alten Geschichte«. Meine Analyse von Frauentexten zum Thema Liebe hat gezeigt, daß nur die ständige und differenzierte Neuformulierung der Liebeslegende neue Geschichten andeuten kann, daß nur nach gründlicher – jedoch keineswegs liebloser – Umschreibung der »alten Geschichte« die Liebe auch für Frauen ein versöhnendes Versprechen in sich tragen kann, ein Versprechen, das möglicherweise ihrem eigenen Begehren verschwistert ist.

Anmerkungen

1 Ulrich Beck, Elisabeth Beck-Gernsheim, *Das ganz normale Chaos der Liebe*. Frankfurt/Main 1990, S. 9.

2 Es sind vor allem Walt-Disney-Produktionen, die das Liebesmärchen in Filmen wie *Arielle, die Meerjungfrau* (1989), *Die Schöne und das Biest* (1991) und *Alladin* (1992) erfolgreich in Szene gesetzt haben.

3 *Stern* 21/1992.

4 Damit soll nicht darüber hinweggetäuscht werden, daß die meisten Hollywood-Produktionen, *Basic Instinct* eingeschlossen, in ihrem Gehalt nicht kritisch, sondern affirmativ sind.

5 Beck, Beck-Gernsheim, *Das ganz normale Chaos der Liebe*, S. 37.

6 In meinem Gebrauch von »Imagination« sind folgende Vorstellungsfelder mitgedacht. Zum einen soll es an Jungs *Imago*begriff erinnern: die Imago als »unbewußte Vorstellung« oder als »imaginäres Schema«, nach dem das Subjekt andere Personen erfaßt (vgl. J. Laplanche, J.-B. Pontalis, *Das Vokabular der Psychoanalyse*. Frankfurt/Main 1992, S. 229). Ich greife diesen Bedeutungszusammenhang in meiner Arbeit vor allem deswegen auf, weil sowohl die ästhetische Produktionsweise als auch die von Jung beschriebene psychische Verstehensweise das Gegenüber, die Realität zugunsten eines Bildes überspringt bzw. manipuliert. Lacans Überlegungen zum »Spiegelstadium« werden hier insofern mitgedacht, als Lacan dort offenlegt, wie jedes Subjekt sich bei der ersten Ich-Bildung in einem *Bild* verfängt; Lacan zufolge benötigt das Subjekt, um sich als eigenständiges Ich zu begreifen, das *Bild* eines anderen. Die Relevanz dieser Ich- bildenden Imagination für die Geschichte und Existenzweise des weiblichen Subjekts ist offensichtlich, wenn man daran denkt, wie oft die kulturelle *Präsenz* der Frau mit der *Präsentation* imaginierter Weiblichkeit zusammenfällt. Wie Silvia Bovenschen überzeugend dargelegt hat, ist »die Geschichte der *Bilder*, der Entwürfe, der metaphorischen Ausstattungen des Weiblichen ... ebenso materialreich, wie die Geschichte der realen Frauen arm an überlieferten Fakten ist«. (Silvia Bovenschen, *Die imaginierte Weiblichkeit. Exemplarische Untersuchungen zu kulturgeschichtlichen und literarischen Präsentationsformen des Weiblichen*. Frankfurt/Main 1979, S. 11, Hervorhebungen S.B.) Mein Gebrauch der Begriffe 'Imagination' und 'imaginär' soll darauf aufmerksam machen, daß die Frau an der patriarchalischen Kultur oft nur als Bild partizipiert, das sich (ein) andere(r) von ihr gemacht hat und daß Autorinnen sich dementsprechend an Bildern und Bildentwürfen von Weiblichkeit abarbeiten müssen.

7 Verena Stefan, *Häutungen*, München 1985, S. 74.

8 Sigrid Weigel, »Der schielende Blick. Thesen zur Geschichte weiblicher Schreibpraxis«. In: *Die verborgene Frau. Sechs Beiträge zu einer feministischen Literaturwissenschaft*, mit Beiträgen von I. Stephan und S. Weigel. Berlin/Hamburg 1988, S. 86.

9 Luce Irigaray, *Das Geschlecht, das nicht eins ist*. Berlin 1979, S. 79.

10 Jacques Derrida, *Grammatologie*. Frankfurt/Main 1974, S. 45.

11 Julia Kristeva, *Die Revolution der poetischen Sprache*. Frankfurt/Main 1978, S. 70.

12 Zum grundsätzlichen Problem weiblicher Schreibweise vgl. Sigrid Weigel, *Die Stimme der Medusa*. Dülmen 1987, S. 196-213, und dies., »Der schielende Blick«.
13 *Ingeborg Bachmann Werke*, hg. von Ch. Koschel und I. von Weidenbaum. München/Zürich 1982, Bd. 4, S. 277.
14 *Ingeborg Bachmann Werke II*, S. 102.
15 Mein Gebrauch von 'imaginär' gehört in das Bedeutungsfeld von 'Imagination', des Bildbegehrens und wurde ausführlich in Fußnote 6 dieses Kapitels dargestellt. Vgl. auch Fußnote 22.
16 Tania Modleski, *Feminism without Women. Culture and Criticism in a »Postfeminist« Age*. New York/London 1991, S. 12f.
17 Michel Foucault, Raymond Bellour, »Über verschiedene Arten Geschichte zu schreiben« (1967). In: Adelbert Reif (Hg.), *Antworten der Strukturalisten*. Hamburg 1973, S. 169.
18 Tony Kaes, »New Historicism. Literaturgeschichte im Zeichen der Postmoderne«. In: Hartmut Eggert et al. (Hg.), *Geschichte als Literatur. Formen und Grenzen der Repräsentation von Vergangenheit*. Stuttgart 1990, S. 56-66; S. 59.
19 Ebd. S. 62.
20 Ebd. S. 63.
21 Wenn nicht anders vermerkt, beziehen sich alle Zitate auf die von Christine Koschel und Inge von Weidenbaum herausgegebene vierbändige Werkausgabe: *Ingeborg Bachmann. Werke*. München/Zürich 1982. Sie sind im Text mit BW unter Angabe des Bandes und der Seitenzahl vermerkt. Außerdem wurde die unter dem Titel *Wir müssen wahre Sätze finden* von den gleichen Herausgeberinnen und im gleichen Verlag 1983 veröffentlichte Sammlung der Gespräche und Interviews mit der Autorin benutzt. Sie sind im Text mit WS vermerkt. Die Signatur V bezieht sich auf die ebenfalls von Koschel und Weidenbaum im gleichen Verlag 1980 herausgegebenen Vorlesungen: *Ingeborg Bachmann. Frankfurter Vorlesungen. Probleme zeitgenössischer Dichtung*.
22 In meinem Gebrauch von 'imaginär' sind zwei Bedeutungsweisen mitgedacht. Zum einen gebrauche ich diesen Begriff feministisch-kritisch im Sinne von Silvia Bovenschens Untersuchung zu kulturgeschichtlichen und literarischen Präsentationsformen des Weiblichen, *Die imaginierte Weiblichkeit* (Frankfurt/Main 1979). Bovenschen benutzt die Kategorie der Imagination als Hinweis auf die »Geschichte der Bilder, der Entwürfe, der metaphorischen Ausstattung des Weiblichen«, Bachmann benutzt die Undine-Figur in ähnlicher Absicht. Zum anderen gebrauche ich 'imaginär' mit Bezug auf Lacans Überlegungen zum 'Spiegelstadium'. Der dort offengelegte Prozeß der ersten Ich-Bildung akzentuiert, daß jedes Subjekt primär in einem (illusionären) *Bild* von Vollkommenheit verfangen ist. Die Vorstellung von Identität ist Lacan zufolge für beide Geschlechter der Ort einer verspiegelten immer nur imaginären Wahrheit. Das Subjekt glaubt sich im Besitz einer vermeintlichen Vollkommenheit, die sich in Relation zu einem 'Anderen' bildet. Das Zeichen »Undine« bzw. die Geliebte kommen in diesem Kapitel als Vorstellungen eines solchen imäginären 'Anderen' zur Sprache.
23 Dies ist nicht neu und Grundlage ästhetischer Überlegungen im 20. Jahrhundert. Die Tatsache jedoch, daß die Autorin explizit Überlegungen zur modernen Subjektivität anstellt und die Formulierung des Subjektstatus zur Prämisse ihres (weiblichen) Schreibens macht, ist im Zusammenhang meiner Arbeit signifikant.

24 Bachmann nimmt hier unter anderem Bezug auf psychoanalytische Überlegungen zur Subjektgenese und auf »Ungleichzeitigkeiten« des Wahrnehmungsapparates, wie Freud sie etwa in seiner »Notiz über den 'Wunderblock'« beschrieb (vgl. S. Freud, *Studienausgabe*. Frankfurt/Main 1975, Bd. III, S. 363-370).
25 Walter Benjamin, »Über den Begriff der Geschichte«. In: *W.B. Illuminationen. Ausgewählte Schriften*. Frankfurt/Main 1977, S. 254.
26 Vgl. hierzu: Irmela von der Lühe, »Ich ohne Gewähr: Ingeborg Bachmanns Vorlesungen zur Poetik«. In: I.v.d. L. (Hg.), *Entwürfe von Frauen in der Literatur des 20. Jahrhunderts*. Berlin/Hamburg 1982, S. 106-131.
27 Gisela Breitling, »Die Geschöpfe des Pygmalion«. In: E. Flitner und R. Valtin (Hg.), *Dritte im Bund: Die Geliebte*. Reinbek bei Hamburg 1987, S. 225.
28 Julia Kristeva, »Produktivität der Frau«. Interview von Eliane Boucquey. In: *Alternative* 108/109, 1976, S. 167.
29 Breitling, »Die Geschöpfe des Pygmalion«, S. 217.
30 Sigrid Weigel, »Der schielende Blick«, S. 86.
31 Sigrid Weigel, »Mit Siebenmeilenstiefeln zur weiblichen Allmacht oder die kleinen Schritte aus der männlichen Ordnung. Eine Kritik literarischer Utopien von Frauen«. In: *Feministische Studien*, Mai 1985, S. 139.
32 Vgl. ebd., S. 140.
33 Anna Maria Stuby, »Sirenen und ihre Gesänge. Variationen über das Motiv des Textraubs«. In: A.M.S. (Hg.), *Frauen: Erfahrungen, Mythen, Projekte*. Berlin/Hamburg 1985, S. 71.
34 Ebd., S. 71.
35 Max Horkheimer, Theodor W. Adorno, *Dialektik der Aufklärung. Philosophische Fragmente*. Frankfurt/Main 1986, S. 42.
36 Eine ebensolche Ausnahme stellt Nr. 34 vom 18.8.1954 dar. Auf deren Titelseite mit der Schlagzeile »Gedichte aus dem deutschen Ghetto. Neue Römische Elegien: Ingeborg Bachmann« ist ein großformatiges Portrait der Dichtern abgebildet.
37 *Constanze* 21/1954.
38 Nach anfänglichen Schwierigkeiten, einen Verleger zu finden, erschien *Lolita*, der umstrittene Roman von Vladimir Nabokov, 1955 in Frankreich. Er gilt als paradigmatisch für die Stilisierung des Weiblichen zur verführerischen Kindfrau und prägte den Begriff »nymphet«. 1959 wird er schließlich auch in den USA verlegt, und der *Spiegel* bringt aus diesem Anlaß unter dem Titel »Nymphchen« eine kurze Werkbesprechung in seiner Märzausgabe. Die pornographischen Elemente des Romans werden dort unter Bezugnahme auf James Joyce' *Ulysses* als modernistische Stilisierung bewertet.
39 Interessanterweise treten in der Hollywood-Version die positiven weiblichen Figuren (Großmutter, Schwestern) zusehends in den Hintergrund zugunsten des Kampfes zwischen Vater und Hexe, dem (positiv konnotierten) patriarchalen und dem (negativ konnotierten) matriarchalen Gesetz. Als Prinzip des Bösen wird das Weibliche besiegt, und die Meerjungfrau wird aus den Händen des Vaters in die patriarchale Ordnung über Wasser entlassen. In Hans Christian Andersens Fassung hingegen kommt die Verbindung zwischen Menschenmann und Meerjungfrau nicht zustande bzw. geht teleologisch und im Sinne der christlichen Heilsgeschichte über den Text hinaus. Dabei wird aber eine weiblich konnotierte mythische, genauer: christlich-mystische Gegenwelt bestehen.

40 Vgl. Barbara Sichtermann, »Der Ritter-Traum. Versuch über einen banalen Mythos«. In: B.S., *Weiblichkeit. Zur Politik des Privaten*. Berlin 1987, S. 81.
41 Die Metaphorik macht hier sehr deutlich, in welchem Maße sich die politische Phase des »Kalten Kriegs« in den Diskurs über Weiblichkeit einschreibt.
42 Breitling, »Die Geschöpfe des Pygmalion«, S. 220.
43 *Heinrich Heine. Sämtliche Werke*, München 1972, Bd. III, S. 369.
44 Breitling, »Die Geschöpfe des Pygmalion«, S. 218. Die von Breitling verwendete Formulierung von der »wirklichen Natur« der Frau scheint mir als implizite Annahme einer essentiellen weiblichen Natur fragwürdig. Die 'wirkliche Natur' von Mann und Frau ist immer nur so real, wie der über sie geführte, historisch sich wandelnde Diskurs, wie Breitling ja selbst erkennt. Männlichkeit und Weiblichkeit sind diskursive Ereignisse (Foucault), keine zu extrahierenden Wesenheiten.
45 Simone de Beauvoir, *Das andere Geschlecht. Sitte und Sexus der Frau*. Reinbek bei Hamburg 1988, S. 10f. Vgl. auch Marianne Schuller, »Die Nachtseiten der Humanwissenschaft. Einige Aspekte zum Verhältnis Frau und Literaturwissenschaft«. In: G. Dietzke (Hg.), *Die Überwindung feministischer Sprachlosigkeit. Texte aus der neuen Frauenbewegung*. Darmstadt/Neuwied 1979, S. 31-50.
46 Beauvoir, *Das andere Geschlecht*, S. 10f. Vgl. auch eine jüngere Arbeit zu diesem Thema: Friederike Hassauer, »Ist die Frau noch ein Mensch? 10 Thesen zur Frauenfrage«. In: F. H., P. Ross (Hg.), *Die Frauen mit Flügeln, die Männer mit Blei?* Siegen 1986, S. 136-143.
47 Siehe Seite 18 meiner Arbeit und den Verweis auf Kristevas Definition des Effekts der Frau.
48 Weigel, »Der schielende Blick«, S. 84.
49 Brigitte Wartmann, »Die Grammatik des Patriarchats. Zur 'Natur' des Weiblichen in der bürgerlichen Gesellschaft«. In: *Ästhetik und Kommunikation*, 47, 1986, S. 13.
50 Vgl. ebd., S. 28ff.
51 Weigel, »Der schielende Blick«, S. 85.
52 Luce Irigaray, *Das Geschlecht, das nicht eins ist*. Berlin 1979, S. 78.
53 Niklas Luhmann, *Liebe als Passion. Zur Codierung von Intimität*. Frankfurt/Main 1982, S. 30.
54 Ebd., S. 81.
55 Günther Bittner, »Die Geliebte als magische Vervollständigung«. In: *Dritte im Bund*, S. 131.
56 Diese häufig inszenierte männliche (Ab-)Tötung der Liebe im Namen eines höheren Gesetzes ist Gegenstand der in Kapitel IV behandelten Erzählung von Anne Duden »Der Auftrag die Liebe«.
57 Niklas Luhmann bezeichnet diese durch die räumlichen Metaphern von Nähe und Distanz gekennzeichnete Struktur als eine sich im 18. Jahrhundert etablierende »neue romantische Paradoxie: die Erfahrung des Sehens, Erlebens, Genießens durch Distanz; der Abstand ermöglicht jene Einheit von Selbstreflexion und Engagement, die im unmittelbaren Genuß verlorengeht« (*Liebe als Passion*, S. 172). Goethes *Die Leiden des jungen Werther* ist vielleicht das bekannteste Beispiel für die Stilisierung der Liebeserfahrung als Oszillieren zwischen Nähe und Distanz. Werthers Briefe erschaffen das männliche liebende

Subjekt in der Spannung von Selbstreflexion und Engagement und schreiben beides in dem bewußt inszenierten Selbstmord fest als unendliche Nähe zur Geliebten. Die reale Erfüllung und der Genuß der endlichen Beziehung wäre der wahre Tod der Liebe. Unica Zürn greift dieses Konzept der »Liebe in der Distanz« auf. Siehe Kapitel III dieser Arbeit.

58 All diese Momente in der Dynamik der Ehe sind damals und heute noch häufig Gegenstand von Illustrierten und Männermagazinen, wie Renate Valtin in ihrem Artikel »Das Thema 'Geliebte' in Zeitschriften und Illustrierten. Ein Lehrstück aus dem Patriarchat« nachweist (in: *Dritte im Bund*, S. 37-73).

59 Auch die traditionelle Umsetzung der Liebesgeschichte in Filmen verweigert zumeist die Darstellung des Endes bzw. des Alltags der Liebenden und konzentriert sich statt dessen auf den Beginn der Beziehung. Ist das Ende der Liebe hingegen Thema, dann im melodramatischen Sinne als Hinweis auf eine gesellschaftliche Ordnung, die Leidenschaft nicht lange dulden kann. Entsprechend sind es äußere 'tragische' Umstände, die den Liebenden im Weg stehen. Ein populäres Beispiel dafür ist der mittlerweile 'klassische' Film *Love Story.* In jüngerer Zeit wird das Thema der (aus moralischen Gründen) zum Scheitern bestimmten außerehelichen Affäre zunehmend Gegenstand von Hollywood-Produktionen (*Fallen in Love, Fatal Attraction*), Indiz für die neokonservative Wende der achtziger Jahre.

60 Vgl. hier Sigrid Weigel, *Die Stimme der Medusa. Schreibweisen von Frauen in der Gegenwartsliteratur.* Dülmen 1987, S. 259.

61 Ebd., S. 226.

62 Ebd.

63 Stuby, »Sirenen und ihre Gesänge«, S. 306.

64 Die Tatsache, daß sich Undine hier als Sprecherin bezeichnet, die ein objektives Gesetz perpetuiert, unterstützt Breitlings Lesart von weiblicher Subjektivität. Da Frauen von der Gestaltung des Mythos und der sich historisch als das jeweilige »objektive Gesetz« ausgebenden Deutungsmacht ausgeschlossen sind, gelten sie, »unabhängig von ihren Fähigkeiten oder ihrem Status allen Männern gegenüber als subjektiv«. Dabei muß die Rede von der 'subjektiven Frau' »im Wortsinne verstanden werden, nämlich als Unterworfensein (subjectus) und nicht als persönliche und individuelle Auffassung oder Wahrnehmung.« (G. Breitling, *Der verborgene Eros. Weiblichkeit im Zerrspiegel der Künste.* Frankfurt/Main 1990, S. 9.).

65 Sichtermann, »Der Rittertraum«.

66 Ebd., S. 84.

67 Stuby, »Sirenen und ihre Gesänge«, S. 321.

68 Michel Foucault, *Die Ordnung des Diskurses.* Frankfurt/M./Berlin/Wien 1977, S. 8; 36f.

69 Dies wird im zweiten Kapitel von *Malina* sehr deutlich. Das Traumkapitel führt den LeserInnen Bilder von Gewalt und Unterdrückung vor Augen, die als Anspielung auf die jüngste Gewaltgeschichte psychisch-kollektive Strukturen wiedergeben, welche außerhalb eines klar faßbaren Zeitkontinuums liegen. Als Kontinuität in der sozialen und psychischen Zurichtung des Subjekts liegen diese Strukturen jenseits von Wiedergutmachung.

70 Saskia Schottelius, *Das imaginäre Ich. Subjekt und Identität in Ingeborg Bachmanns Roman 'Malina' und Jacques Lacans Sprachtheorie*. Frankfurt/Bern/New York/Paris 1990, S. 158.

71 Christina Thürmer-Rohr, »Einführung zu *Mittäterschaft und Entdeckungslust*«. In: *Studienschwerpunkt »Frauenforschung« am Institut für Sozialpädagogik der TU Berlin*. Berlin 1989, S. 12f.

72 Einige der Kritiker erkennen dies. So zum Beispiel Reinhard Baumgart, der anmerkt, daß »dieser Roman quer zu den Erwartungen, die heute an Literatur gestellt werden« steht. Baumgart konstatiert einen neuen Ton in der Literatur, der sich später als »Neue Innerlichkeit« für Literatur von zunächst ausschließlich männlichen Autoren durchsetzen kann. Vgl. auch Joachim Kaiser, der den »schwindelerregenden Abstand« des Romans zur zeitgenössischen Literaturproduktion herausstellt. (Reinhard Baumgart, »Ingeborg Bachmann – Malina«; Joachim Kaiser, »Liebe und Tod einer Prinzessin«. Beide in: Christine Koschel, Inge von Weidenbaum (Hg.), *Kein objektives Urteil – nur ein lebendiges. Texte zum Werk von Ingeborg Bachmann*. München/Zürich 1989, S. 142; S. 181.).

73 1971 behauptet Günter Blöcker noch, daß die von der Autorin benutzte Kriegsmetapher »leichtsinnig den Sprung von privater Evidenz zu politischen Folgerungen« wagt. Die Korrelation von Öffentlichkeit und Privatheit war zu diesem Zeitpunkt noch nicht Gegenstand des Diskurses und wurde als eigensinnige Idiosynkrasie einer Lyrikerin abgelehnt. (Günter Blöcker, »Auf der Suche nach dem Vater«. In: *Kein objektives Urteil*, S. 147.)

74 Die patriarchale Bevormundung von Rudolf Hartung, der nur einem männlichen Autor Sozialkritik zugesteht: »eine solche Anklage muß mit der monomanischen Wut eines Thomas Bernhard vorgebracht werden, um Gewicht zu haben – von einem Schriftsteller, der aus seinem Schmerz ein Vehikel der Erkenntnis macht, nicht aber sich ihm überläßt, als wollte er darin ertrinken«, sei hier nur am Rande erwähnt. Rudolf Hartung, »Dokument einer Lebenskrise«. In: *Kein objektives Urteil*, S. 157.

75 In seinen Tagebuchaufzeichnungen aus den Jahren 1947-1949 nimmt Günther Anders darauf bezug: »Wenn im vorigen Jahrhundert Liebe das Kernthema der Gesellschaft und der Literatur war, so wohl vor allem, weil sie als Erlösungsersatz diente. Da sowohl der verweltlichte Zustand des Christentums wie der Naturalismus 'Erlösung' im religiösen Sinne ausschloß; da wirtschaftlicher Individualismus der 'Erlösung durch Gemeinschaft' ... widersprach, verlangte die Zeit etwas, was zugleich kommunionsartig, privat und weltlich war... Nur die Geschlechtsliebe genügte ihr: sie 'erlöst' von Institutionen, Alltag und Vereinsamung; privat war sie, denn sie erforderte nicht mehr als zwei Menschen; und daß sie die Verkörperung des Weltlichen war, das bedarf keiner Erklärung. – Das Sinnliche wurde nun also zum Übersinnlichen befördert, Brunst zur Inbrunst, der Akt zur unio mystica.« (In: Günther Anders, *Lieben gestern. Notizen zur Geschichte des Fühlens*. München 1986, S. 11.)

76 Eine grundsätzliche Aufarbeitung der »Ergänzungsfunktion« des Weiblichen im kulturellen Diskurs leistet Silvia Bovenschen im zweiten Kapitel ihrer Arbeit *Die imaginierte Weiblichkeit. Exemplarische Untersuchungen zu kulturgeschichtlichen und literarischen Präsentationsformen des Weiblichen*. Frankfurt 1979.

77 Brigitte Wartmann, »Schreiben als Angriff auf das Patriarchat«. In: Nikolas Born u.a. (Hg.), *Literaturmagazin 11. Schreiben oder Literatur.* Reinbek bei Hamburg 1979, S. 111.

78 Friedrich Wilhelm Korff, »Ingeborg Bachmanns Falschspiel mit der Liebe«. In: *Kein objektives Urteil*, S. 169.

79 Ebd., S. 177.

80 *Spiegel* 33/1970.

81 Alice Schwarzer, *Der 'kleine Unterschied' und seine großen Folgen*. Frankfurt/Main 1990, S. 10; 207.

82 Sigrid Weigel, *Die Stimme der Medusa*, S. 216.

83 Sigrid Weigel stellt dies als ein allgemeines Problem der Rezeption von Frauenliteratur durch die neue Frauenbewegung heraus: »Aber auch die neue Frauenbewegung und die feministische Literaturkritik haben lange Zeit gebraucht, um sich ein Problembewußtsein über den Ort von Frauen in der abendländischen Kultur zu erarbeiten, das ein Verständnis der Literatur Bachmanns und anderer vor-feministischer Autorinnen ermöglicht. Eine Orientierung am Ziel der 'Emanzipation' und am Konzept bzw. der Utopie der 'autonomen Frau' hat in den Anfängen der Frauenbewegung und der Frauenforschung die Aufmerksamkeit für die vorhandene Kunst und Literatur von Frauen vielfach verstellt.« (Sigrid Weigel, *Topographien der Geschlechter. Kulturgeschichtliche Studien zur Literatur.* Reinbek bei Hamburg 1990, S. 255.)

84 Marlies Gerhardt, »Rückzüge und Selbstversuche«. In: *Kein objektives Urteil*, S. 508.

85 Sigrid Schmid-Bortenschläger, »Spiegelszenen bei Bachmann. Ansätze einer psychoanalytischen Interpretation«. In: *Modern Austrian Literature*, Vol. 18, 3/4, 1985, S. 44.

86 Luce Irigaray, *Das Geschlecht, das nicht eins ist*, S. 177.

87 Schwarzer, *Der 'kleine Unterschied' und seine großen Folgen*, S. 137.

88 Sigrid Weigel, »Die andere Bachmann«. In: S.W. (Hg.), *text und kritik Sonderband: Ingeborg Bachmann*. München 1984, S. 5.

89 Zitiert aus dem Nachwort von Rolf Hochhuth zu *Liebe in unserer Zeit*, hg. v. R. Hochhuth. Hamburg 1961, S. 624.

90 Ebd., S. 621.

91 Um das Schicksal der Frankfurter Prostituierten Rosemarie Nitribitt rankt sich eine der größten Medienschlachten der fünfziger Jahre. Ihre Ermordung am 1. November 1957 und ihre Beziehungen zu vermögenden Männern der jungen Wirtschaftswundergesellschaft dienen als Stoffvorlage für den Roman des Journalisten Erich Kuby *Rosemarie – des deutschen Wunders liebstes Kind* (1957). In Kubys Roman dient die Verbindung der Prostitution mit deutscher Industrieprominenz als Indiz für die moralische Verkommenheit der sogenannten Leitbilder des wirtschaftlichen Aufstiegs der Bundesrepublik. Vgl. Gisela Breitling et.al., *Perlonzeit. Wie die Frauen ihr Wirtschaftswunder erlebten*, Elefanten-Press-Verlag 1988, 166f.

92 Otto Flake, »Liebe in unserer Zeit«. In: *Liebe in unserer Zeit*, S. 614.

93 Ebd.

94 Ebd.

95 Ebd., S. 616.

96 Ich bin mir bewußt, daß ein qualitativer Unterschied zwischen den Arbeiten der LaienautorInnen und dem *Malina*-Roman besteht, halte diesen aber für die Aufarbeitung des Liebesdiskurses für irrelevant. Die von der Kritik künstlich aufrechterhaltene und fragwürdige Trennung zwischen 'hoher' und 'niedriger' Literatur weist auf Ausschlußverfahren, durch die gesellschaftliche Diskurse gelenkt und bestätigt werden. Daß man unbekannten Personen die »Funktion Autor« (Foucault) zugestand, indem man ihre Arbeiten veröffentlichte, läßt auf die zeitgenössische Relevanz des Themas und die 'ideologische Korrektheit' der fiktionalen Aussagen schließen. Für beide Veröffentlichungen gilt, daß sie gesellschaftlich sanktioniert sind durch die Autorschaft: »die Funktion Autor ist charakteristisch für Existenz-, Verbreitungs- und Funktionsweise bestimmter Diskurse in einer Gesellschaft.« (Vgl. Michel Foucault, »Was ist ein Autor?«. In: M. F., *Schriften zur Literatur.* Frankfurt/Main 1988, S. 17f.)

97 Roland Barthes, *Fragmente einer Sprache der Liebe.* Frankfurt/Main 1988, S.27, 97, 99.

98 Julia Kristeva, *Geschichten von der Liebe.* Frankfurt/Main 1989, S.15.

99 Karin Schrader-Klebert, »Die kulturelle Revolution der Frau«. In: *Kursbuch* 17, 1969, S. 1-46.

100 Ebd., S.25.

101 Elfriede Jelinek, »Der Krieg mit anderen Mitteln«. In: *Kein objektives Urteil*, S.312.

102 Anders, *Lieben gestern*, S. 11.

103 Beck, Beck-Gernsheim, *Das ganz normale Chaos der Liebe*, S.321.

104 Die Autoren der Studie weisen jedoch an anderer Stelle auf das Terrorgesicht der Liebe hin.

105 Das hier anklingende Moment eines radikalen Sprachzweifels zieht sich durch das gesamte Werk Ingeborg Bachmanns. Vor allen Dingen im zweiten Kapitel, aber auch schon in »Die Geheimnisse der Prinzessin von Kagran« wird die (weibliche) Verzweiflung an der Sprache ausgesprochen. Die Autorin hat als eine der ersten auf die Mechanismen der 'symbolischen' Ordnung aufmerksam gemacht und dabei aufgezeigt, warum und in welchem Maße es einer schreibenden Frau schwerfällt, sich dem gegebenen Sprachmaterial zu überlassen, um damit weibliche Erfahrungen auszudrücken. Da eine ausführlichere Auseinandersetzung mit diesem Thema hier zu weit führen würde, sei nur an grundsätzliche Arbeiten dazu verwiesen: Irmela von der Lühe, »Schreiben und Leben: Der Fall Ingeborg Bachmann.« In: Inge Stefan, Sigrid Weigel (Hg.), *Feministische Literaturwissenschaft.* Berlin/Hamburg 1983, S.43-53. Sigrid Weigel, »'Ein Ende mit der Schrift. Ein anderer Anfang.' Zur Entwicklung von Ingeborg Bachmanns Schreibweise«. In: *Kein objektives Urteil*, S.265-310; Inge Röhnelt, *Hysterie und Mimesis in 'Malina'.* Frankfurt/Bern/New York/Paris 1990.

106 Marlies Janz identifiziert den »Fremden« als Paul Celan und zeigt, wie Ingeborg Bachmann ihre Faszination durch diesen Lyriker in ihr Werk einschreibt. (Marlies Janz, »Haltlosigkeiten: Paul Celan und Ingeborg Bachmann«. In: J. Hörisch, H. Winkels (Hg.), *Das schnelle Altern der neusten Literatur.* Düsseldorf 1985, S.31-39)

107 Dudens Schreibweise wird in Kapitel IV ausführlich behandelt.

108 Als die Ich-Figur vor ihrer Liebe zu den Altenwyls in den Raum der Gesellschaft flüchtet und auch dort keine Ruhe findet, wird ihre innere Ortlosigkeit bezeichnenderweise durch die Naturmetaphorik des Märchens ausgedrückt (BW III, 151f.). Und als sich ihre Beziehung zu Ivan immer mehr verschlechtert, greift die Autorin ebenfalls auf das Märchen zurück: »und kein Mensch außer ihr lebte ... eine nie gekannte Unruhe war in ihr und legte sich auf ihr Herz« (BW III, 166). Dementsprechend bleibt, parallel zum Märchen, der Ausdruck von Freude über die gelungene Flucht vor den Altenwyls im Konjunktiv: »ich könnte mich freuen, weil ich entkommen bin und wieder in der Abwesenheit lebe. Ich bin heimgekehrt in mein Land, das auch abwesend ist, mein Großherzogland, in das ich mich betten kann« (BW III, 172).

109 Vgl. dazu die ausführlichen Darstellung in Sigrid Weigels Studie *Topographien der Geschlechter*, bes. S. 149-179, und Horst Kurnitzkys kulturgeschichtliche Studie, *Ödipus. Ein Held der westlichen Welt. Über die zerstörerischen Grundlagen unserer Zivilisation*. Berlin 1978, S. 79ff.

110 Klaus Heinrich, »Das Floß der Medusa«. In: Renate Schlesier (Hg.), *Faszination Mythos. Studien zu antiken und modernen Interpretationen*. Basel/Frankfurt 1985, S. 361.

111 Weigel, *Topographien der Geschlechter*, S. 159.

112 Sigrid Schmidt-Bortenschläger kommt in ihrem ausführlichen Kommentar der Spiegel-Szene zu ähnlichen Ergebnissen, bewertet diese jedoch anders. Sie behauptet: »Das Ich hat sich nicht selbst gesehen, war nicht mit sich selbst eins, sondern der Spiegel ... hat Ivans Bild der Frau projeziert [sic], die vom Ich irrtümlicherweise als eigenes Spiegelbild angenommen worden ist – das Fremdbild ist zum Selbstbild internalisiert worden. Das Verschwinden im Spiegel ist also nicht Zusammenfall von Realität und Imagination, wird damit nicht zur Möglichkeit der Identitätsfindung, sondern es wird zum Akzeptieren des fremden Blicks ...« (Sigrid Schmidt-Bortenschläger, »Spiegelszenen bei Bachmann«, S. 44). Ich behaupte demgegenüber, daß die Spiegelszene eben *diese* Internalisierungen zum Thema hat, insofern sie ein weibliches Begehren zum Ausdruck bringt, das sich an männlichen Vorgaben orientiert und daran krankt. Bachmann postuliert hier meines Erachtens keine 'authentische' weibliche Identität, sondern exploriert die unbewußt durch männliche Vorgaben bestimmte Identität der Frau.

113 Auf diesen Aspekt gehe ich ausführlich in der Behandlung von Unica Zürns Text »Dunkler Frühling« in Kapitel III dieser Arbeit ein.

114 Der »Fremde« aus dem Märchen fällt diesen Vergasungen zum Opfer, eine Anspielung, mit der Marlies Janz ihre These untermauert, Bachmann habe in der Prinzessin-von-Kagran-Geschichte ihre Beziehung und Beeinflussung durch Paul Celan dargestellt. (Marlies Janz, »Haltlosigkeiten: Paul Celan und Ingeborg Bachmann«. In: *Das schnelle Altern der neusten Literatur*, S. 34.)

115 Thürmer-Rohr, *Mittäterschaft und Entdeckungslust*, S. 25.

116 Vgl. Dietmar Kamper, »Das Phantasma vom ganzen und vom zerstückelten Körper«. In: Dietmar Kamper und Christoph Wulf (Hg.), *Die Wiederkehr des Körpers*. Frankfurt/Main 1982.

117 Diesen Gedanken verfolge ich im letzten Kapitel dieser Arbeit weiter.

118 Thürmer-Rohr, *Mittäterschaft und Entdeckungslust*, S. 29.

119 Ebd.
120 Ebd., S.30.
121 Ebd., S.39f.
122 *Unica Zürn. Das Weisse mit dem roten Punkt. Texte und Zeichnungen*, hg. von Inge Morgenroth. Frankfurt/M./Berlin 1988, S.85.
123 Sigrid Weigel, »'Wäre ich ein Mann, hätte ich aus diesem Zustand vielleicht ein Werk geschaffen': Unica Zürn«. In: Inge Stephan, Regula Venske, Sigrid Weigel (Hg.), *Frauenliteratur ohne Tradition? Neun Autorinnenportraits*. Frankfurt/Main 1987, S.246f.
124 *Unica Zürn. Das Weisse mit dem roten Punkt*, S.80.
125 Ich breche die biographischen Notizen hier ab, da ich nicht in den literaturwissenschaftlichen Reduktionismus verfallen will, der Leben und Werk der Autorin einsinnig aufeinander bezieht. Gerade Unica Zürn hat die Schnittpunkte von Imagination und Realität auf eine solch komplexe und chiffrierte Art beschrieben, daß autobiographische Erklärungen notwendig zu kurz greifen müssen. Eine solche Lesart beschränkt sich zu leicht darauf, die phantastisch-eigenwillige Metaphorik der psychischen Verfassung der Autorin zuzuschreiben. Dabei wird ein pathologisches Erklärungsmodell aktualisiert, dem schon viele Autorinnen zum Opfer gefallen sind.
126 Vgl. hier die Ausführungen Weigels, »'Wäre ich ein Mann...'«, S.243f.
127 *Unica Zürn Gesamtausgabe in 5 Bänden*, hg. v. Günter Bose, Erich Brinkmann. Berlin 1988ff., Bd. V, S.139.
128 Unica Zürn, *Der Mann im Jasmin: Eindrücke einer Geisteskrankheit. Dunkler Frühling*. Frankfurt/M./Berlin 1982, S.191. Alle Zitate aus »Dunkler Frühling« stammen aus dieser Ausgabe und sind unter Angabe der Seitenzahl direkt im Text vermerkt.
129 Peter Bürger, *Theorie der Avantgarde*. Frankfurt/Main 1974, S.88.
130 Ebd., S.90.
131 André Breton, *Die Manifeste des Surrealismus*, Reinbek bei Hamburg 1986, S.26.
132 Hier zitiert aus dem Anhang von: Unica Zürn, *Das Weisse mit dem roten Punkt*, S.223.
133 Hier konvergiert Bellmers Ästhetik fast wieder mit der bürgerlichen Kunstauffassung vom »individuellen Charakter künstlerischer Produktion« und unterscheidet sich von den »extremsten Manifestationen« der Avantgarde, die, Peter Bürger zufolge, die Kategorie der individuellen Produktion gerade radikal leugnen und eher den »Tod des Autors« (Benjamin, Barthes, Foucault) in den Vordergrund stellen (vgl. Bürger, *Theorie der Avantgarde*, S.69ff.).
134 Das betont auch Rudolf E. Kuenzli in seinem Artikel »Surrealism and Misogyny«: »The surrealist believed in their own masculine world, with their eyes closed, the better to construct their male phantasms of the feminine. They did not see woman as subject, but as a projection, an object of their own dreams of femininity.« (In: *Surrealism and Women*, hg. v. Mary A. Caws, Rudolf Kuenzli und Gwen Raaberg. Cambridge 1991, S.18)
135 Eine ausführliche Diskussion des fundamentalen Unterschieds der künstlerischen Verfahrensweise von Unica Zürn und Hans Bellmer findet sich in Sigrid Weigels Essay »Hans Bellmer Unica Zürn: 'Auch der Satz ist wie ein Körper...'?

Junggesellenmaschinen und die Magie des Imaginären.« (In: S.W., *Topographien der Geschlechter*, S. 67-113).
136 Hans Bellmer, *Die Puppe*. Berlin 1962, S. 17.
137 Ebd., S.18f.
138 Ebd., S. 19.
139 *Das Weisse mit dem roten Punkt*, S. 85.
140 *Zürn Gesamtausgabe*, Bd. I, S. 69f.
141 Diese Erkenntnis ist Hauptthema von Anne Dudens Text »Der Auftrag die Liebe« und wird in Kapitel IV dieser Arbeit behandelt.
142 Inge Morgenroth, »Unica zu Ern«. In: Unica Zürn, *Das Weisse mit dem roten Punkt*, S. 212.
143 Vgl. hier auch Weigels Essay »'Wäre ich ein Mann...'«, S. 246f.
144 Ursula Krechel, »Die geheimnisvolle Unruhe hinter den Wörtern«. In: *Süddeutsche Zeitung* vom 18./19. Januar 1992. Die sorgfältig überarbeitete neue Gesamtausgabe sowie eine kürzlich erschienene Monographie von Sabine Scholl (*Unica Zürn. Fehler Fallen Kunst*. Frankfurt/Main 1990) sind Indiz für die aktuelle Popularität der Autorin.
145 *Die Zeit*, 29/1966.
146 Vgl. hier Gunter Schmidt, *Das Grosse Der Die Das. Über das Sexuelle*. Hamburg 1991, S. 64f.
147 *Der Spiegel*, 26/1970.
148 Barbara Sichtermann, »Der Mythos von der Herbeiführbarkeit des Orgasmus«. In: B.S., *Weiblichkeit. Zur Politik des Privaten*. Berlin 1987, S. 12f.
149 Ebd., S. 14.
150 Hellmuth Karasek, »Vom Realismus der Pornographie. Zur Neuerscheinung der 'Josefine Mutzenbacher'«. In: *Die Zeit*, 47/1969.
151 Weigel, *Topographien der Geschlechter*, S. 88.
152 Michel Carrouges, »Gebrauchsanweisung«. In: *Junggesellenmaschinen/Les Machines Célibataires*, Ausstellungskatalog besorgt von Jean Clair und Harald Szeemann. Zürich 1975, S. 21.
153 Ebd., S. 22.
154 Ingeborg Wegehaupt-Schneider, »Das Private ist politisch. Selbsterfahrungsgruppen«. In: Kristine von Soden (Hg.), *Der große Unterschied. Die neue Frauenbewegung und die siebziger Jahre*. Berlin 1988, S. 17.
155 Michael Lukas Moeller, *Die Liebe ist das Kind der Freiheit*. Reinbek bei Hamburg 1986, S. 76.
156 Sichtermann, *Weiblichkeit*, S. 14.
157 Schmidt, *Das große Der Die Das*, S. 81.
158 Roland Barthes, *Fragmente einer Sprache der Liebe*. Frankfurt/Main 1977, S. 27f.
159 Regula Venske, *Mannsbilder – Männerbilder*. Hildesheim/Zürich/New York 1988, S. 134.
160 Jacques Lacan, »Die Bedeutung des Phallus«. In: N. Haas (Hg.), *Jacques Lacan, Schriften II*. Weinheim/Berlin 1991, S. 121.
161 Peter Widmer, *Subversion des Begehrens. Jacques Lacan oder Die zweite Revolution der Psychoanalyse*. Franfurt/Main 1990, S. 38.
162 Vgl. Brigitte Nölleke, *In alle Richtungen zugleich: Denkstrukturen von Frauen*. München 1985, S. 173ff.

163 Vgl. besonders die 1964 in Frankreich erschienene Sammlung von Aufsätzen zur weiblichen Sexualität: Janine Chasseguet-Smirgel (Hg.), *Psychoanalyse der weiblichen Sexualität*. Frankfurt/Main 1974, hier S. 120.
164 Jacques Lacan, »Das Spiegelstadium als Bildner der Ichfunktion«. In: *Schriften I*, S. 64.
165 Ebd., S. 67.
166 Sigmund Freud, *Abriß der Psychoanalyse*. Frankfurt/Main 1989, S. 16. Es ist hier nicht der Ort, ausführlich auf die mittlerweile in vielerlei Hinsicht aufgearbeiteten (und manchmal im feministischen Interesse historisch verkürzt analysierten) »Vorurteile« in den Theorien Freuds einzugehen, deshalb sei nur auf die Neulektüre Freuds durch u.a. französische Analytikerinnen (z.B. J. Kristeva, L. Irigaray, H. Cixous) und amerikanische Feministinnen (z.B. N. Chodorow, J. Rose, J. Mitchell) hingewiesen.
167 Jessica Benjamin, »Die Fesseln der Liebe: Zur Bedeutung der Unterwerfung in erotischen Beziehungen«. In: *Feministische Studien*, Nr. 2, 1985, S. 23.
168 Zitiert nach Sichtermann, *Weiblichkeit*, S. 42.
169 Sigmund Freud, *Drei Abhandlungen zur Sexualtheorie*. Frankfurt/Main 1989, S. 34.
170 Wie Sichtermann zu Recht behauptet, greift die feministische Diskussion von Sexualität zu kurz, wenn sie sich darauf beschränkt, den angeblichen 'Sadomasochismus des Weibes' zurückzuweisen und dabei in Zuordnungsfragen steckenbleibt. Die Frage ist *nicht*, welches Geschlecht ist das sadistische und welches das masochistische, sondern vielmehr: Inwieweit trägt Sexualität für *beide* Geschlechter einen unbegriffenen und im Diskurs ausgegrenzten bzw. projektierten Anteil von Gewalt und Schmerz in sich.
171 Hier besteht eine Parallele zu *Malina*, insofern das Überleben der Ich-Figur lange Zeit nur möglich ist in der Aktivierung des männlichen Teils.
172 Schmidt, *Das grosse Der Die Das*, S. 113.
173 Benjamin, »Die Fesseln der Liebe«, S. 10.
174 Ebd., S. 12.
175 Ebd., S. 13.
176 Ebd., S. 25.
177 Freud, *Drei Abhandlungen zur Sexualtheorie*, S. 34.
178 Zitiert nach Schmidt, *Das große Der Die Das*, S. 79.
179 Als »Knotenpunkt von Trieb und Kontrolle, Individuum und Gesellschaft« (G. Schmidt) löst Freuds Vorstellung von Sexualität die Vorstellung von der Dichotomie zwischen Geist und Natur, Verstand und Trieb, die vor allem im 19. Jahrhundert populär war, ab. Das sexuelle Paradigma, an dem die Psychoanalyse ansetzt, begründet die moderne in sich gebrochene Vorstellung von Subjektivität. Dabei werden, wie Gunter Schmidt zu Recht behauptet, die zwiespältigen Komponenten der Sexualität wie Schmerz, Enttäuschung, Wut und Angst jedoch gerne »kollektiv verleugnet in den gängigen Idealbildern, die im Sexuellen *nur* reine Lust in reiner Friedfertigkeit, Harmonie, Wärme und Geborgenheit ... zu erkennen geben.« (Schmidt, *Das große Der Die Das*, S. 79.)
180 Man geht allerdings heute davon aus, daß Jean Paulhan, der Verfasser des Vorwortes, auch der Verfasser des Buches ist.
181 *Die Zeit*, 46/1969.

182 Zumindest kann man dies laut Beschluß des Bundesverfassungsgerichts vom 19. November 1990 tun. Der Rowohlt-Verlag hatte gegen die Indizierung der *Josephine Mutzenbacher* durch die Bundesprüfstelle für jugendgefährdende Schriften geklagt und nach drei verwaltungsgerichtlichen Niederlagen Verfassungsbeschwerde erhoben. Der endgültige Schiedspruch von höchster Stelle lautete: »Kunst und Pornographie schließen einander nicht aus.«

183 *Die Zeit* 46/1969.

184 Vgl. Seite 107f. dieser Arbeit.

185 Damit ist er dem Bundesverfassungsgericht um glatte 21 Jahre voraus!

186 Vgl. hier Freuds Bemerkung in *Das Unbehagen in der Kultur*: »Die Annahme des Todes- oder Destruktionstriebes hat selbst in analytischen Kreisen Widerstand gefunden; ich weiß, daß vielfach die Neigung besteht, alles, was an der Liebe gefährlich und feindselig gefunden wird, lieber einer ursprünglichen Bipolarität ihres eigenen Wesens zuzuschreiben ... Denn die Kindlein, sie hören es nicht gerne, wenn die angeborene Neigung des Menschen zum 'Bösen', zur Aggression, Destruktion und damit auch zur Grausamkeit erwähnt wird.« (Freud, *Abriß der Psychoanalyse*, S. 108.)

187 Ebd., S. 106.

188 Und damit meine ich hier die konstante Verteufelung weiblicher Sexualität, die latente Kastrationsängste der Männer moralisierend auf das andere Geschlecht abschiebt. Besonders Filme wie *Im Reich der Sinne* (1976) und *Basic Instinct* (1992) sind gute Beispiele für den andauernden 'Bildterror', mit dem Weiblichkeit vor allem in Zeiten sozialer Orientierungslosigkeit belegt wird.

189 Benjamin, »Die Fesseln der Liebe«, S. 14.

190 Ebd.

191 Alice Schwarzer, *Der 'kleine Unterschied' und seine großen Folgen*, S. 182.

192 Das liegt u.a. daran, daß die Vorstellungen von Zärtlichkeit und Hingabe nicht männlich konnotiert sind; dem Mann kommt nicht die Position des Liebesobjekts, sondern die des Liebessubjekts zu.

193 *Der Spiegel*, 2/1991.

194 Vgl. hier besonders Barbara Sichtermanns Plädoyer für eine nicht domestizierte Sexualität, die den »Schmerz in der Lust« nicht verleugnet. (B. S., *Weiblichkeit*, S. 35-43).

195 Zitiert nach *Spiegel*, 2/91, S. 153.

196 Barbara Sichtermann, »Der Ritter-Traum. Versuch über einen banalen Mythos«. In: B.S., *Weiblichkeit*, S. 81f.

197 Ebd., S. 83f.

198 Barbara Sichtermann, »'Von einem Silbermesser zerteilt' – Über die Schwierigkeiten für Frauen, Objekte zu bilden, und über die Folgen dieser Schwierigkeiten für die Liebe«. In: B. S., *Weiblichkeit*, S. 74.

199 Barthes, *Fragmente einer Sprache der Liebe*, S. 197.

200 Vgl. besonders Luce Irigaray, *Speculum. Spiegel des anderen Geschlechts*. Frankfurt/Main 1980.

201 Jacques Lacan, *Schriften II*, S. 126.

202 Ebd., S. 127.

203 Vgl. hier Peter Widmer, *Subversion des Begehrens*, S. 43ff. und 80ff.

204 Christoph Wulf, »Die Liebesflamme«. In: Ch. W., Dietmar Kamper (Hg.) *Der Heilige. Seine Spur in der Moderne*. Frankfurt/Main 1987, S.328; 330.
205 Ebd., S.329.
206 Sigrid Weigel, *Die Stimme der Medusa*, S.222.
207 Ebd., S.230.
208 Schwarzer, *Der 'kleine Unterschied' und seine großen Folgen*, S.61.
209 Alexander Kluge, »Über Gefühl. Ein Diskussionsbeitrag«. In: *Ästhetik und Kommunikation*, Heft 53/54, 1984, S.216.
210 *Der Spiegel*, 2/1991.
211 *Der Spiegel*, 37/1983.
212 Ebd.
213 Ebd., S.201f.
214 Ebd., S.203.
215 Niklas Luhmann, *Liebe als Passion. Zur Codierung von Intimität*. Frankfurt/Main 1982, S.211.
216 Alain Finkielkraut, Pascal Bruckner, *Die neue Liebesunordnung*. Reinbek bei Hamburg 1989, S. 139.
217 Barthes, *Fragmente einer Sprache der Liebe*, S. 13.
218 Ebd., S. 182.
219 Michel Foucault, *Der Wille zum Wissen. Sexualität und Wahrheit*. Bd. 1. Frankfurt/Main 1983, S. 7.
220 Ebd., S. 8.
221 Barthes, *Fragmente einer Sprache der Liebe*, S. 15.
222 Ebd., S. 70.
223 Ebd., S. 137.
224 Ebd., S. 144.
225 Ebd., S. 94.
226 Ebd., S. 28.
227 Ich folge hier in meiner Argumentation den Gedanken Sigrid Weigels in *Die Stimme der Medusa*, Kapitel 8.3.
228 Ebd., S.226f.
229 Die folgenden Textzitate beziehen sich auf die 1987 im Rotbuch Verlag (Berlin) erschienene Zweitauflage von Anne Dudens Erzählband *Übergang*.
230 Eine grundlegende Arbeit zu diesem Thema ist der Artikel von Laura Mulvey »Visuelle Lust und narratives Kino«, der zuerst als Vortrag im Frühjahr 1973 am Fachbereich für französische Sprache der Universität Wisconsin gehalten wurde. Eine überarbeitete und übersetzte Fassung findet sich in der von Gislind Nabakowski, Helke Sander und Peter Gorsen herausgegebenen Essaysammlung *Frauen in der Kunst* (Frankfurt/Main 1980, Bd. I, S.30-46).
231 Gisela Schneider, Klaus Laermann, »Augen-Blicke. Über einige Vorurteile und Einschränkungen geschlechtsspezifischer Wahrnehmung«. In: *Kursbuch* 49, 1977, S.36.
232 Ebd., S.44.
233 *Ingeborg Bachmann Werke*, Bd. 4, S.277.
234 Sigmund Freud, »Notiz über den 'Wunderblock'«, S.367.
235 Auch diese Formulierung erinnert an Bachmanns Roman *Malina*, wo sich die Erinnerung der Ich-Figur an den Koordinaten von Liebe und Gewalt orientiert.

Die Suche nach dem »Satz vom Grunde«, der Versuch, den Zusammenhang von Liebe und Gewalt zu verstehen, bestimmt die Romanhandlung, die im Grunde genommen reine Erkenntnishandlung ist. Wie Duden stellt Bachmann in *Malina* ästhetische Überlegungen an bzw. markiert in einer narrativen Prämisse die Merkmale einer Subjektivität, von der aus und über die geschrieben wird. Vgl. Kapitel II.

236 Hélène Cixous, »Schreiben, Feminität, Veränderung«. In: *Alternative* 108/109, 1976, S. 142.

237 Sigrid Weigel, *Die Stimme der Medusa*, S. 204, Fußnote 1. Weigel untersucht im 7. Kapitel ihres Buches die Problematik der Theoriebildung über das Weibliche differenzierter und ausführlicher, als das hier der Fall sein kann.

238 Elisabeth Lenk, »Die sich selbst verdoppelnde Frau«. In: *Ästhetik und Kommunikation* 25, 1976, S. 85.

239 Marlies Gerhard, »Rückzüge und Selbstversuche«. In: *Kein objektives Urteil – nur ein lebendiges*, S. 508.

240 Dieser Gedanke liegt Bachmanns Undine-Text zugrunde. Aus der Perspektive der legendären und mythischen Figur der Undine lassen sich Zusammenhänge erkennen und formulieren, denen die »Alltagsfrau« blind ausgesetzt ist.

241 Verena Stefan, *Häutungen*, S. 4.

242 Ebd., S. 74.

243 Ebd., S. 124.

244 Luce Irigaray, *Das Geschlecht, das nicht eins ist*, S. 80.

245 Julia Kristeva, *Die Revolution in der poetischen Sprache*, S. 55.

246 Ebd., S. 31.

247 Ebd., S. 188.

248 Vgl. hier auch den informativen Artikel von Margret Brückmann, »Weiblichkeit im Spiel der Sprache. Über das Verhältnis von Psychoanalyse und 'écriture féminine'«. In: *Schreibende Frauen. Frauen – Literatur – Geschichte vom Mittelalter bis zur Gegenwart*, hg. von Hiltrud Gnüg und Renate Möhrmann. Frankfurt/Main 1989, S. 395-415.

249 Cixous, »Schreiben, Feminität, Veränderung«, S. 142.

250 Weigel, *Stimme der Medusa*, S. 112.

251 Ann Rosalind Jones, »Writing the Body«. In: *Feminism*, hg. von Robyn R. Warhol und Diane Price Herndl. New Brunswick/New Jersey 1991, S. 361ff.

252 Vgl. Endnote 28.

253 Kluge, »Über Gefühl«, S. 216.

254 Weigel, *Die Stimme der Medusa*, S. 119.

255 Schneider, Laermann, »Augen-Blicke«, S. 36.

256 Lenk, »Die sich selbst verdoppelnde Frau«, S. 84.

257 Vgl. hier auch Inge Stephans Artikel »Liebe als weibliche Bestimmung? Frauenbild und mythische Strukturen in den beiden frühen Romanen *Liebe beginnt* und *Elissa* von Marie Luise Kaschnitz«. In: Uwe Scheikert (Hg.), *Marie Luise Kaschnitz*. Frankfurt/Main 1984, bes. S. 132f.

258 Jutta Brückner, »Carmen und die Macht der Gefühle«. In: *Ästhetik und Kommunikation* 53/54, 1983, S. 227.

259 Ebd.

260 Ebd.

261 Ebd., S.230.
262 Olav Münzberg, »Der verkürzte Blick auf Carmen«. In: *Ästhetik und Kommunikation* 53/54, 1983, S.240.
263 Alexander Kluge, »Anmerkungen zu Jutta Brückner«. In: *Ästhetik und Kommunikation*, Heft 53/54, 1983, S.233.
264 Vgl. hier Sigrid Weigel, *Die Stimme der Medusa*, Kapitel 8.2.
265 Zitiert nach Friederike J. Hassauer-Roos, »Das Weib und die Idee der Freiheit. Zur neueren Geschichte der Diskurse über die Frau«. In: *Der Diskurs der Literatur- und Sprachhistorie. Wissenschaftsgeschichte als Innovationsvorgabe*, hg. von Bernd Cerquiglini und Hans Ulrich Gumprecht. Frankfurt/Main 1983, S.432.
266 Lenk, »Die sich selbst verdoppelnde Frau«, S.85; 87.
267 Weigel, *Die Stimme der Medusa*, S.124.
268 Ebd.
269 Norbert Elias, *Über den Prozeß der Zivilisation*. Frankfurt/Main 1991, Bd. II, S.318f.
270 Horst Kurnitzky, *Ödipus. Ein Held der westlichen Welt. Über die zerstörerischen Grundlagen unserer Zivilisation*. Berlin 1978, S.71.
271 Ebd., S.72; 77.
272 Dietmar Kamper, »Das Phantasma vom ganzen und vom zerstückelten Körper«, S.125.
273 Ebd., S.127.
274 Ebd.
275 Ebd.
276 *Der Spiegel*, 8/1988.
277 Ich habe an anderer Stelle auf Stadtgründungsmythen verwiesen, die den Ort der Frau als *innerhalb* der Stadtmauern feststellen, während der männliche Held als »Grenzgänger« zwischen Stadt und der umliegenden Natur wechseln kann. Vgl. Kapitel II dieser Arbeit und Sigrid Weigel, *Topographien der Geschlechter. Kulturgeschichtliche Studien zur Literatur.* Reinbek bei Hamburg 1999, S.159.
278 *Der Spiegel*, 49/1989.
279 Kreuz Verlag 1989.
280 Hellmuth Karasek, »Deutscher Film: Auf dem Sprung nach Hollywood«. In: *Der Spiegel*, 45/1986.
281 Alle Zitate beziehen sich auf die 1992 im Rowohlt Taschenbuch Verlag erschiene Ausgabe von *Lust*.
282 Interview mit Brigitte Classen, »Das Liebesleben in der zweiten Natur«. In: *an.schläge* 7/8, 1989, S.89.
283 Ebd., S.89.
284 Ebd.
285 Ebd., S.90.
286 Hier trifft sich Jelineks gesellschaftliche Analyse mit der These Naomi Wolfs, die in ihrem Bestseller *The Beauty Myth* (New York 1991) behauptet: »Die 1,5-Millionen-Dollar-Industrie setzt auf die sexuelle Entfremdung der Geschlechter und wird durch den Mangel an sexueller Befriedigung in Gang gehalten. Die Werbung verkauft nicht Sex – das wäre wenig produktiv, da es bedeuten würde, daß die Geschlechter sich einander zuwenden und zufriedenstellen könnten.

Was die Werbung verkauft, ist vielmehr sexuelles Unbefriedigtsein.« (im Original S. 143, Übersetzung S.B.)

287 Sigrid Weigel, *Die Stimme der Medusa*, S.238.

288 Christa Gürtler, *Gegen den schönen Schein*, S.7.

289 So ein Aufsatztitel von Elfriede Jelinek: »'Ich schlage sozusagen mit der Axt drein'«. In: *TheaterZeitSchrift* 7, 1984, S. 14-16.

290 Catherine A.MacKinnon, »Feminismus, Marxismus, Methode und der Staat: Ein Theorieprogramm«. In: *Denkverhältnisse. Feminismus und Kritik*, hg. von Elisabeth List und Herlinde Studer. Frankfurt/Main 1989, S. 86.

291 Ebd., S.97.

292 Tania Modleski, *Feminism without Women. Culture and Criticism in a »Postfeminist Age«*. New York/London 1991, S. 135.

293 Elfriede Jelinek, »Der Sinn des Obszönen«. In: *Frauen und Pornographie*, hg. von Claudie Gehrke. *konkursbuch extra*, Tübingen 1988, S. 102.

294 In ihrem Beitrag zur Pornographiedebatte berichtet Renate Schmidt von ihrer merkwürdigen Erfahrung, als ihre Bekannten erfuhren, daß sie sich mit diesem Thema beschäftigte: »Viele meiner Bekannten – meistens Männer – bemerkten mit einer Mischung aus Unglauben und Besserwissen, ich als aufgeschlossene, lebensfrohe Frau könne doch unmöglich etwas gegen Pornographie haben. 'So eine' (dahinter steht: Prüde, Verklemmte) sei ich doch nicht. Frauen dagegen signalisierten mir – allerdings seltener – eine gegenteilige Botschaft: wie könnte ich es nur ertragen, mich mit 'so etwas' näher zu befassen, 'so eine' (die dem vielleicht noch einen Reiz abgewinnen könne) sei ich doch nicht. »Pornographie – hinsehen oder wegsehen? Rückblick nach zwanzig Jahren«. In: *Frauen & Männer und Pornographie*, hg. von Eva Dane und Renate Schmidt. Frankfurt/Main 1990, S. 15.

295 Alain Finkielkraut, Pascal Bruckner, *Die neue Liebesunordnung*. Reinbek bei Hamburg 1989, S.79.

296 Interview mit Gabriele Presber. In: G.P., *Die Kunst ist weiblich*. München 1988, S. 109.

297 Rüdiger Lautmann, »Die neue Gefährlichkeit der Pornographie. Politische Kampagnen und psychologische Wirkungsforschung«. In: *Zeitschrift für Sexualforschung*, Jg. 1, Heft 1, März 1988, S.45.

298 Die deutsche Übersetzung erschien 1987 im Emma Frauenverlag (Köln).

299 Andrea Dworkin, *Pornography. Men Possessing Women*, New York: Plume 1989, Einleitung, S.27. Alle Übersetzungen stammen von mir. Sie bezieht sich dabei auf eine Aussage von Terrence des Pres, derzufolge Überlebende »die lebenden Überbleibsel eines allgemeinen Kampfes« sind. Denkt man Dworkins Begrifflichkeit zu Ende, dann ist das geltende patriarchale System bzw. dann sind alle Produzenten und Konsumenten pornographischer Phantasien latent faschistisch. Die hier gezogene Analogie ist nicht neu. In ihrer scharfen Analyse der Aufklärung haben Adorno und Horkheimer gezeigt, wie der zu sich selbst kommende aufgeklärte Rationalismus in faschistischen Irrationalismus umschlägt. Sie zeigen, wie und warum »sich die Herrschaft als archaischer Schrecken in faschistisch rationalisierter Gestalt« offenbart und wie die Frau unweigerlich als Verachtete und Unterdrückte in diesem System funktioniert. Max Horkheimer, Theodor W. Adorno, *Dialektik der Aufklärung*. Frankfurt 1986, S.94.

300 Silvia Bovenschen, »Auf falsche Fragen gibt es keine richtigen Antworten«. In: *Frankfurter Allgemeine Zeitung*, 23.1.1988.

301 Der »neue Streit um die Pornographie« (*Der Spiegel*) ist u.a. Indiz für die zunehmende Desillusionierung in bezug auf das sexuelle Befreiungspathos der sechziger Jahre, das sich in Slogans wie »Porno macht frei – Porno wird frei(gegeben)« verdichtete. »Was versprach man sich nicht alles von der neuen sexuellen Liberalität«, heißt es in einer *Spiegel*-Titelstory vom Januar 1988, »zum Beispiel die Abnahme der Sexualdelikte, der Vergewaltigung und der anderen Sexualverbrechen... einen liberalen Umgang der Geschlechter, ob gleich, ob ungleich, miteinander; eine sexuell offene Gesellschaft ohne Heuchelei, Krampf und Unterdrückung.« *Der Spiegel*, 1/1988.

302 Alice Schwarzer, *Von Liebe und Haß*. Frankfurt 1993, S.45.

303 Der *Spiegel*-Artikel aus dem Jahre 1988 beziffert den Umsatz der Pornoindustrie auf 850 Millionen Mark, in seiner Marktanalyse erotischer und pornographischer Produkte spricht Klaus Heinig sogar von 1,6 Milliarden Mark. »Erotische und pornographische Videofilme. Eine Marktübersicht«. In: *Frauen & Männer und Pornographie*, S.91.

304 Ebd., S.39 der Einleitung.

305 Die medienwirksame PorNo-Kampagne erscheint vielen Kritikern zum einen insofern fragwürdig, als sie über den wissenschaftlich nicht eindeutig lösbaren Disput, ob der Pornographie »eher stimulierende Wirkung, ob ihr entlastende – im Sinne einer Aggressionsabfuhr – Funktion zuzurechnen« sei, nicht hinauskommt. Silvia Bovenschen, »Auf falsche Fragen...«

306 Lynn Hunt, »Obscenity and the Origins of Modernity«, Einleitung zu *The Invention of Pornography. Obscenity and the Origins of Modernity, 1500-1800*. New York 1993, S.9-45, bes. S.11 und S.30.

307 »Das Liebesleben in der zweiten Natur«, S.34.

308 Alexander von Bormann, »Dialektik ohne Trost. Zur Stilform im Roman 'Die Liebhaberinnen'«. In: *Gegen den schönen Schein*, S.56f.

309 Fragmente dieses Codes wurden in den Texten Bachmanns und Zürns zum Gegenstand der Darstellung. In »Dunkler Frühling« bringt Zürn die Figur der 'romantischen Distanz' radikal zu Ende, indem sie das Liebesobjekt nur als Gegenstand der Anbetung, nicht aber als Gegenstand der körperlichen Begegnung realisiert. Vgl. Seite 129ff. dieser Arbeit.

310 Ann Bar Snitow, »Der Liebesroman aus der Retorte: Pornographie für Frauen ist anders«. In: A.B. Snitow, C. Stansell, S.Thompson (Hg.), *Die Politik des Begehrens*, Berlin 1985, S.74, zitiert nach Gunter Schmidt, *Das grosse Der Die Das*, S.150.

311 Der ganze Text travestiert die religiöse Erlösungs- und Transsubstantiationslehre. Wie Gertrud Koch darstellt, steht »der Kern der christlichen Dogmengeschichte, die Verwandlung des Leibs in orale Konsumgüter, die Lehre von der Transsubstantiation... im Mittelpunkt der Körpertravestien, die Jelinek zur Aufführung bringt.« Gertrud Koch, »Sittengemälde aus einem röm. kath. Land. Zum Roman 'Lust'«. In: *Gegen den schönen Schein*, S.137.

312 Die Diskrepanz zwischen den unterschiedlichen Erwartungen der Geschlechter – Romantik vs. Sex – führt Ann Bar Snitow zu der These, daß dieser Diskrepanz auch zwei Pornographien entsprechen. *Harlequin Romances* (romantische

Groschenromane für Frauen) sei die pornographische Lektüre für Frauen. In beiden Fällen agierten geschichts- und kontextlose Figuren ihre Sehnsucht nach der totalen Selbstaufgabe aus. Doch in dem einen Fall ist Sex ein rein körperlicher Vorgang, in dem anderen soziales Beziehungsdrama. Ich kann der These Snitows insofern folgen, als trivialmythische Fiktionen das für Frauen produzierte *Äquivalent* zu der üblichen, für den männlichen Verbraucher produzierten Pornographie darstellen. Diese Fiktionen dramatisieren dasselbe *Bedürfnis*, sich gehen zu lassen, doch während sich das männliche Subjekt der eigenen Sexualität (Macht) überlassen kann, überantwortet sich das weibliche Subjekt (den Gesetzen) der Sexualität des anderen (Machtlosigkeit). Vgl. A.B. Snitow, C. Stansell, S. Thompson, *Powers of Desire*, New York 1983, S. 245-256.

313 Vgl. Dorothy Dinnersteins Ausführungen in *The Mermaid and the Minotaur. Sexual Arrangements and the Human Malaise*. New York 1991, besonders Kapitel 4.

314 Luce Irigaray, *Das Geschlecht, das nicht eins ist*, S. 25.

315 Finkielkrauts und Bruckners Vorwurf an die von der Pornoindustrie produzierten Vergnügungen besteht darin, daß sie »als Bilder auf den Blick beschränkt, durch ihren Inhalt auf die Geschlechtsorgane und dadurch, daß sie sich der männlichen Phantasie bedingungslos unterwerfen, auf die Männer [beschränkt bleiben].« Sexualität, zur bloßen »Augenübung« verkommen, demonstriert das totalitäre Regime der männlichen Lust. *Die neue Liebesunordnung*, S. 62.

316 Alle Textzitate stammen aus der 1991 in der Deutschen Verlags-Anstalt, Stuttgart, erschienen Ausgabe.

317 Der Text bedient sich hier wie *Malina* des Vokabulars von 'Wiedergutmachung' und stellt einen Prozeß der Schuldaufklärung dar, dem gegenüber der Täter nicht sagen kann, er hätte »es nicht gewußt«.

318 Es wäre lohnenswert, diesen Aspekt in einer detaillierteren Einzeluntersuchung weiter zu verfolgen: Inwieweit ist dies ein unabsichtlicher Kommentar zu dem momentanen *backlash* gegenüber der Emanzipationsbewegung? Inwieweit braucht das Patriarchat die Imagination der nach kompensatorischen Trivialmustern süchtigen Frau? Und inwieweit berühren sich hier Fiktion und Realität?

319 *Stern*, 21/1992.

320 Die Autorin hat mit ihrem Buch eine ungeheure Diskussionswelle ausgelöst. Ihre provokative These, daß die Medien in den achtziger Jahren bewußt statistische Ergebnisse ideologisch verzerrt zirkulieren lassen bzw. sie unterdrücken, falls sie nicht das 'antifeministische' gewünschte Ergebnis zutage fördern, wird dabei auffallend durch die jüngsten Weiblichkeitsstilisierungen bestätigt.

321 *Der Spiegel*, 22/1992.

322 So sagte Sydney Pollak, Regisseur bekannter Hollywood-Produktionen pointiert: »The encounter between men and women is always political. When a man sits in a room and a woman enters, that is a political statement.« (Interview mit Sydney Pollak in der Dokumentationsserie über die Filmindustrie, *Naked Hollywood*, im Mai 1993 auf dem amerikanischen Fernsehkanal PBS gesendet).

323 Bettina Pohle, *Kunstwerk Frau. Repräsentationen von Weiblichkeit in der Moderne*. Unveröffentlichtes Manuskript, 1994, S. 224.

Literaturverzeichnis

Anders, Günther, *Lieben gestern. Notizen zur Geschichte des Fühlens*. München 1986

Bachmann, Ingeborg, *Frankfurter Vorlesungen. Probleme zeitgenössischer Dichtung*, hg. v. Ch. Koschel und I. von Weidenbaum. München/Zürich 1980

dies., *Werke*, hg. v. Ch. Koschel und I. von Weidenbaum. München/Zürich 1982

dies., *Wir müssen wahre Sätze finden*, Ch. Koschel und I. von Weidenbaum. München/Zürich 1983

Barth, Arianne, »Schau mir in die Augen, Kleiner«. In: *Der Spiegel* 2/1991

Barthes, Roland, *Fragmente einer Sprache der Liebe*. Frankfurt/Main 1988

Baumgart, Reinhard, »Ingeborg Bachmann – Malina« (1971)«. In: Ch. Koschel und I. von Weidenbaum (Hg.), *Kein objektives Urteil – nur ein lebendiges. Texte zum Werk von Ingeborg Bachmann*. München/Zürich 1989, S. 141-149

Beauvoir, Simone de, *Das andere Geschlecht*. Reinbek bei Hamburg 1988

Beck, Ulrich, Beck-Gernsheim, Elisabeth, *Das ganz normale Chaos der Liebe*. Frankfurt/Main 1990

Bellmer, Hans, *Die Puppe*. Berlin 1962

Benjamin, Jessica, »Die Fesseln der Liebe: Zur Bedeutung der Unterwerfung in erotischen Beziehungen«. In: *Feministische Studien*, Nr. 2, 1985, S. 10-30

Benjamin, Walter, »Über den Begriff der Geschichte«. In: W.B., *Illuminationen. Ausgewählte Schriften*. Frankfurt/Main 1977, S. 251-263

Bittner, Günther, »Die Geliebte als magische Vervollständigung«. In: E. Flitner und R. Valtin (Hg.), *Dritte im Bund. Die Geliebte*. Reinbek 1987, S. 130-136

Blöcker, Günter, »Auf der Suche nach dem Vater« (1971). In: Ch. Koschel und I. von Weidenbaum (Hg.), *Kein objektives Urteil – nur ein lebendiges. Texte zum Werk von Ingeborg Bachmann*. München/Zürich 1989, 149-153

Bormann, Alexander von, »Dialektik ohne Trost. Zur Stilform im Roman *Die Liebhaberinnen*«. In: Christa Gürtler (Hg.), *Gegen den schönen Schein*. Frankfurt/Main 1990, S. 56-74

Bovenschen, Silvia, *Die imaginierte Weiblichkeit. Exemplarische Untersuchungen zu kulturgeschichtlichen und literarischen Präsentationsformen des Weiblichen*. Frankfurt/Main 1979

dies., »Auf falsche Fragen gibt es keine richtigen Antworten«. *FAZ,* 23.1.1988

Breton, André, *Die Manifeste des Surrealismus,* Reinbek bei Hamburg 1986

Brückner, Jutta, »Carmen und die Macht der Gefühle«. In: *Ästhetik und Kommunikation* 53/54, 1983, S. 227-232

Breitling, Gisela, »Die Geschöpfe des Pygmalion«. In: E. Flitner und R. Valtin (Hg.), *Dritte im Bund: Die Geliebte*. Reinbek bei Hamburg 1987, S. 216-267

dies., *Der verborgene Eros. Weiblichkeit im Zerrspiegel der Künste*. Frankfurt/M 1990

Brückmann, Margret, »Weiblichkeit im Spiegel der Sprache. Über das Verhältnis von Psychoanalyse und 'écriture féminine'«. In: H. Gnüg und R. Möhrmann (Hg.), *Schreibende Frauen. Frauen – Literatur – Geschichte vom Mittelalter bis zur Gegenwart*. Frankfurt/Main 1989, S. 395-415

Bürger, Peter, *Theorie der Avantgarde*. Frankfurt/Main 1974

Burger, Rudolf, »Der böse Blick der Elfriede Jelinek«. In: Christa Gürtler (Hg.), *Gegen den schönen Schein*. Frankfurt/Main 1990, S. 17-29

Carrouges, Michel, »Gebrauchsanweisung«. In: *Junggesellenmaschinen/Les Machines Célibataires*, Ausstellungskatalog besorgt von J. Clair und H. Szeemann. Zürich 1975, S.21-23

Cixous, Hélène, »Schreiben, Feminität, Veränderung«. In: *Alternative* 108/109, 1976, S.134-147

Dane, Eva, Schmidt, Renate (Hg.), *Frauen & Männer und Pornographie*. Frankfurt/Main 1990

Dech, Jula, »Bringt Carmen die alten Verhältnisse zum Tanzen?«. In: B. Schaeffer-Hegel (Hg.), *Frauen und Macht*. Berlin 1984, S.200-215

Dinnerstein, Dorothy, *The Mermaid and the Minotaur. Sexual Arrangements and the Human Malaise*. New York 1991

Dörrie, Doris, *Der Mann meiner Träume*. Zürich 1991

Duden, Anne, *Übergang*. Berlin 1987

Dworkin, Andrea, *Men Possessing Women*. New York 1989 (deutsch: Köln 1987)

Elias, Norbert, *Über den Prozeß der Zivilisation*. Frankfurt/Main 1991

Faludi, Susan, *Backlash: The Undeclared War Against American Women*. New York 1991

Finkielkraut, Alain, Bruckner, Pascal, *Die neue Liebesunordnung*. Reinbek 1989

Flake, Otto, »Liebe in dieser Zeit«. In: R. Hochhuth (Hg.), *Liebe in unserer Zeit*. Hamburg 1961

Foucault, Michel, *Die Ordnung des Diskurses*. Frankfurt/M./Berlin/Wien 1977

ders., *Schriften zur Literatur*. Frankfurt/Main 1988

ders., *Der Wille zum Wissen. Sexualität und Wahrheit*. Frankfurt/Main 1982

ders., Bellour, Raymond, »Über verschiedene Arten Geschichte zu schreiben« (1967). In: Adelbert Reif (Hg.), *Antworten der Strukturalisten*. Hamburg 1973

Freud, Sigmund, »Drei Abhandlungen zur Sexualtheorie« (1904-1905). In: S.F., *Drei Abhandlungen zur Sexualtheorie*. Frankfurt/Main 1989, S. 13-109

ders., »Notiz über den 'Wunderblock'« (1925). In: S.F., *Studienausgabe, Bd.III*. Frankfurt/Main 1975, S.363-370

ders., »Das Unbehagen in der Kultur« (1930). In: S.F., *Abriß der Psychoanalyse. Das Unbehagen in der Kultur*. Frankfurt/Main 1989, S.63-129

ders., »Abriß der Psychoanalyse« (1938). In: S.F., *Abriß der Psychoanalyse. Das Unbehagen in der Kultur*. Frankfurt/Main 1989, S.9-61

Gerhardt, Marlies, »Rückzüge und Selbstversuche«. In: Ch. Koschel und I. von Weidenbaum (Hg.), *Kein objektives Urteil – nur ein lebendiges. Texte zum Werk von Ingeborg Bachmann*. München/Zürich: 1989, S.503-515

Günderode von, Karoline, »Die Einzige«. In: Christa Wolf (Hg.), *Der Schatten eines Traums. Gedichte, Prosa, Briefe, Zeugnisse von Zeitgenossen*. Darmstadt/Neuwied 1979, S. 108

Gürtler, Christa (Hg.), *Gegen den schönen Schein*. Frankfurt/Main 1990

Hahn, Ulla, *Ein Mann im Haus*. Stuttgart 1991

Hartung, Rudolf, »Dokument einer Lebenskrise«. In: Ch. Koschel und I. von Weidenbaum (Hg.), *Kein objektives Urteil – nur ein lebendiges. Texte zum Werk von Ingeborg Bachmann*. München/Zürich 1989, S. 153-157

Hassauer, Friederike, »Ist die Frau noch ein Mensch? 10 Thesen zur Frauenfrage«. In: F.H. und P. Roos (Hg.), *Die Frauen mit Flügeln, die Männer mit Blei?* Siegen 1986, S. 136-143 dies., »Das Weib und die Idee der Freiheit. Zur neueren Geschichte der Diskurse über die Frau«. In: B. Cerquiglini und H.U. Gumprecht (Hg.), *Der Diskurs der Literatur- und Sprachhistorie. Wissenschaftsgeschichte als Innovationsvorgabe.* Frankfurt/Main 1983, S.421-445

Heinrich, Klaus, »Das Floß der Medusa«. In: R. Schlesier (Hg.), *Faszination Mythos. Studien zu antiken und modernen Interpretationen.* Basel/Frankfurt 1985, S.335-369

Heinig, Klaus E., »Erotische und pornographische Videofilme. Eine Marktübersicht«. In: E. Dane u. R. Schmidt (Hg.), *Frauen & Männer und Pornographie.* Frankfurt/Main 1990

Hochhuth, Rolf (Hg.), *Liebe in unserer Zeit.* Hamburg 1961

Horkheimer, Max, Adorno, Theodor W., *Dialektik der Aufklärung. Philosophische Fragmente.* Frankfurt/Main 1986

Hunt, Lynn, *The Invention of Pornography. Obscenity and the Origins of Modernity.* New York 1993

Irigaray, Luce, *Das Geschlecht, das nicht eins ist.* Berlin 1979

dies., *Speculum. Spiegel des anderen Geschlechts.* Frankfurt/Main 1980

Janz, Marlies, »Haltlosigkeiten: Paul Celan und Ingeborg Bachmann«. In: J. Hörisch und H. Winkels (Hg.), *Das schnelle Altern der neusten Literatur.* Düsseldorf 1985, S.31-39

Jelinek, Elfriede, »Der Krieg mit anderen Mitteln« (1984). In: Ch. Koschel und I. von Weidenbaum (Hg.), *Kein objektives Urteil – nur ein lebendiges. Texte zum Werk von Ingeborg Bachmann.* München/Zürich 1989, S.311-320

dies., *Lust*, Reinbek bei Hamburg 1989

dies., »'Ich schlage sozusagen mit der Axt drein'«. In: *TheaterZeitSchrift* 7, 1984, S.14-16

dies., »Der Sinn des Obszönen«. In: *Frauen und Pornographie*, hg. von Claudia Gehrke. *konkursbuch extra*, Tübingen 1988, S. 102-103

dies., Interview mit Gabriele Presber. In: G. Presber, *Die Kunst ist weiblich.* München 1988, S. 107-131

dies., Interview mit Brigitte Classen, »Das Liebesleben in der zweiten Natur«. In: *an.schläge* 7/8, 1989, S.33-35

Jones, Ann R., »Writing the Body«. In: R. R. Warhol und D. Price Herndl (Hg.), *Feminisms.* New Brunswick/N.J. 1991, S.357-370

Kaes, Tony, »New Historicism. Literaturgeschichte im Zeichen der Postmoderne«. In: Hartmut Eggert u.a. (Hg.), *Geschichte als Literatur. Formen und Grenzen der Repräsentation von Vergangenheit.* Stuttgart 1990, S.56-66

Kaiser, Joachim, »Liebe und Tod einer Prinzessin« (1971). In: Ch. Koschel und I. von Weidenbaum (Hg.), *Kein objektives Urteil – nur ein lebendiges. Texte zum Werk von Ingeborg Bachmann.* München/Zürich 1989, S. 178-183

Kamper, Dieter, »Das Phantasma vom ganzen und vom zerstückelten Körper«. In: D.K. und Ch. Wulf (Hg.), *Die Wiederkehr des Körpers.* Frankfurt/Main 1982, S. 125-136

Karasek, Hellmuth, »Vom Realismus der Pornographie. Zur Neuerscheinung der 'Josefine Mutzenbacher'«. In: *Die Zeit*, 47/1969

ders., »Carmen – Traum der absoluten Liebe«. In: *Der Spiegel* 37/1983, S. 186-200

ders., »Deutscher Film: Auf dem Sprung nach Hollywood«. In: *Der Spiegel* 45/1986

Kipphoff, Petra, »Ein Nichts und neun Attrapen«. In: *Die Zeit* 29/1966

Kluge, Alexander, »Über Gefühl. Ein Diskussionsbeitrag«. In: *Ästhetik und Kommunikation*, Heft 53/54, 1983, S.216-218
ders., »Anmerkungen zu Jutta Brückner«. In: *Ästhetik und Kommunikation*, Heft 53/54, 1983, S.233-235
Koch, Gertrud, »Sittengemälde aus einem röm.kath. Land. Zum Roman *Lust*«. In: Christa Gürtler, *Gegen den schönen Schein*. Frankfurt/Main 1990, S.135-141
Korff, Friedrich W., »Ingeborg Bachmanns Falschspiel mit der Liebe« (1971). In: Ch. Koschel und I. von Weidenbaum (Hg.), *Kein objektives Urteil – nur ein lebendiges. Texte zum Werk von Ingeborg Bachmann*. München/Zürich 1989, S.166-177
Krechel, Ursula, »Die geheimnisvolle Unruhe hinter den Wörtern«. In: *Süddeutsche Zeitung*, 18./19.1.1992
Kristeva, Julia, »Produktivität der Frau«. Interview von Eliane Boucquey. In: *Alternative* 108/109, 1976, S.166-172
dies., *Die Revolution in der poetischen Sprache*. Frankfurt/Main 1978
dies., *Geschichten von der Liebe*. Frankfurt/Main 1989
Kurnitzky, Horst, *Ödipus. Ein Held der westlichen Welt. Über die zerstörerischen Grundlagen unserer Zivilisation*. Berlin 1978
Lacan, Jacques, »Das Spiegelstadium als Bildner der Ichfunktion« (1949). In: N. Haas (Hg.), *Jacques Lacan. Schriften I*. Weinheim/Berlin 1991, S.62-70
ders., »Die Bedeutung des Phallus« (1958). In: N. Haas (Hg.), *Jacques Lacan. Schriften II*. Weinheim/Berlin 1991, S.119-132
Laplanche, J., Pontalis, J.B., *Das Vokabular der Psychoanalyse*. Frankfurt/Main 1992
Lautmann, Rüdiger, »Die neue Gefährlichkeit der Pornographie. Politische Kampagnen und Wirkungsforschung«. In: *Zeitschrift für Sexualforschung*, Jg. 1, Heft 1, (März 1988), S.45-67
Lenk, Elisabeth, »Die sich selbst verdoppelnde Frau«. In: *Ästhetik und Kommunikation* 25, 1976, S.84-87
von der Lühe, Irmela, »Ich ohne Gewähr: Bachmanns Vorlesungen zur Poetik«. In: I.v.d.L.(Hg.), *Entwürfe von Frauen in der Literatur des 20. Jahrhunderts*. Berlin/Hamburg 1982, S.106-131
dies., »Schreiben und Leben: Der Fall Ingeborg Bachmann.« In: I. Stephan, S. Weigel (Hg.), *Feministische Literaturwissenschaft*. Berlin/Hamburg 1983, S.43-53
Luhmann, Niklas, *Liebe als Passion. Zur Codierung von Intimität*. Frankfurt/Main 1982
Luquet-Parat, Catherine, »Der Objektwechsel«. In: J. Chasseguet-Smirgel (Hg.), *Psychoanalyse der weiblichen Sexualität*. Frankfurt/Main 1974, S.120-133
MacKinnon, Catherine A., »Feminismus, Marxismus, Methode und der Staat: Ein Theorieprogramm«. In: *Denkverhältnisse. Feminismus und Kritik*, hg. von Elisabeth List und Herlinde Studer. Frankfurt/Main 1989, S.86-132
Millet, Kate, *Sexus und Herrschaft: Die Tyrannei des Mannes in unserer Gesellschaft*. München 1980
Modleski, Tania, *Feminism without Women. Culture and Criticism in a »Postfeminist Age«*. New York 1991
Moeller, Michael L., *Die Liebe ist ein Kind der Freiheit*. Reinbek bei Hamburg 1986
Morgenroth, Inge, »UNICA ZU ERN«. In: I.M. (Hg.), *Das Weisse mit dem roten Punkt. Texte und Zeichnungen*. Frankfurt/M./Berlin 1988, S.197-209

Mulvey, Laura, »Visuelle Lust und narratives Kino«. In: G. Nabakowski, H. Sander, P. Gorsen (Hg.), *Frauen in der Kunst*. Frankfurt/Main 1980, Bd. I, S.30-46
Münzberg, Olav, »Der verkürzte Blick auf Carmen«. In: *Ästhetik und Kommunikation* 53/54, 1983, S.237-241
Nölleke, Brigitte, *In alle Richtungen zugleich: Denkstrukturen von Frauen*. München 1985
Pohle, Bettina Barbara, *Kunstwerk Frau. Repräsentationen von Weiblichkeit in der Moderne*. Berkeley 1994 (unveröffentlichtes Manuskript)
Réage, Pauline, »Ein verliebtes Mädchen«. In: *Die Zeit* 46/1969
Röhnelt, Inge, *Hysterie und Mimesis in 'Malina'*. Frankfurt/Main u.a. 1990
Schmidt, Gunter, *Das große Der Die Das. Über das Sexuelle*, Reinbek 1991
Schmidt-Bortenschläger, Sigrid, »Spiegelszenen bei Bachmann. Ansätze einer psychoanalytischen Interpretation«. In: *Modern Austrian Literature*, Vol. 18, 3/4, 1985, S.39-52
Schneider, Gisela, Laermann, Klaus, »Augen-Blicke. Über einige Vorurteile und Einschränkungen geschlechtsspezifischer Wahrnehmung«. In: *Kursbuch* 49, 1977, S.36-58
Scholl, Sabine, *Unica Zürn. Fehler. Fallen. Kunst*. Frankfurt/Main 1990 (Athenäums Monographien: Literaturwissenschaft. Bd. 97)
Schottelius, Saskia, *Das imaginäre Ich. Subjekt und Identität in Ingeborg Bachmanns Roman 'Malina' und Jacques Lacans Sprachtheorie*. Frankfurt/Main u.a. 1990
Schrader-Kleber, Karin, »Die kulturelle Revolution der Frau«. In: *Kursbuch* 17, 1969, S.1-46
Schuller, Marianne, »Die Nachtseiten der Humanwissenschaft. Einige Aspekte zum Verhältnis Frau und Literaturwissenschaft«. In: G. Dietzke (Hg.), *Die Überwindung feministischer Sprachlosigkeit. Texte aus der neuen Frauenbewegung*. Darmstadt/Neuwied 1979, S.31-50
Schwarzer, Alice, *Der 'kleine Unterschied' und seine großen Folgen*. Frankfurt/Main 1990
dies., *Von Liebe und Haß*. Frankfurt/Main 1993
Sichtermann, Barbara, »Der Rittertraum. Versuch über einen banalen Mythos«. In: B.S., *Weiblichkeit. Zur Politik des Privaten*. Berlin 1987, S.81-89
dies., »Der Mythos von der Herbeiführbarkeit des Orgasmus«. In: B.S., *Weiblichkeit. Zur Politik des Privaten*. Berlin 1987, S.11-20
dies., »'Von einem Silbermesser zerteilt' – Über die Schwierigkeiten für Frauen, Objekte zu bilden, und über die Folgen dieser Schwierigkeiten für die Liebe«. In: B.S., *Weiblichkeit. Zur Politik des Privaten*. Berlin 1987, S.70-80
Stephan, Inge, »Liebe als weibliche Bestimmung? Frauenbild und mythische Strukturen in den beiden frühen Romanen *Liebe beginnt* und *Elissa* von Marie Luise Kaschnitz«. In: U. Schweickert (Hg.), *Marie Luise Kaschnitz*. Frankfurt/Main 1984, S.119-150
Snitow, Ann Bar, »Der Liebesroman aus der Retorte: Pornographie für Frauen ist anders«. In: A.B. Snitow, C. Stansell, S. Thompson (Hg.), *Die Politik des Begehrens*. Berlin 1985
Stuby, Anna Maria, »Sirenen und ihre Gesänge. Variationen über das Motiv des Textraubs«. In: A.M.S. (Hg.), *Frauen: Erfahrungen, Mythen, Projekte*. Berlin/Hamburg 1985, S.69-87

Thürmer-Rohr, Christina, Wildt, Carola u.a. (Hg.), *Mittäterschaft und Entdeckungslust.* Berlin 1989

Valtin, Renate, »Das Thema 'Geliebte' in Zeitschriften und Illustrierten. Ein Lehrstück aus dem Patriarchat«. In: E. Flitner, R.V. (Hg.), *Dritte im Bund. Die Geliebte.* Reinbek bei Hamburg 1987, S.37-73

Venske, Regula, *Mannsbilder – Männerbilder.* Hildesheim/Zürich/New York 1988

Wartmann, Brigitte, »Die Grammatik des Patriarchats. Zur 'Natur' des Weiblichen in der bürgerlichen Gesellschaft.« In: *Ästhetik und Kommunikation* 47, 1986, S.12-32

dies., »Schreiben als Angriff auf das Patriarchat.« In: Niklas Born u.a. (Hg.), *Literaturmagazin 11. Schreiben oder Literatur.* Reinbek bei Hamburg 1979, S.108-132

Wegehaupt-Schneider, Ingeborg, »Das Private ist politisch. Selbsterfahrungsgruppen«. In: Kristine von Soden (Hg.), *Der große Unterschied. Die neue Frauenbewegung und die siebziger Jahre.* Berlin 1988, S.17-18

Weigel, Sigrid, »'Ein Ende mit der Schrift. Ein anderer Anfang'. Zur Entwicklung von Ingeborg Bachmanns Schreibweise«. In: *Text und Kritik.* Sonderband: Ingeborg Bachmann, Gastredaktion: S.W. München 1984, S.58-92

dies., »Die andere Bachmann«. In: *Text und Kritik.* Sonderband: Ingeborg Bachmann, Gastredaktion: S.W. München 1984, S.5-6

dies., »Mit Siebenmeilenstiefeln zur weiblichen Allmacht oder die kleinen Schritte aus der männlichen Ordnung. Eine Kritik literarischer Utopien von Frauen.« In: *Feministische Studien* 1, 1985, S.138-152

dies., »'Wäre ich ein Mann, hätte ich aus diesem Zustand vielleicht ein Werk geschaffen': Unica Zürn«. In: I. Stephan, R. Venske, S.W. (Hg.), *Frauenliteratur ohne Tradition? Neun Autorinnenportraits.* Frankfurt/Main 1987, S.243-277

dies., *Die Stimme der Medusa. Schreibweisen von Frauen in der Gegenwartsliteratur.* Dülmen 1987

dies., »Der schielende Blick. Thesen zur Geschichte weiblicher Schreibpraxis«. In: *Die verborgene Frau. Sechs Beiträge zu einer feministischen Literaturwissenschaft*, mit Beitr. v. I. Stephan und S.W. Berlin/Hamburg 1988, S.83-137

dies., *Topographien der Geschlechter. Kulturgeschichtliche Studien zur Literatur.* Reinbek bei Hamburg 1991

Widmer, Peter, *Die Subversion des Begehrens. Jacques Lacan oder die zweite Revolution der Psychoanalyse.* Frankfurt/Main 1990

Wolf, Naomi, *The Beauty Myth.* New York 1991

Wulf, Christoph, »Die Liebesflamme«. In: Ch.W., D. Kamper, *Der Heilige. Seine Spur in der Moderne.* Frankfurt/Main 1987, S.328-337

Zimmer, Dieter E., »Nachricht von Pauline Réage«. In: *Die Zeit* 46/1969

Zürn, Unica, *Gesamtausgabe in fünf Bänden*, hg. von Günter Bose, Erich Brinkmann. Berlin 1988ff.

dies., *Das Weisse mit dem roten Punkt. Texte und Zeichnungen*, hg. von I. Morgenroth. Frankfurt/M./Berlin 1988

dies., *Der Mann im Jasmin: Eindrücke einer Geisteskrankheit. Dunkler Frühling.* Frankfurt/M./Berlin 1982

Über die Autorin

Susanne Baackmann, geboren 1958, lebt zur Zeit in den USA in der neumexikanischen Wüste. Sie lehrt deutsche Literatur und Sprache an der Universität von Neu-Mexiko, Albuquerque. Nach dem Studium der Germanistik, Anglistik und Philosophie an der Universität Duisburg promovierte sie in German Studies an der Universität von Kalifornien, Berkeley. Veröffentlichungen zu Ingeborg Bachmann und Ulla Hahn.

Erinnerungsarbeit

Wie Frauen sich in herrschenden Verhältnissen vergesellschaften

Frigga Haug: **Erinnerungsarbeit**
256 Seiten. 22 DM/172 ÖS/23 SF. ISBN 3-88619-383-7

Frigga Haug (Hg.)
Erziehung zur Weiblichkeit
Argument Sonderband 45. 280 Seiten. 18,50 DM/142 ÖS/19,50 SF. ISBN 3-920037-22-7

Sexualisierung der Körper
Argument Sonderband 90. 204 Seiten. 15,50 DM/120 ÖS/16,50 SF. ISBN 3-88619-090-0

Frigga Haug/Kornelia Hauser (Hg.)
Subjekt Frau
Kritische Psychologie der Frauen 1
Argument Sonderband 117. 192 Seiten. 15,50 DM/120 ÖS/16,50 SF. ISBN 3-88619-117-6

Der Widerspenstigen Lähmung
Kritische Psychologie der Frauen 2
Argument Sonderband 130. 176 Seiten. 15,50 DM/120 ÖS/16,50 SF. ISBN 3-88619-130-3

Küche und Staat
Politik der Frauen
Argument Sonderband 180. 166 Seiten. 15,50 DM/120 ÖS/16,50 SF. ISBN 3-88619-180-X

Die andere Angst
Argument Sonderband 184. 286 Seiten. 18,50 DM/142 ÖS/19,50 SF. ISBN 3-88619-184-2

Frigga Haug/Eva Wollmann (Hg.): **Hat die Leistung ein Geschlecht?**
Argument Sonderband Neue Folge 219. 240 Seiten. 21 DM/164 ÖS/22 SF. ISBN 3-88619-219-9

Frigga Haug/Brigitte Hipfl (Hg.): **Sündiger Genuß?**
Filmerfahrungen von Frauen
Argument Sonderband Neue Folge 236. 184 Seiten. Mit 7 Abb. 29 DM/225 ÖS/30 SF. ISBN 3-88619-236-9

Frauen in Kultur und Gesellschaft

Bronwyn Davies: **Frösche und Schlangen und feministische Märchen**
Argument Sonderband Neue Folge 202. 208 Seiten. 18,50 DM/142 ÖS/19,50 SF. ISBN 3-88619-202-4

Gillian G. Gaar: **Rebellinnen**
Die Geschichte der Frauen in der Rockmusik
Argument Sonderband Neue Folge 230. 496 Seiten. Mit 50 Abb. 39 DM/304 ÖS/40 SF. ISBN 3-88619-230-X

Eva Hohenberger/Karin Jurschick (Hg.): **Blaue Wunder**
Neue Filme und Videos von Frauen 1984 bis 1994
Argument Sonderband Neue Folge 225. 288 Seiten. Mit 45 Abb. 29 DM/225 ÖS/30 SF. ISBN 3-88619-225-3

Marion Shaw/Sabine Vanacker : **Miss Marple auf der Spur**
Argument So[...] . ISBN 3-88619-206-7

Lewis & Clark College - Watzek Library
3 5209 00680 3577